Australisch zwart

Christine Adamo

Australisch zwart

Uit het Frans vertaald door
Riek Bredman

DE GEUS

*Ouvrage publié avec le soutien du Centre national du livre
– Ministère français chargé de la culture.* Deze uitgave is mede mogelijk
gemaakt dankzij een bijdrage van het Franse ministerie van Cultuur –
Centre national du livre

Oorspronkelijke titel *Noir austral*, verschenen bij Éditions Liana Levi
Oorspronkelijke tekst © Éditions Liana Levi, 2006
Nederlandse vertaling © Riek Bredman en De Geus BV, Breda 2009
Omslagontwerp Berry van Gerwen
Omslagillustratie © Jindalee Estate Wine
ISBN 978 90 445 1032 4
NUR 331

Inhoud

Sahoel en Soenda

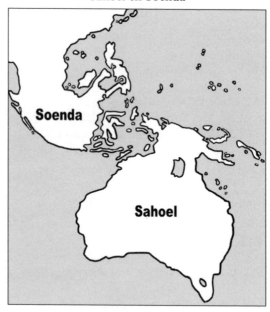

Het huidige Oceanië

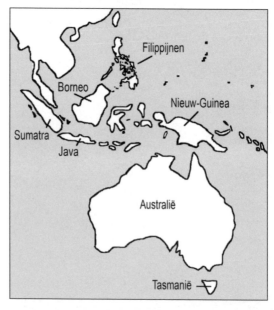

Het gebied rond de Jervisbaai

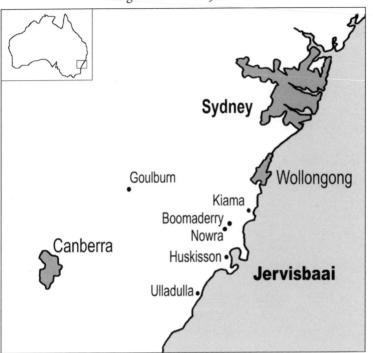

Proloog

Net als de dagen daarvoor had het geregend. Het was al een paar weken zomer, maar dat kon je alleen op de kalender zien. En hier was het water net als elders gewassen, had de rivier haar bedding verbreed. Zo kwam het dan ook dat het lijk vlot was geraakt.

Het had al een hele nacht op de drassige oever gelegen, onder de takken van de wilgen, op enkele centimeters van het water. Tegen middernacht hadden de kabbelende golfjes het hoofd bereikt, zonder eerbied voor de eens zo glanzende zwarte haren of de ooit koffiebruine huid, die nu geleidelijk verbleekte rond de door leed vertekende gelaatstrekken. Het stijgende water van de beken in de bergen was zich blijven vermengen met dat van de stortregens. Om vier uur 's ochtends had het water de borst bedekt en met een paar stroompjes naar de bloedige holte gereikt die iets lager in het lichaam gaapte, waar de darmen hadden gezeten. Het had de twee ratten verjaagd die net aan een feestmaal begonnen waren. Bij dageraad staken op de geslonken oever nog slechts de voeten boven het water uit; nieuwe gympen onder zo'n rafelige broek dat het er belachelijk uitzag.

En vlak voor het middaguur was het ontweide lijk door de stroom meegesleurd. Het had normaal gesproken als een baksteen naar de bodem moeten zinken om pas later weer boven te komen, opgeblazen als een gruwelijke en deerniswekkende ballon. Maar de rivier was machtig, al was ze door menselijke technologie getemd. Haar stromingen lieten zich niet de les lezen, helemaal niet bij wassend water, als alles moest worden meegesleurd waarop ze vat konden krijgen. In de modderige maalstromen was het lichaam, hoewel nog altijd aan rigor mortis onderhevig, in een bespottelijke dans gaan rollen en bewegen.

Ver was het niet gekomen. Enkele meters stroomafwaarts was het beklemd geraakt in de takken van een oeverboom die bij elke woede-uitbarsting van de hemel in de rivier terechtkwam, om daar de meest uiteenlopende spullen tegen te houden. Die dag waren dat twee plastic zakken geweest met het logo van een plaatselijke supermarkt, een deur van een caravan en een lijk met een opengereten onderbuik.

Dat laatste kwam dus boven water uit, plat op zijn buik op de triplex deur, zodat wat hem nog aan ingewanden restte op een nog schoon oppervlak lag. Nog wel, althans. Weliswaar was het lichaam met het bekken tussen de takken onder de deur blijven steken, maar het schommelde als bezeten op de maat van de regelmatige rukken van de stroming die aan de afhangende benen trok.

Het zou niet lang meer duren of de ontbinding van de vetten zou zorgen voor de vorming van een soort was rond het onder-gedompelde spierweefsel. Daarentegen zouden de vliegen hun eitjes gaan afzetten op de delen die aan de lucht waren bloot-gesteld. Larven zouden zich invreten. En het lichaam zou een fantastische voorraadkamer worden.

EERSTE DEEL

DE REIZIGERS

I

70.000 v.Chr. Van Soenda naar Sahoel

Hun benen waren lang, stonden stevig op de grond, hun tred was soepel. Hun rechte, gespierde lichamen kenden geen zwakte. Ze waren vastberaden. De weg naar het zuiden zou de stam een beter leven garanderen, in elk geval gemakkelijker dan dat van de voorvaderen die de toorn van de berg- en hemelgeesten hadden overleefd.

Dit gedeelte van Soenda[1] was verwoest door een vulkaanuitbarsting[2], die het einde van het begin der tijden inluidde. Het vloeibare magma dat was bovengekomen was met verpletterende kracht in de krater ontploft. Daarop had zich een aszuil gemengd met gas tientallen kilometers hoog in de atmosfeer verheven, alvorens zich daar te verspreiden tot een gigantische wolk. Dat had een vulkanische winter van bijna zes jaar tot gevolg gehad, waarbij de temperaturen meer dan tien graden waren gedaald en een groot deel van het leven in de omtrek was verwoest. De overlevenden hadden een groep gevormd en waren gaan lopen. Daarginds, in de streken aan de horizon, zouden misschien anderen van hun soort zijn. En wellicht heerste daar geen honger.

In de loop van de generaties was de stam over de zuidoostoever van de Soenda gelopen. De nieuwe kou maakte het hun makkelijker, want het bos was nog niet zo breed uitgegroeid dat het hun pad belemmerde. Ze konden hun eigen ritme volgen, nauw verbonden met hun omgeving. Jagen, verzamelen, vissen. Vlechten, zakken naaien, gereedschap verfijnen. Doden verbranden, kinderen baren. Nieuwe lichaamsverf maken, verhalen van de voorvaderen en hun reizen vertellen.

Naarmate de stamleden vorderden, raakte de oever met nieuwe bomen bedekt, tot de dag waarop hun wortels uitgroeiden tot mangroven, die zich in het water uitstrekten en de voortgang sterk begonnen te hinderen. Daarop overlegden de mannen met elkaar. Achter hen het bos, waarvan de boomtoppen, als een gekarteld groen kleed, de hemel aan het zicht onttrokken. Voor hen de zee, een steeds veranderend turkoois met onvermoede diepten. Ze fronsten de wenkbrauwen toen aan de horizon, boven het water, heel lichte rook verscheen, zo licht als die van een bosbrand.

Daarop wierp Yooloore zijn spies en bijl op de grond en slaakte een kreet.

'Daar! Daar! Kijk dan!'

Zijn zwarte lijf strak gespannen wees hij met zijn wijsvinger naar de hemel. Zijn met witte klei bestreken gezicht straalde. In de verte, boven de watervlakte, verscheen een vlucht ibissen, die naar het noorden trok. De jongeman draaide zich met een ruk om naar zijn metgezellen.

'Die vogels nestelen alleen in de buurt van zoet water!'

Er was dus meer dan alleen zee daarachter. Ze besloten verder te gaan. Yooloore, die ambitieuzer was dan de rest, liep nerveus over het strand.

'Ik moet weten wat daar is! Pak die stammen! Help me!'

Lang hadden ze niet nodig om de stukken hout die overal op de oever lagen aan elkaar te binden. Ervaren zeevaarders waren ze niet, maar zeearmen waren ze al eens eerder overgestoken.

Heel even voer de angst voor het onbekende door Yooloores gedachten. Maar die maakte snel plaats voor zijn trots, toen hij besefte dat Namoora stond te kijken. Hij keek terug van onder zijn borstelige wenkbrauwen. Het gezicht van het meisje was kleiner en beter geproportioneerd dan dat van de ouderen. Haar kin was geprononceerder, haar voorhoofd hoger, haar schedel ronder. Maar Yooloore zag vooral haar zwarte ogen, die extra werden benadrukt door de klei die haar bovenlichaam bedekte.

Verder huiverde ze, want een scherpe wind blies over haar donkere huid. En haar kleine borsten wezen naar de hemel.

De jongeman slikte zijn speeksel weg, draaide zich toen weer om naar de zee en begon een van zijn vlotten het water in te trekken. Zijn spieren spanden zich. Hij voelde hoe een soort beschonkenheid bezit van hem nam toen het wankele bootje begon te drijven op enkele meters uit de oever. Staande in het water hield hij het vast, en hij draaide zich om naar het meisje.

'Morgen vertrekken we. Daarheen ...'

Hij stak zijn arm uit naar de horizon, die er kalm en purper bij lag in het vuur van de ondergaande zon.

Toen het nacht werd begonnen de stamleden aan de rand van het bos kuilen in de grond te graven. Al snel legden ze zich daar te ruste, tegen elkaar aan in die geïmproviseerde nesten. Maar bij het aanbreken van de dageraad, toen de maan verbleekte aan de hemel, sprong Yooloore overeind. Met een paar passen was hij bij de plek waar de vrouwen sliepen en waar hun lijven met elkaar leken te versmelten. De jongeman aarzelde even. Toen zag hij haar en hij ging tegen haar aan liggen. Zodra Namoora zijn warmte gewaarwerd, schoot ze overeind en wilde wegvluchten. Maar ze voelde zijn adem tegen haar schouder, zijn hand op haar borst en zijn knie tussen haar dijen. Toen steeg warmte op in haar buik. En ze drukte zich tegen hem aan.

Enkele uren later trok de stam het onbekende tegemoet.

Dat was niet gemakkelijk. Met grote gekapte takken peddelden ze uit alle macht naar open zee, gedreven door een verlangen naar een beter bestaan in die verten waaruit de sierlijke zwart-witte vogels waren opgevlogen. Maar het was alsof de zee niets van hen wilde weten, alsof de golven zich samen verzetten tegen de mannelijke kracht van hun soort.

Plotseling plantte zich een werpspies tussen de tere schouders van Muluurii. Verrast door de kracht van de schok voelde de oude man eerst helemaal geen pijn. En toen dat wel het geval was, was het te laat. Een stroom van bloed en schuim kwam hem over de lippen. Met zijn ogen in een laatste, verbaasde blik opengesperd viel Muluurii naar voren.

De mannen staakten het roeien, de vrouwen slaakten kreten van angst en wierpen zich op de kinderen. Achter hen, op het strand dat ze net hadden verlaten, rende een groepje kleine zwarte wezens, met vreemd gedrongen hoofden, terwijl ze smalle bootjes achter zich aan sleepten.

Binnen een paar tellen hadden die wezens zich in hun vaartuigjes gestort en waren ze nog slechts op enkele meters afstand van de vlotten, die in vergelijking met de bootjes van hun achtervolgers zwaar en log in het water lagen.

De geschrokken reizigers reageerden onmiddellijk. De mannen pakten hun geïmproviseerde peddels en duwden deze met al hun kracht door de golven. Dit keer ging het er niet om de horizon te bereiken, maar hun levens te redden, te ontsnappen aan de dodelijke pijlpunten van die vreemde mensachtigen.

Het lukte ze om door de branding te komen, die de horizon aan het oog onttrok. Daarna werden ze meegesleurd door zo'n sterke stroming, dat de oevers van hun oude grondgebied verdwenen waren, nog voordat ze beseften dat ze hun verleden voorgoed achter zich hadden gelaten. En de kracht van die zilte stroom droeg hen sneller en verder dan ze hadden voorzien naar de diepten van de duistere wateren.

Na enkele uren op goed geluk te hebben gevaren, veranderde de zee van kleur. Van donkerblauw werd ze blauwgroen en toen doorzichtig: de bodem was te zien. De stamleden zagen daarop de eerste rugvinnen opduiken. Ze verjoegen ze met de stokken die ze ook gebruikten om uit de riffen los te komen waarop de golven hen soms wierpen.

Yooloore en zijn mensen baanden zich een weg tussen het koraal door dat hier aan de oppervlakte kwam. De stroom voerde hen mee naar land dat ze in de verte vermoedden, aan de voet van mistige bergen die hoger waren dan alles wat ze kenden. Ze popelden van ongeduld. De vloed voerde hen ten slotte naar wat hun een enorm strandmeer leek, van een omvang die hun vreemd was. Het leek eerder een binnenzee, die zich uitstrekte tot aan de voet van de groene bergen. Dolblij riep een vrouw: 'We zijn aan de haaien ontsnapt!'

Ze was nog niet uitgesproken of de reizigers zagen de eerste koppen met enorme bolle ogen uit het water steken. Kaken gingen open, dreigend, zo lang als een mensenlijf en gewapend met tanden die zo groot waren als een hand. De stamleden hadden geen enkele rekening gehouden met de mogelijke aanwezigheid van krokodillen in een riviermonding. Want die monsters stamden volgens de legende uit oude tijden, ver voor de eerste voorouders. Misschien hadden de ouden krokodillen gezien in de rivieren die door de noordelijke landen stroomden, ver voorbij de zee, maar in geen van hun verhalen was sprake van zo'n gruwelijk monster.

Een van de kaken opende zich achter het vlot van Namoora. De mannen die achter de jonge vrouw stonden deden instinctief een stap achteruit. Het vlot kantelde, waardoor Namoora in het water viel.

Zonder na te denken sprong Yooloore haar achterna. Uiteindelijk was het enige wat hij werkelijk vreesde belachelijk gemaakt te worden. Dat gebeurde niet. Daar kreeg hij de tijd niet voor. Zijn duik leidde de aandacht van het reptiel af. Gebrul van afgrijzen ging over in Yooloores doodsstrijd, toen de gigantische kaken zich om zijn buik en rug sloten. Het nauwelijks hoorbare maar wrede geluid van scheurende spieren en brekende botten bereikte de oren van Namoora, die net op een van de vlotten werd gehesen. Enkele gekleurde bellen barstten open aan het wateroppervlak. De krokodil had zijn slachtoffer mee naar de bodem gesleept. Zijn tanden waren niet puntig of scherp genoeg om hem aan de oppervlakte te doden en snel op te eten.

Het meisje klemde haar kaken op elkaar en volgde de stam naar de oever. Ze trokken de vlotten op het zwarte zand, aan de rand van de mangroven, zakten in elkaar in de schaduw en vielen meteen in slaap.

Ze wisten het nog niet, maar ze hadden Sahoel[3] bereikt.

Augustus 2004. Dodelijk ongeval in de rechtbank

Op de vijfde verdieping van het elegante gebouw, aan het einde van een lange smalle gang, klonk uit de verhoorkamer geen enkel geluid. Die was daarop ingericht. Want weliswaar hadden de werknemers van de rechtbank voor vluchtelingen in Sydney de opdracht nooit hun stem te verheffen, maar de uitbarstingen van hen die hun hulp ter bescherming kwamen inroepen waren moeilijker te beheersen. En die dag waren ze niet de enigen die zich van die opdracht niets aantrokken.

'Lieve hemel, Kate, het zijn toch geen moordenaars!'

Het was niet Liz' bedoeling geweest om zo uit te vallen, maar de spanning die ze jarenlang had opgebouwd en die nu een hoogtepunt leek te bereiken, moest er een keer uit komen. Spanning door een voortdurend onderdrukte opstandigheid tegen degenen die haar overheersten – haar vader vroeger, en haar werkgevers en haar minnaar tegenwoordig. Een opstandigheid die ze maskeerde door volgzaamheid, zelfs door lafheid.

Liz keek Kate aan. Kathryn Tilburce was de mooiste vrouw die ze kende, maar op dit moment stond haar charmante gezicht hard, stak haar puntige kin naar voren en waren haar blauwe ogen toegeknepen achter haar modieuze bril. Op een dag, jaren geleden, had Liz ooit eens gemeend tranen in die ogen te zien opwellen. Ze had al snel begrepen dat dat gezichtsbedrog moest zijn geweest ... Net zoals ze ook had begrepen dat ze harder moest worden om zichzelf te beschermen, ook al hield dat in dat ze in haar functie afstand moest doen van de menselijkheid die ze nu juist geacht werd te verdedigen. Anders had ze ontslag moeten nemen en dat had ze nooit gedurfd ... tot die dag.

Toen Kate zich tegen haar keerde en haar brutaalweg aanstaarde, had de jonge vrouw het gevoel een scholier te zijn die bij de onderwijzeres op het matje was geroepen.

'Ik heb je al eens gezegd dat je me niet zo mag noemen, Liz. Mijn voornaam is Kathryn, met een 'h' en een 'y'. En wat hen betreft ...'

Met haar gemanicuurde hand wees de presidente van de rechtbank op het gezin dat tegenover haar zat.

'Het zijn dan misschien geen moordenaars, maar …'

Aan de andere kant van het bureau keek de tiener met de groene ogen haar doodsbenauwd aan. Ze schoof haar stoel in de richting van haar ouders.

De tolk fluisterde daarop met aarzelende stem: 'U gaat toch geen ruziemaken waar die mensen bij zijn!'

Hij was nog niet uitgesproken of Kate draaide haar engelengezicht naar hem toe. De roze mond plooide zich tot een vreugdeloze glimlach, voordat ze met ijskoude stem sprak: 'Weet jij hoeveel ondervragingen met pseudovluchtelingen wij sinds het laatste weekend hebben gehad? Veertig. We bekijken ruim vijfduizend zaken per jaar. Sinds 1989 en Tiananmen komen ze overal vandaan. China, Afghanistan, Irak. En wie uit die hele menigte wordt daadwerkelijk achtervolgd? Ze willen gewoon een nieuw leven beginnen. Wij mogen ze laten overstappen van de Middeleeuwen naar stromend water en de supermarkt. En bovendien is vandaag de brug ook nog eens geblokkeerd door een protestactie van die …'

Ze stokte voor het woord, maar flapte het er toch uit, alsof het brandde in haar mooie mond.

'… negers die excuses van de regering willen.'

Kate bekeek de Bengalen van onder haar lange opgemaakte wimpers. Ze waren zorgvuldig gekleed, hadden duidelijk moeite gedaan, maar de paniek die zich nu meester van hen maakte bedierf alles. De vader, smetteloos in zijn goedkope pak, zat een oude hoed tussen zijn knokige vingers te verkreukelen. De moeder pulkte aan de vergulde rand van haar sluier tot de draden loskwamen. Het prachtige meisje sperde haar ogen open en klemde haar bruine handjes tussen haar in blauwe spijkerbroek gehulde benen.

Kate richtte zich op. Het lichtgrijze mantelpak volgde nauwkeurig haar bewegingen. Haar rechtervoet, gestoken in een zwarte, zorgvuldig gepoetste pump, tikte op de grond.

'Ze komen altijd met dezelfde smoesjes om het land binnen te mogen ...'

Met de handen op de heupen ademde ze diep in en ze liep op de jonge Bengaalse af.

'Nou, vertel maar op. Jij bent vast verkracht door een heel bataljon soldaten. Je zult ons precies moeten vertellen hoe vaak en hoe het is gebeurd. Ik ben bang dat je daar niet aan ontkomt als je politiek vluchteling wilt zijn. Helemaal niet als ... je vader je heeft laten komen terwijl hij slechts een tijdelijk visum had. En ondanks dat zijn jullie niet eens vastgehouden ...'

De tolk stak zijn hand op. Kate draaide zich woest om.

'Wat? Wat is er nou weer?'

De jongeman schraapte zijn keel en fluisterde haar iets in het oor. Ze kuchte. Een onverwachte blos streek over haar jukbeenderen.

'Aha. Ze hebben vastgezeten ... Dat had je weleens eerder kunnen zeggen. Nou ja, hoe dan ook, ze begrijpen toch geen woord Engels.'

Weer protesteerde de tolk. Kate sabelde hem neer met haar blik, zonder zich van haar stuk te laten brengen.

'Toch wel een beetje? Des te beter. Dan hebben we minder werk met ze.'

Plotseling verviel ze in een nadenkend stilzwijgen en ze zoog op de binnenkant van haar wangen. Aan weerszijden van haar mond verschenen twee schattige kuiltjes. Toen begon ze voor de asielzoekers heen en weer te lopen.

'Jullie zijn vastgehouden ... Jullie hebben dus al gebruikgemaakt van onze gastvrijheid ...'

Liz moest weer denken aan het prikkeldraad rond de vluchtelingenkampen, aan de kale barakken, aan de kinderen met die verveelde blik. En ze sloot haar ogen. Ze was dit vraaggesprek zat, ze was de lui zat die uit een andere wereld waren gekomen om een paradijs te vinden dat niet bestond, Kathryn, deze helse baan. Dat was niet nieuw voor haar. Maar hoe meer haar besluit vaste vorm aannam, des te moeilijker het voor haar werd om zonder meer te slikken wat ze al zo lang had geslikt. En toch wilde ze, kon ze niet zomaar vertrekken. Alsof al die jaren die ze hier had gesleten een afhankelijkheid hadden geschapen van haar onderdrukkers, een afhankelijkheid die soms de kop opstak, waarbij ze heen en weer werd geslingerd tussen een gedroomde emancipatie en een eeuwige traumatische onderwerping. Ze besloot haar gedachten op iets anders te richten. Bob? Nee, dat was nog erger. Maar wie dan wel? Dat was nu juist het probleem. Wie … of wat? Ze begon in gedachten de inhoud van haar koelkast na te lopen. Dat was ook niet je van het: een bijna uitgedroogde tros druiven, twee plakken ham die daar lagen te schimmelen in hun verpakking. Liz haalde diep adem en stelde in gedachten een boodschappenlijst op. Tagliatelle, paprika's, gerookte zalm …

Ze schrok op toen ze Kate het vraaggesprek hoorde vervolgen.

'Ik heb details nodig. Jouw ouders zeggen dat het leger jullie te pakken heeft gehad. Jou vooral. Maar ik ga jou echt niet op je woord geloven. We zullen je laten onderzoeken door een arts, en zelfs door een paar. Geloof me, ik ben in de positie om alle bewijzen te krijgen die ik nuttig acht.'

Het meisje trok haar blauwe sluier voor haar gezicht en verstarde in zwijgende afschuw. Achter haar aarzelde haar vader tussen boos worden over de woorden die hij wel kon raden zonder ze te begrijpen, en voorzichtigheid.

Maar Liz kon er, ondanks haar voornemens en haar twijfels, niet meer tegen.

'Kathryn … het lijkt me dat ze al gezegd heeft dat ze met z'n drieën waren … Het waren dus de politieagenten die opdracht hadden een onderzoek te doen naar die verkrachting die haar zouden hebben …'

Kate keek haar niet eens aan.

'Dat kan me geen barst schelen, Liz. Je weet net zo goed als ik dat er geen woord van waar is. En zeg eens, hoeveel mensen heb jij vorige maand de status van politiek vluchteling toegekend?'

'Twee … Maar de quota's …'

'Weet ik. Gedaald. Godzijdank, de regering wordt eindelijk verstandig. Maar om terug te komen op hen daar … we laten die ouders de kamer even verlaten … en dan zal dat trutje ons de waarheid wel moeten vertellen. Ik vraag me zelfs af of haar moeder en zij niet ergens zijn gestopt voordat ze in Australië kwamen. Laat dat dossier eens zien …'

Kate greep de getikte velletjes die voor Liz op tafel lagen.

'Zie je wel. Ze zijn twee weken in Jakarta geweest! Politiek vluchteling of niet, voor een permanente verblijfsvergunning hier komen ze niet meer in aanmerking.'

En daarop wendde Kathryn zich tot de moeder. Haar stem klonk gevaarlijk lief.

'En waarom hebt u geen visum voor Indonesië aangevraagd? Onze wetten zijn sinds september 2001 veranderd. Voortaan heeft iemand niet meer het recht de status van politiek vluchteling in Australië aan te vragen als hij onderweg hiernaartoe door een land komt dat hem had kunnen beschermen … en vooral, als hij er langer dan zeven dagen verblijft. En ik ben bang dat dat in uw geval zo is.'

De presidente van de rechtbank wendde zich weer tot de vader.

'We kunnen uw dochter natuurlijk laten onderzoeken. Al is het waarschijnlijk dat u het land zult moeten verlaten binnen de achtentwintig dagen die op ons besluit volgen. Maar als u het per se wilt, dan kunnen we uw meisje wel …'

Zonder haar zin af te maken, met een ironisch glimlachje, rukte ze de blauwe sluier van het hoofd van het meisje. Dat kromp ineen, waarbij ze haar donkere haren als een lang gordijn voor haar ogen liet vallen. De tolk deed alsof hij wilde ingrijpen. Maar de vader was al overeind gekomen en had Kate zo'n loei-harde klap in haar gezicht gegeven dat ze achterover op de sofa viel, die daar stond voor mensen die onwel werden.

Liz stormde in een reflex naar voren. 'Kate! Alles goed?'

De tolk kwam erbij met een glas water in de hand. Terwijl

ze zich bezighielden met hun leidinggevende, merkten ze niet dat de jonge Bengaalse van haar stoel opstond. Nog voordat iemand had kunnen reageren, wierp ze zich door het hoge raam dat uitzag op de straat.

Toen ze daar zo had gezeten, tenger en lief, tussen haar ouders, zou niemand hebben geloofd dat ze voldoende energie had om zich dwars door een glazen ruit te werpen. En ook niet dat ze zwaar genoeg was om hem te breken en vijf verdiepingen lager te pletter te vallen. Als de tere zwaluw waarop ze heel even had geleken.

70.000 v.Chr. Haarbuik en andere reuzenfauna

De zon kwam op, rood door de nevels die over het bos hingen. De stamleden werden wakker. Een paar van hen begonnen schelpen te rapen, terwijl de vrouwen de kleintjes voedden.

Namoora was als een van de eersten op. Sinds Yooloores dood sliep ze slecht. Ze keek naar de bomen die uit de nevel staken, waagde zich een paar meter in het tropisch oerwoud.

Dat was totaal anders dan wat ze op Soenda had gekend. Hier stonden bomen met een buitengewoon dikke stam, veel naaldbomen en grote varens, cycadeeën die eruitzagen alsof ze uit de tijd van verre voorvaderen stamden en ook onbekende plantensoorten, waarvan de bladeren merkwaardig roken. Alles leek zo oeroud ...

Was deze plek aan de catastrofe ontsnapt? Hoe het ook zij, ze zouden een heleboel nieuwe planten moeten leren gebruiken en op talloze vreemde beesten moeten jagen. Aan zoet water was tenminste geen gebrek. Er was een bron net achter hun kampement en er waren nog andere in de buurt. Ze lesten hun dorst, ze wasten zich. Het was prettig zich te kunnen ontdoen van het zout dat al dagen op hun huid plakte, om de haren los te maken, om zich schoon te voelen.

Geplaagd door honger liep Namoora langzaam verder. Achter haar zat een van de mannen op zijn knieën een droog en glad houten stokje razendsnel rond te draaien in een gaatje dat hij in een droge tak had gemaakt. De jonge vrouw wist dat als het twijgje of mos dat tussen de twee stokjes zat niet volmaakt droog was, het vuur wel een poosje op zich zou laten wachten. Ze besloot dus de planten, de vruchten en de wortels te gaan onderzoeken. Misschien zou ze iets vinden wat ze rauw kon eten. Die donkerpaarse pruimen op dat boompje met die geveerde bladeren? Die varenwortels in de vochtige grond? Namoora hield het puntje van haar tong tegen een van de vruchten, aarzelde, beet voorzichtig. Het donkerrode vruchtvlees was zuur, maar niet echt vies. Toch spoog het jonge meisje het weer uit, op haar hoede ondanks haar lege maag. Ze zou het aan de oude Beralaa overlaten om iets eetbaars voor hen te zoeken.

Die was daar trouwens al mee bezig. Ze kauwde hier op een wortel, proefde daar een zaadje. En ze kwam al snel terug bij de groep met prachtige donkerbruine noten, die ze brak en op het vuur roosterde dat eindelijk was ontbrand. Ze had ze er nog niet uit gehaald of de stam wierp zich erop. Ze waren vet en heerlijk. De reizigers voelden zich al snel beter.

Daarop trokken ze het bos in, de mannen voorop, vrouwen en kinderen achter hen aan. Na een paar uur lopen werd het woud dichter en was de hemel niet meer te zien. Kreten van dieren die ze niet herkenden klonken in de drukkende stilte en maakten hen geregeld aan het schrikken. Ze klemden hun handen om hun speren en hun armen om hun baby's.

De weg die Namoora in gedachten aflegde, op enkele passen achter haar voorganger, begon plotseling te stijgen. In de diepte tekende zich een meertje af. Bovenaan verrezen de grijze omtrekken van een rotsige bergkam. Geritsel in de bladeren deed haar opkijken. Ze slaakte een kreet. Daar boven stak een enorme wollige bal af tegen het gebladerte. Namoora zag hem maar gedeeltelijk: pluimpjes op de oren, glimmende oogjes en de schittering van heel lange klauwen. Een paar meter verderop nog zo'n bal, en een derde en een vierde.

Op hetzelfde ogenblik bewoog de enorme boomstam waar ze net overheen wilde stappen. Dit keer begon Namoora te schreeuwen. Maar Tjonambi, een van de broers van Yooloore, stond naast haar. Hij hief zijn speer op en dreef de punt ervan in het enorme slangenlijf dat ze net wakker hadden gemaakt. Dat leek niet de minste uitwerking op het dier te hebben, dat zich bliksemsnel rond Tjonambi wond. De jongeman, wiens borstkas door die onbuigzame ringen werd omklemd, bewoog spastisch zijn ledematen en probeerde met wijd geopende mond lucht te happen. Zijn metgezellen bestormden het ongelooflijke schepsel. Er waren desondanks niet minder dan zeven speren in de kop van het dier nodig voordat het zijn greep verslapte.

Namoora boog zich over Tjonambi, legde het hoofd van de jager op haar dijen, masseerde voorzichtig zijn lichaam. Hij was kleiner dan Yooloore, minder gespierd. Zijn gezicht was fijner, regelmatiger. Achter hen legden de andere stamleden het lijf van de reuzenslang uit. Ze gingen ertegenaan liggen om het te meten. De afstand tussen kop en staart van het monster was negen manslengten ...

Die avond zagen ze, voordat ze vuur aanlegden, een vreemd bolwangig wezen. Het was zo groot als een vrouw, leek even onschuldig als onnozel, en had drie rare uitgroeisels als kaak boven zijn snijtanden. Het stond op vier poten langs een beek grote hoeveelheden riet en biezen naar binnen te werken. De stamleden doopten het Nin-boo*: rondvreter. Kort daarna proefden ze zijn overvloedige vlees, en vertelden elkaar het verhaal van Tjonambi en de reuzenslang.

Die nacht gleed Tjonambi tegen Namoora aan ... Afgezien van wat blauwe plekken vertoonde hij geen sporen meer van zijn avontuur. Hij legde zijn handen op de heupen van de jonge vrouw. Toen duwde hij zijn buik tegen haar onderlijf en begon

---

* Termen met een asterisk worden verklaard in de woordenlijst op p. 265.

haar te strelen. Ze verroerde geen vin. Dat betekende dat ze ermee instemde.

Een kleine negen maanden na haar eerste nacht met Tjonambi was Namoora een stuk minder lenig. Haar dikke buik verhinderde haar zich normaal te bukken om varenwortels te verzamelen. En sinds enkele nachten had ze volstrekt geen zin in Tjonambi. Toen de eerste weeën door haar heen voeren, was ze daar blij om. Ze wist wat er ging gebeuren.

En inderdaad, de oude vrouwen hielpen haar. Als de pijn te erg werd, stopten ze een stukje schors tussen haar tanden. Toen het zover was hielpen ze haar te hurken boven een ondiep gat dat ze hadden uitgegraven en met palmbladeren bekleed. Enkele uren later baarde Namoora haar kind. Ze stelde zich geen vragen meer toen ze hem op haar buik zag huilen. Hij leek op zijn beide vaders en zou moeten kiezen tussen de geest van de krokodil en die van de reuzenslang. Zijn naam zou Wolambe zijn.

De reizigers hadden zich gevestigd in een bos, op een niet al te hoog gelegen vlakte, ten zuiden van de plek waar ze waren aangekomen. En ze hadden geleerd op de dieren te jagen die daar leefden. Een ervan, die zij Bun-yip* doopten, haarbuik, werd hun voornaamste vleesleverancier, ondanks de snelheid die hij op zijn lange poten wist te bereiken. Hij was anderhalf keer zo groot als een man, even zwaar als vijftig, en uitgerust met slagtanden waarmee hij boompjes kon ontwortelen, hoewel hij zich meestal tevredenstelde met het vermalen van bladeren en kruiden tussen zijn enorme kiezen. In zijn korte, dichte vacht ging een buidel schuil, de toevlucht voor een piepkleine foetus die vervolgens uitgroeide tot een jong.

De stam kwam er al snel achter dat deze wijze van voortplanting veel meer voorkwam op hun nieuwe gronden, en ze vonden hem terug bij talloze andere schepsels. Vele daarvan waren ongevaarlijk, zoals de Ka-nu-ko*, met korte slurf en knaagdiertanden, die met zijn scherpe klauwen nesten groef in de grond, of de Ko-la*, een enorme wolbaal die in de bomen nestelde en zich vrijwel uitsluitend met bladeren voedde. Daarentegen werd de Yu-kaï* al snel een concurrent voor de stamleden als het ging om jagen ...

Want behalve de Bun-yip hadden de reizigers andere vreemde springdieren ontdekt, goed van vlees en huid, en nuttig vanwege hun botten en tanden. Die wezens met buitengewoon gespierde dijen en lange dunne poten hielden zich in evenwicht op hun enige twee tenen voordat ze zich met de staart omhoogduwden om met hun lange geklauwde vingers bladeren van bomen te plukken. De grootste, twee man hoog, waren onschuldige bladeters. De stam noemde ze Ka-ga-raiï*, grote springers. De kleinste, die een krachtige kaak hadden, gebruikten die slechts om planten te vermalen. Zij werden Mo-ga-raiï*, kleine springers, genoemd. Daarentegen bleek een andere soort minder onschuldig.

Die dag was Kurrin hout aan het rapen. Ze lette niet op de grote springer die naderde met de goedmoedige gang van een Ka-ga-raiï op zoek naar zijn bladontbijt. Zonder blikken of blozen greep hij de oude vrouw van achteren in zijn sterke armen. Hij dreef zijn enorme snijtanden in haar rechterbovenarm en begon deze te verslinden. Kurrin schreeuwde aanvankelijk vreselijk van de pijn. Maar naarmate de plas bloed onder de poten van het enorme mannetje groter werd, werden haar kreten steeds zwakker. Ze hielden op toen de Woo-ra-wàn*, de springende moordenaar, de arm had opgegeten en zonder zijn omhelzing te verslappen zijn snijtanden in de dunne hals van zijn slachtoffer zette.

Op dat moment stak de zuidenwind op en deze joeg zulke stofwolken voort dat in een paar ogenblikken de levenssappen op de grond bedekt werden, alsof Sahoel ze had opgedronken. En de Woo-ra-wàn verdween in de stormen die van het zuiden van de wereld waren gekomen.

De volgende dag, toen de jagers zich eindelijk in de laatste resten van de storm durfden te wagen, vonden zij van Kurrin nog slechts gemummificeerde overblijfselen terug, bedekt met zo'n fijn laagje stof dat zijzelf wel van zand leek. Die avond vroegen de stamoudsten zich af of ze er wel goed aan hadden gedaan om dit land binnen te trekken. En of het ooit echt van hen zou worden.

Augustus 2004. Vlucht en opstopping

In Sydney voel je eind augustus soms al de zuidelijke winter. Die brengt dan in een paar uur tijd dagen waarvan de onverwachte warmte slechts geëvenaard wordt door het verblindende licht. Voor de mensen die downtown werken en die de Harbour Bridge naar het noorden nemen, via Port Jackson[4], zakt de zon links langzaam weg. Zij verlicht de baai, een prachtige bloem van water die zich als een inktvlek uitbreidt tussen een sprookjesachtige mengeling van menselijke bouwsels en vegetatie. Darling Harbour en zijn luxueuze pier, een en al glas en staal. De prachtige omgekeerde schelpen van de Opera, neergezet russen Sydney Cove en Farm Cove. Het attractiepark Milsons Point met het grote, ouderwetse Wiener Rad. Overal schepen, van piepkleine kano's tot grote cruiseschepen.

Bij de uitgang van het gerechtsgebouw was Liz in haar auto gesprongen en ze had zich onder de stroom forenzen gemengd. Ze zei nog bij zichzelf dat deze gelukkige adempauze, deze belofte van een vroege lente, als geroepen kwam … Zeker na wat er net gebeurd was. Eén gevoel overheerste: die gevangenis zit me tot hier. En één verlangen, altijd hetzelfde, dat steeds terugkeerde: ervandoor durven gaan.

Maar op de oprit naar de Harbour Bridge stond haar Holden Gemini al in de file, achter een volslagen verroeste Toyota. Liz liet haar blik er verstrooid overheen dwalen. Vlekken als gangreen in het metaal. De weerspiegeling van haar eigen auto in de achterruit, halfdoorzichtig als troebel water. Haar linkerwang werd warm van de zon. Zo zou ze er een uur over doen om het water over te steken en thuis te komen, in Balmain. Een heel uur, mijn god …

Ze duwde haar voorhoofd tegen haar handen, die zich aan de bovenkant van het stuur vastklampten. En dan te bedenken dat ze haar middagpauze had gebruikt om haar uitgroei bij te werken. Normaal gesproken kon ze daarmee die verraderlijke bruine haarwortels verdoezelen, zodat ze weer blondine werd. En toen ze haar blauwe ogen eenmaal fatsoenlijk had opgemaakt, vond ze zichzelf bijna knap. Bijna. Deze keer had die genadige staat echter niet langer dan een uur geduurd … de tijdsduur dat ze zich met de mooie Kathryn in de verhoorkamer had bevonden, de tijdsduur van een helse middag. Een middag waarin Liz ontelbare keren haar hand door haar haar had gehaald, waardoor ze haar kapsel totaal had verknoeid. Een middag waarin ze een kind zich te pletter had laten smijten op het asfalt.

Met haar gezicht tegen het stuur sloot Liz haar ogen. Het geronk van de motor suste haar … en haar schuldgevoel. Kon ze hier maar slapen, zomaar, in plaats van naar huis te gaan om daar haar complexen, haar starheid, haar verdriet, haar innerlijk gevecht te gaan herkauwen. De complexen van een meisje dat verdrietig is over haar achtendertigjarige kinderloze vrijgezellenstaat. De starheid van een wantrouwig iemand die te veel gruwelen en leugens gezien en gehoord heeft. Het verdriet over de ontgoocheling in haar verleden, in haar familie, in anderen. Het innerlijk gevecht van iemand die ervan droomt te ontsnappen, maar die begint te sidderen bij het idee de tralies door te zagen.

Liz schrok op. Dat gepieker bracht haar ook geen centimeter verder. Ze keek eens om zich heen. Op de brug zat het verkeer nog steeds muurvast. Claxons klonken op, mensen stapten uit, gingen op de motorkap staan om te zien wat er aan de hand was. Alleen de chauffeur van de Toyota vlak voor haar leek niet nieuwsgierig. De wagen bleef dicht, de ramen ook. Liz riep naar een jonge vrouw die weer achter het stuur wilde gaan zitten.

'Neem me niet kwalijk. Hebt u gezien wat er is gebeurd?'

De jonge vrouw draaide zich met een geforceerde glimlach naar haar toe.

'Ja. Een mars voor verzoening. U weet wel, met de Aboriginals. Ze zijn bezig de brug vrij te maken. Ik denk dat we gauw door kunnen rijden.'

Liz bedankte met een hoofdknik, deed haar raampje dicht, staarde weer naar de kofferbak van de Toyota. Nog steeds geen teken van leven van degene die erin zat. Wat een onverstoorbaarheid. En wat een onverschilligheid.

Totdat ze aan de universiteit van Sydney was gaan werken had Liz zich niet gerealiseerd hoe multicultureel Australië was. Ze had in haar land niets anders gezien dan een gemakkelijk en vervelend dagelijks leven in een fletse buitenwijk, afgewisseld met weekeinden op paradijselijke gouden stranden. Ze liet in gedachten de enkele vrienden en collega's die ze had de revue passeren, het land van oorsprong van hun voorouders. Australië. Duitsland. Engeland. China. India. Italië. Ierland ... Niet één Aboriginal. Maar uiteindelijk waren dat er ook maar zo weinig. En de enige vriend die ze van tijd tot tijd sprak, was Bob ...

Voor haar schoof de file een paar meter op en bleef toen weer staan. Liz volgde automatisch. Het beeld van Bob, naakt voor haar, met een ironische glimlach om zijn lippen dook op. Bob. Vriend. Minnaar. Mentor. Bedrieger. Het had een leuk aftelrijmpje kunnen zijn, maar het was een bitter avontuur geworden. Ineens begon er iets te rinkelen en te trillen in haar handtasje, dat op de bijrijdersstoel lag. Ze schrok: dat was hem, vast. Terwijl ze haar haast vervloekte zocht ze in haar rommelzak-met-hengsel en klapte haar mobieltje open.

'Ja?'

'Liz?'

Ze voelde dat ze bloosde. Het was Jack, haar vader. De zure stem vervolgde: 'Heb je mij geprobeerd te bellen, liefje? Heb je de ouwe Jack iets te vragen?'

Hij probeerde niet eens meer zijn ironie te verbergen. Trouwens, waarom zou hij ook? Hij wist best wat zijn dochter dacht.

Jaren tevoren, toen Liz nog op de universiteit zat, had Jack de neus gebroken van een van haar zeldzame aanbidders, Mark Lee – 'een smerige spleetoog, Liz, een godvergeten smerige spleetoog'. Die dag had Liz voor het eerst van haar leven, en dus gewelddadig, gereageerd. Ze had haar vader in zijn gezicht geschreeuwd wat ze van hem dacht. Schijtrechtertje. Mottig ventje met een vieze tekkelsnuit. Smeerlap, meteen hertrouwd na de dood van zijn vrouw.

En ze had definitief de deur van het ouderlijk huis achter zich dichtgesmeten.

De jaren daarop was het incidentele contact van beide kanten gespannen geweest. Totdat Liz uiteindelijk besefte dat haar vader een gewone vent was, een gemiddelde echtgenoot, soms attent, een doorsneebuurman maar vaak gediend, een weinig bijzonder rechter, maar streng genoeg. Dat weerhield haar er niet van te blijven dromen over haar verdwenen moeder en haar volkomen onbekende biologische vader. Wat weer tot gevolg had dat ze zich weinig op haar gemak voelde bij Jack. Bijna bang. Net als vroeger, met haar vader, als hij haar bij wijze van uitzondering eens niet negeerde maar er genoegen in schepte om haar stijf te schelden. Haar dwingend tot eeuwige onderwerping, hongerend naar aanhankelijkheid.

Ze klemde haar hand dan ook om het mobieltje.

'Ja … Ik … Ik wilde je een paar vragen stellen over mama.'

De zucht was hoorbaar over de telefoon.

'Mijn god, Liz! Wat moet ik je nou nog meer vertellen!'

En hij vervolgde, bijna als een litanie: 'Ik heb het al een miljoen keer uitgelegd, ik weet niet zo veel van je moeder. Of althans niet wat ze heeft gedaan voordat ik haar ontmoette. Want toen …'

Hij permitteerde zich een vettig lachje.

'… toen, mijn god! Toen heb ik haar leren kennen!'

Liz beet op haar lip. Over hooguit een minuut zou dit afgelopen zijn.

'Maar daarvóór ... ze heeft me ooit alleen maar verteld dat ze in Frankrijk was geboren. Ergens in de buurt van de hoofdstad. Je weet wel ... Parissse. Altijd Parissse.'

Hij begon weer te lachen.

'Ja ja, een Française ... en haar moeder, je had haar moeder moeten zien!'

Hier werd hij weer serieus.

'Nou ja, Française ... dat valt nog te bezien! Zij en haar moeder zijn na de oorlog naar Australië gekomen. Ze had geen spoor van een accent. Dat was ze waarschijnlijk al kwijtgeraakt, hoewel je het bij haar moeder nog weleens hoorde. O, niet vaak ... alleen onder bepaalde omstandigheden.'

Liz gaf geen commentaar. Ze moest denken aan het sepia fotootje dat altijd in haar portefeuille zat. Ze droomde van wat ze niet had gekend: een moeder die gezwicht zou zijn voor haar smekende blikken, die haar bolle wangen zou hebben gekust, gelachen zou hebben om haar wankele babystapjes. Een lieve en liefhebbende moeder voor wie zij het middelpunt van het heelal zou zijn geweest.

Het zwijgen van de jonge vrouw leek Jack te ontmoedigen.

'Goed. Ze heeft me verteld dat zij en haar moeder uit Parijs zijn vertrokken toen haar vader aan het front lag of zoiets. Ze zijn naar een vrije zone gegaan.'

Met onzekere stem vroeg Liz: 'Heeft mama geen naam van een stad of zo genoemd?'

Hij aarzelde. Alsof hij voor de allereerste keer echt probeerde in zijn geheugen te graven.

'Nee. Ik herinner me alleen de beschrijving van het dorp waar ze aan het eind van de oorlog had gewoond. Ze had het over een mooi kasteel op een heuvel, midden tussen oude huizen en oude straatjes ... een pleintje met een fontein, geloof ik. En daaromheen velden met blauwe bloemen die lekker roken.'

Liz slikte. Waarom had ze hem niet eerder naar dat detail gevraagd? Dit bevestigde wat ze gevonden had, na honderden registers te hebben doorzocht. Ze schraapte haar keel.

'Dank je, papa. Dank je wel. Ik moet ophangen, ik zit in de auto …'

Dat was bijna zonder enige moeite gegaan, het uitspreken van dat woord. Papa. Ze smeet het mobieltje in haar tas en begon te fluiten, zich niet bewust van de donkere blik die op haar rustte in de achteruitkijkspiegel van de Toyota.

De file kwam in beweging. Voorbij de brug hadden de demonstranten zich verspreid. De Toyota volgde het verkeer, bijna spijtig. Liz schakelde. De Holden sprong naar voren. Ze merkte het bijna niet, net zomin als de ogen die op haar gericht waren. Ze dacht maar aan één ding. Een kasteel op een rots, in een dorp in Zuid-Frankrijk. Oude huizen, middeleeuwse straatjes, een oude wasplaats, een fontein, het beeld van een schrijvende vrouw. En daaromheen lavendelvelden, zo ver als het oog reikt.

70.000 v.Chr. Hagedissentanden

De jaren verstreken, jaren waarin het verkennen van de natuur de hoofdbezigheid was van Wolambe, zoon van Namoora. Toch kon hij al snel de verhalen over de reis van de voorouders niet uit zijn hoofd zetten. Tot hij op een dag besloot weer op weg te gaan, met de avontuurlijkste stamleden. Namoora was buitengewoon trots, maar desondanks kon ze het niet helpen dat ze moest huilen bij het afscheid.

'Ik ben te oud om met je mee te gaan. Ga, mijn zoon.'

Wolambe keerde zich slechts eenmaal om. Zijn moeder stond hem na te kijken. Hij slikte eens en richtte zijn blik weer op de weg die naar het westen voerde. Hij moest het bos uit zien te komen.

Enkele weken verstreken voordat ze het dichte gebladerte uiteindelijk verlieten, ver van de riviermonding waar de ouden aan land waren gekomen. Een onafzienbare en weinig heuvelige hoogvlakte strekte zich voor hen uit. Ze waren blij op minder dicht begroeid terrein te zijn gestuit. Maar naarmate ze verder naar het zuiden trokken, veranderde dat. Het werd droger, minder gastvrij, er staken zwarte basaltrotsen uit de bodem, die het landschap versomberden. Daarna werd de aarde rood. De regens werden nog zeldzamer en bleven ten slotte helemaal uit. De wind begon harder te waaien, langer ook, liet hun nog maar weinig respijt. Hij dwong hen om voortdurend krom te lopen, vertraagde hun voortgang.

Op een avond, toen de zon nog niet achter de horizon was gezakt, keken de mannen, met kangoeroevellen over hun schouders, Wolambe aan. Hadden ze alles goed gedaan? Moesten ze steeds maar door blijven trekken? Waarom altijd maar verder lopen?

Naast hen speelde de jonge Narbeth met een grote hagedis. Geërgerd wendde Wolambe zich tot haar. Ze was nu een vrouw, het werd tijd dat ze zich daarnaar ging gedragen. Temeer omdat haar net gevormde lijf, met rondingen op de juiste plaatsen, steeds meer wellust in hem wekte.

'Laat dat beest met rust! We kennen alle dieren uit deze streek nog niet. Wie weet is het gevaarlijk!'

Narbeth durfde hem niet van repliek te dienen. De jongeman zag in haar ogen echter best wat ze dacht. Het was maar een hagedis, een stomme hagedis … Wolambe was pas zeventien, maar hij voelde zich belachelijk. Volwassen en belachelijk. Hij hulde zich in stilzwijgen, keek naar de vlammen van het vuur dat ze op een kleine, natuurlijke open plek hadden weten te ontsteken.

Plotseling begonnen de bomen om hen heen te kraken, en klonk er een schorre, luide kreet door de koude avondlucht. Wolambe sprong op. De mannen stonden al overeind toen het beest in hun blikveld verscheen. In het licht van de vlammen had het schrikbarende ogen. Ze konden de omvang van het lijf slechts raden, want het ging verloren in de opkomende duisternis. Alleen het slaan van de staart op de grond gaf hun er een idee van.

Wolambe had nog net de tijd om zichzelf voor te houden

dat het volstrekt onmogelijk was dat er een schepsel van een dergelijke omvang bestond ... en al helemaal dat het dan ook nog eens wezens zou aanvallen die het vuur beheersten. Dat gebeurde nooit. Net als de andere mannen sprong hij tussen het beest en de groep vrouwen en kinderen in. Maar het was al te laat. Hij kon niet voorkomen dat die vreselijke bek de jonge Narbeth greep, dwars over haar lichaam.

Vervolgens, zo vertelt het verhaal dat de gebeurtenis versloeg en haar omvormde tot een lied, wisten ze niet welk geluid het ergste was. Dat van de tanden die de botten en het zachte vlees van het jonge meisje vermorzelden of de rauwe, snerpende kreet van het stervende slachtoffer. De vrouwen en de kinderen stonden her en der te gillen. Alleen de oude Wirina bleef zitten. Het wezen had haar wervelkolom verbrijzeld met een slag van zijn staart en de uitgeteerde handen van de oude vrouw trokken spastisch in het stof.

Het beest vluchtte niet weg. Zelfs niet toen de jagers op hem afkwamen, voorzichtig, de werpspies in de aanslag, met gebalde vuisten en de voeten stevig op de grond. Het was een soort hagedis. Om precies te zijn een varaan, een gigantische kopie van die waarmee Narbeth een paar minuten eerder nog had zitten spelen. Zo groot en zo dik had Wolambe er nog nooit een gezien. En in een fractie van een seconde dacht hij: Ti-ri-kaaʾ, reuzentand.

Niets in de liederen verhaalde van een dergelijke verschrikking. Het dier was net zo lang als vijf liggende vrouwen achter elkaar en even hoog als twee mannen die op elkaars schouders staan. Zijn tanden waren zo groot als palmbladeren en leken scherper dan de scherpste vuursteen. Zijn poten pletten het gras rond het vuur, de staart veegde de magere bezittingen van de stam weg. Kalebassen, gelooide huiden, bogen, zakken met planten, alles verdween in een wolk van stof. Het beest, dat nog steeds het lichaam van Narbeth met zijn kaken omklemde, zocht zijn jong. Hij moest het terugvinden voordat de nachtelijke loomheid hem weer zou bevangen, voordat zijn bloed zou afkoelen, na het verdwijnen van de zon.

De eerste speer raakte het dier onder aan de staart, ketste af op de huid met de enorme schubben. Het wezen draaide zich om, opende de kaak boven zijn flank en liet Narbeth op de grond glijden. Een tweede speer werd in de borstkas van de reus geplant.

Wolambe trad naar voren, zette zich schrap, wiegde zachtjes van voren naar achteren, met geheven arm en de elleboog achterovergebogen, zijn wapen gereed. Hij haalde luidruchtig adem, liet zijn borstkas en zijn stembanden ritmisch meetrillen, als een bergwind die zich opmaakt om zich op de vlakte te storten. De hagedis bekeek hem met zijn goudkleurige ogen en zijn scheve pupillen. Eén ogenblik dacht de jongeman dat zijn laatste uur geslagen had. Maar het dier draaide zich om en vluchtte het duister in.

Wolambe aarzelde slechts een halve seconde voordat hij zich in de intussen halfdoorzichtig geworden nacht stortte. Achter hem, tussen de schaarse bomen, hoorde hij nog net de rennende voetstappen van de andere mannen. Woede verblindde hem. Hij dacht maar aan één ding: die reuzenvaraan te pakken krijgen, hem doden, Narbeth wreken. Een paar minuten verstreken. Ze leken een eeuwigheid. Maar omdat hij rende haalde hij de afzichtelijke gestalte ten slotte in. Met een sprong bleef hij staan, hij zette zijn linkervoet naar voren, wierp zijn gewicht en zijn rechterschouder naar achteren en gooide. De werpspies vloog weg. Een gegrom was de reactie. Wolambe stortte zich naar voren.

Hij zag niet de schaduw op de grond voor hem en voelde slechts dat zijn voet de leegte in gleed. Zijn lichaam volgde, stuiterde tot twee keer toe op iets wat onder zijn gewicht kraakte. De maan verdween op dat moment uit zijn blikveld, de duisternis sloot zich om hem heen. Zijn rechterenkel stootte tegen een scherpe richel. Hij brulde en vervolgens leegden zijn longen zich in één keer toen hij op zijn rug op een vrij zacht oppervlak belandde.

Verschrikt en gekneusd probeerde Wolambe overeind te komen, maar zijn enkel was gebroken. Hij slaakte een kreet van pijn, viel naar achteren en voelde hoe hij met het materiaal als een soort matras onder zijn lichaam weggleed. Hij sloeg zijn ogen op en door een spleet hoog boven zijn hoofd zag hij de hemel. Die was een paar seconden eerder nog heel donker geweest, maar dat was niets in vergelijking met de vrijwel absolute duisternis die op deze plek heerste.

Wolambe duwde zich op zijn ellebogen overeind, begon om zich heen te tasten en werd bevangen door een grote huivering. Botten, hij was op een stapel botten gevallen, honderden, duizenden botten, in alle maten, van alle leeftijden, afgaand op het verschil in broosheid.

Toen greep de angst de jongeman wreed bij de keel. Want de nacht om hem heen begon te bewegen, leefde plotseling met allerlei geritsel, gekraak en gesis. Hij stond op het punt om weer te gaan schreeuwen. Maar in tegenstelling tot wat hij verwachtte, was het geen wild gegrom dat in zijn oren klonk, maar de lach van een vrouw.

Augustus 2004. De Janus van de universiteit

Haar ogen deden zeer, alsof ze in haar hersens werden gedrukt. Liz fronste haar wenkbrauwen. Raakte ze die migraine maar kwijt. Ze wierp een blik op de klok. Tien over zeven.

Ze zette de laptop op de salontafel voor het raam. Toen ging ze naar de keuken, trok de koelkast open, haalde er twee mango's, olijven, een bakje hüttenkäse en een fles witte Zuid-Australische wijn uit. Zoet, veel suikers. Die avond had ze daar behoefte aan. Net als aan internet, dat haar in staat stelde naar de andere kant van de wereld te reizen. Met de wijn onder de arm pakte ze in het voorbijgaan nog het Franse stokbrood dat ze aan het begin van de straat had gekocht, en hapte erin.

Terug in de woonkamer zette ze de etenswaren naast de laptop en draaide zich om om het raam dicht te doen. De wind was weliswaar minder hard, maar erg warm was het nog steeds niet.

Liz voelde hoe haar vermoeidheid de overhand kreeg en hield haar voorhoofd tegen de ruit. Automatisch wierp ze een blik in de donkere tuin. Ze schrok. Tussen de winterkale bomen stond een lange gestalte roerloos onder haar balkon. Ze begon sneller te ademen. Dode bladeren dansten in sierlijke wervelingen rond de lange, soepele veren van de palmboom in het midden. Een slip van een regenjas woei op van de benen van de schaduw. Liz slikte in één keer het stuk brood door dat ze nog in haar mond had. Sheila, haar benedenbuurvrouw, had een heel ander postuur en met haar haren tot op haar middel was zij zelfs in het donker nog wel te herkennen. Was dit haar nieuwe vriendje?

Nog voordat Liz de tijd kreeg het gordijn dicht te trekken, verdween de gestalte in de nacht. Ze schudde misprijzend haar hoofd. Weer zo'n idioot. Schokschouderend wierp ze een blik op de straat. In Darling Street hielden de voorbijgangers de pas in en staken soms even de neus omhoog, in de eerste lenteschemering. Op sommige terrassen was het tuinmeubilair al verschenen. Voor het mooie oude kerkje dat boven de bebouwing uitstak had de kapelaan potten met geraniums laten plaatsen. Overal in de smalle straatjes zouden planten binnenkort alle smeedijzeren balkons overwoekeren. En de eerste toeristen zouden verschijnen, op zoek naar het mooiste uitzicht op de lichten van de haven.

Liz zuchtte. Hoe was ze hier beland? Ze was zo gek geweest op haar land, op Sydney, haar stad. Ze had zo gedroomd van Balmain, van die arbeidersvoorstad die een chique wijk was geworden waarvan de openslaande deuren interieurs toonden die voor *Vogue* werden gefotografeerd. Jaren sparen om dat ideaal van ongedwongen elegantie te kunnen bereiken. Op een dag, eindelijk, had ze dat appartementje op de eerste verdieping in Darling Street 84 kunnen kopen, vlak bij de kade en de pont, die haar, als ze geen zin had om de auto te nemen, rechtstreeks naar Circular Quay bracht, midden in de stad.

Ze keerde weer terug naar haar salontafel en keek naar het scherm van haar laptop. Liz had nog maar één ding in haar hoofd: dat eenzame dorpje in de Provence, te midden van de lavendelvelden. De plek waar ze het spoor hoopte te vinden van haar verdwenen moeder. Waar ze eindelijk een nieuw leven zou kunnen beginnen.

En het zou haar lukken ook! Had ze dan geen lange uren doorgebracht met het bestuderen van de noodzakelijke administratieve paperassen om in Frankrijk te kunnen wonen en daar iets nieuws te beginnen? Had ze niet lange lijsten opgesteld om niets aan het toeval over te laten?

Liz hield zich voor dat ze binnenkort echt Frans stokbrood zou eten, niet dat surrogaat dat door een modieuze bakker werd gemaakt. Ze klikte het icoontje van haar mailprogramma aan.

En terwijl ze de mail opende van de Provençaalse notaris met wie ze al enkele weken correspondeerde, klonken er stappen op de trap. Met haar hand veegde ze de kruimels die op haar rok en haar donkere trui waren gevallen weg en schoot zo snel overeind dat haar stoel omviel. Dat was Bob, zo liep hij. Geklop op de deur bevestigde het. Hij was niet in staat om op de bel te drukken ... of liever gezegd: hij weigerde zich normaal te gedragen.

Liz aarzelde. Ze had vanavond geen zin in zijn gezelschap. Ze had helemaal geen zin meer in hem. Ze ademde lang uit.

Terwijl ze de deur opendeed kon ze toch een zekere bewondering voor haar minnaars verschijning niet onderdrukken. Bob leek eerder op een rugbyspeler dan op een academicus die in de politiek was gegaan. Het blonde haar, de rode huid, net als in de tijd dat hij haar na afloop van zijn college politieke wetenschap uit eten had gevraagd. Zijn zware gestalte, net als de dag waarop hij haar op zijn bureau had genomen, alvorens haar uit te leggen dat zijn vrouw paranoïde was en overal maîtresses zag. De warme stem van de man die met moeite zijn woede en lafheid kon verbergen, zoals telkens als hij haar gezworen had met haar te zullen trouwen. Zijn kille blauwe ogen, net als de avond waarop hij had aangekondigd dat hij, de linkse intellectueel, 'voorstander van het liberalisme' ging worden en in de regering van Howard[5] zitting zou nemen, om 'bepaalde uitersten te vermenselijken'. Kortom, Paul Newman, gekruist met een intellectuele versie van Rambo.

Ze ging aan de kant om hem binnen te laten, zag haar eigen spiegelbeeld in de gangspiegel en ving een grimas op. Wat ze zag beviel haar niet. Te klein. Te rond. Bob glimlachte vaagjes. Niets ontging hem.

'Nou nou, zo slecht is het niet!'

Hij kwam op haar af, nam haar gezicht tussen zijn handen en zoende haar gulzig. Ze probeerde zich los te maken. Uiteindelijk liet hij haar gaan.

'Mijn god, Liz … Het is zo goed je weer te zien!'

Hij sleepte haar mee naar de lichte leren bank. Ze wilde hem opnieuw afweren, maar zoals gewoonlijk hield hij geen rekening met haar wensen. Tranen van woede welden op in haar ogen.

'Bob! Laat me los!'

Hij reageerde verrast.

'Liz! Wat heb je? Ik wilde gewoon even bij je zijn …'

Hij ging zitten, stak een hand onder haar rok.

'Als je eens wist wat er net is gebeurd …'

De jonge vrouw deinsde terug, woedender dan ooit.

'Raak me niet aan!'

Toch kon ze het niet laten te vragen: 'En wat is er dan gebeurd?'

Bob werd weer serieus, fronste zijn wenkbrauwen.

'Heb je het avondjournaal niet gezien?'

'Nee, ik was aan het werk.'

'Weer die Franse les? Wanneer hou je eens op met die onzin?'

'Dat gaat je niks aan!'

Hij fronste, stond op het punt haar op haar nummer te zetten. Maar hij moest zijn verhaal kwijt.

'Nou ja, ik heb nieuws over die boot die vorig jaar is gezonken … je weet wel … die uit Indonesië kwam.'

Liz zuchtte.

'Ja, dat herinner ik me. Er zaten veel kinderen op … er waren weinig overlevenden …'

'Die boot was nog geen twintig meter lang. En volgens de overlevenden waren de passagiers erin gestopt door Indonesische politiemensen. Ze waren met meer dan vierhonderd en het had niet meer dan de helft mogen zijn.'

De welluidende stem van Bob zwol naarmate hij vertelde, op dezelfde manier als waarop hij doceerde aan de universiteit van Macquarie.

'Maar wat nog het ergst is, is dat op de plek waar de boot gezonken is Australische verkenningsvliegtuigen op oefening waren, die hun radars gebruikten. De boot is onder hun neus door gevaren zonder dat ze erop reageerden … terwijl tot nog toe illegale vluchtelingen altijd werden onderschept. In feite is die schuit niet gezonken in Indonesische wateren, zoals beweerd werd, maar in internationale wateren, tussen hen en ons. En dus had Australië ze, volgens de heersende wetgeving, hulp moeten bieden met haar troepen die in die buurt een gevechtsoefening aan het houden waren. En …'

Hij dempte zijn stem.

'Ik vraag me zelfs af of die boot niet was gesaboteerd door de Indonesische autoriteiten, in een poging de mensensmokkel tegen te gaan.'

'Nee toch! Nou ga je wel heel erg ver …'

'Ik heb de verslagen van het onderzoek gelezen. Twee hoge omes van de marine die elkaar tegenspreken omtrent de manier waarop zij lucht hadden gekregen van de aanwezigheid van die boot. Bovendien heeft onze federale politie inderdaad Indonesische agenten getraind en uitgerust, in het kader van een programma om illegale overtochten in te perken. En de controle van de regering bij dit soort samenwerkingsverbanden is flinterdun …'

'Maar ze zouden toch niet …'

Bob masseerde zijn voorhoofd met zijn vingertoppen.

'Dat is nog niet alles. Een paar dagen voor vertrek van die boot uit Java was onze geheime dienst er al achter dat er een verhoogd dek was aangebracht. De mensensmokkelaar wilde geld verdienen: hij heeft zijn boot te vol gestopt. Maar door hem zo totaal te overladen is dat ding instabiel en te zwaar geworden. En toch heeft de geheime dienst niks gezegd.'

'En de smokkelaar?'

'Zit vast. Het is een Egyptenaar met een verlopen visum, Indonesië heeft hem naar zijn land teruggestuurd. Daar kunnen ze hem niks maken. Het ergste is nog dat dit verhaal vorig jaar heeft bevestigd wat Howard zei over illegale immigratie en de noodzakelijke maatregelen, waardoor hij herkozen werd. Ik kan mezelf nu wel voorhouden dat dat hoe dan ook niks veranderd zou hebben en dat er misschien een andere verklaring voor dit alles is. Met de nieuwe wetten ter beveiliging van de grenzen is het voor illegale vluchtelingen niet voldoende meer Australische wateren te bereiken om beschermd te worden. Maar als het schip zinkt en niemand anders schiet te hulp … daarop rekende die mensensmokkelaar.'

Het beeld van de jonge Bengaalse doemde weer op voor Liz.

'Ja … hij rekende erop dat onze immigratiepolitiek momenteel onmenselijk is.'

Bob spreidde zijn handen in een gebaar van onmacht.

'En wat doen we dan? Je weet net zo goed als ik dat er een grens is aan onze opvangcapaciteit, zoals overal. We moeten ter plaatse aan de slag gaan met de mensen daar. Jezus! Al tientallen jaren zit ik daarop te hameren en er verandert niks! Liz …'

Hij draaide zich naar haar toe, legde zijn hand op haar dij.

'Ik heb je nodig …'

De handen van Bob waren al bezig met de sluiting van haar rok toen Liz opeens opstond. Hij viel achterover op het parket, stomverbaasd.

'Hé! Wat heb jij nou?'

Ze deinsde achteruit tot bij het raam, probeerde haar kleren recht te trekken, aarzelde tussen kwaad worden en lachen.

'Wat ik heb? Bob ... je vertelt me de smerige achtergronden van een tragedie, je vermoedens, je walging ... en meteen daarna bespring je me, na eerst tien minuten onder mijn raam te hebben gestaan, in een poging me bang te maken!'

Ze stond op en trok haar vest recht met een beweging van haar schouder, op een tegelijkertijd zeer mannelijke en uiterst belachelijke wijze.

'Wat zeg je nou? Ik heb helemaal niet tien minuten onder je raam gestaan! Denk je dat ik niks beters te doen heb? En wat dat bespringen betreft ... ja, natuurlijk ... wat dan nog? Is dat zo erg? Nog niet zo lang geleden was jij het die mij belde, zo geil als boter, om te vragen of ik wilde komen ...'

Liz kon er niets aan doen dat haar stem de hoogte in schoot.

'Ja, dat weet ik ook wel ... Maar goed, wat is er mis mee om tegen ongelukkigen en onderdrukten te zeggen: "Jullie zouden dit of dat moeten doen, maar als wij vinden dat jullie niet in de wachtkamer van de dood zitten ... het spijt ons, dan kunnen we niks voor jullie doen"? Wat is er mis mee om vervolgens terug te gaan naar onze gezellige huizen, gewoon de kraan open te draaien om schoon water te hebben, tonnen vuil weg te gooien zonder er verder bij na te denken, meer te eten dan nodig is, te neuken als konijnen, zonder ons om de gevolgen te bekommeren?'

'Maar schat ... zij ook, zij ... Nou ja, zoals je al zegt. Wat de rest betreft, dat ben ik met je eens. Maar denk jij dat het feit dat ze in een hut van verroeste golfplaat wonen ze zal helpen? Ik zou al mijn geloofwaardigheid bij de regering verspelen en meer nog, en ik zou snel ziek worden. En er dag en nacht over piekeren, daar heb ik ook niks aan ... Trouwens, ik heb de indruk dat dat precies is waar jij mee bezig bent.'

'Ja! Ik ben het zat ... dat en de rest, godverdomme!'

Hij keek geschokt.

'Met vloeken schiet je niks op! En "de rest", zoals je het noemt, ben ik dat?'

Terwijl ze naar de vloer keek begon ze te mompelen en ze

nam het zichzelf kwalijk dat het haar niet lukte assertiever en afstandelijker te zijn.

'Deels. Maar echt maar deels.'

Hij trok de kraag van zijn overhemd recht en wierp haar een koele blik toe.

'Aha. En wat ga je nu doen dan?'

'Weg, ver weg.'

'Ah … Je onttrekt je aan je verantwoordelijkheden. Je drukt je snor.'

'Doe maar schijnheilig! Alsof jij je verantwoordelijkheden serieus neemt.'

'Doel je nu op mijn vrouw?'

'Bijvoorbeeld …'

'Ik heb kinderen, dat weet je best. Dat heb je ook altijd geweten. Maar jij … Wat ga jij doen?'

'Iets anders.'

Hij stak zijn hand in het borstzakje van zijn jasje, haalde er een bril met draadmontuur uit, veegde die af met het stukje zeemleer dat hij er altijd naast bewaarde en zette hem op zijn neus. Dat was zijn tactiek van oude, briljante prof, die in de Kamer ook altijd werkte. Vervolgens zou hij haar over de glazen heen aankijken met zijn blauwe, doordringende ogen. Onzekerheid van de gesprekspartner gegarandeerd.

'Dat is me nogal een verandering … en wanneer ga je weg? Voel je je daar wel klaar voor? Ik herinner me de eerste keer dat je me raad bent komen vragen over je fameuze scriptie … je was doodsbenauwd … Je zegt wel dat je wat anders wilt doen, maar heb je daar wel goed over nagedacht?'

Liz perste haar lippen op elkaar. Vertel hem vooral niet te veel. Loop niet weer in die val van de minnaar-vader aan wie je alles kunt vertellen.

'Maak je om mij maar geen zorgen.'

Hij probeerde het nu met stroopsmeren.

'Maar Liz, natuurlijk maak ik me zorgen. Wil je dan echt niet dat ik je help?'

Instinctief maakte ze een afwerend gebaar.

'Ik heb jou niet nodig en je raad ook niet!'

Ze vervolgde op een uitdagende toon die ze een paar weken eerder nog niet had durven aanslaan: 'Ik ga liever op mijn instinct af.'

'Dat is je zwakke punt, liefje. Trouwens, denk maar niet dat ik jou je leven laat vergooien en mij laat ontglippen.'

De jonge vrouw klemde de kaken op elkaar. Hij ging weg, dat was alles wat ze wilde.

Terwijl zijn voetstappen nog in het trappenhuis klonken, zat ze alweer achter haar computer. Ze had de mail van de Franse notaris geopend. Ging ze er nu echt vandoor? Ongetwijfeld. Ze had gewoon niet genoeg energie om ook nog voor anderen te strijden. Die moest ze eerst hervinden om voor zichzelf en haar eigen vrijheid te kunnen vechten. Ze moest weten wie ze echt was. Dan pas kon ze zich gaan afvragen wat ze moest doen om te zorgen dat haar aanwezigheid op aarde niet geheel vergeefs zou zijn. En om die reden moest ze naar haar wortels gaan graven.

Een paar minuten later startte Liz, nadat ze zich over de angst voor een sprong in het ongewisse heen had gezet, de aankoopprocedure voor een oude Provençaalse boerderij die haar via internet was aangeboden. En ze nam contact op met de makelaar die had beloofd haar appartement in Sydney in nog geen twee weken te verkopen.

2

70.000 v.Chr. Van de stevigen tot de tengeren

De reuzenvaraan was dood. Tenzij hij, Wolambe, het was die gedood was en nu in de wereld van de voorouders verkeerde. Maar in dat geval was hun taal hem volslagen onbekend.

Paniek maakte zich van hem meester en toen zag de jongeman een tengere, bleke vrouw. Ze keek hem met vreemde, bronskleurige ogen aan, die leken op de maan in sommige zuidelijke nachten. Ze bleven elkaar een poosje aanstaren. Zij, graatmager en bijna lichtgevend in het halfduister, zo goudkleurig was haar huid. Hij, sterk en gespierd, zijn pikzwarte huidskleur versmeltend met de schemer van de grot. Ze hurkte voor hem neer. Haar lange steile haar raakte de kroeskop van Wolambe, daarna zijn borst. Hij schrok, vergat op slag de reuzenvaraan. Met haar dunne wijsvinger trok ze een spoor over zijn borst, waardoor ze de droge klei van zijn beschermgeest verwijderde. Hij huiverde onder de streling van deze onbekende en probeerde overeind te komen, maar viel opzij en trok een grimas bij de vreselijke pijn in zijn gebroken enkel. Met schorre, warme stem sprak ze weer wat lettergrepen uit.

'Naar-ra yoa nii …'

Wolambe begreep er niks van. Die woorden en ook de uitspraak waren hem volkomen vreemd. Maar toch verroerde hij geen vin – ook niet toen andere vrouwen op hun beurt in de grot verschenen als voorboden van zwavelgele mannen – en hij bleef om zich heen kijken. Naarmate zijn ogen aan het duister gewend raakten, ontdekte hij wat zich om hem heen bevond. Was dit echt een grot? Het leek eerder een grote stenen zaal, een deel van een zich vertakkend ondergronds netwerk. Inderdaad kwam uit allerlei gangen een heel volk aanlopen. Wolambe kreeg de indruk dat die mensen hem wilden helpen, maar dat ze vooral wilden voorkomen dat hij het gebeente van die duizenden schepsels waarop hij was terechtgekomen nog meer zou bezoedelen.

Met behulp van twee stevige vrouwen kon hij zijn bed van skeletten verlaten en van grotere afstand de resten bekijken van hen die ver voor hem door de verticale opening van de zaal waren gevallen. Er lagen gigantische schedels, eindeloze wervelkolommen, ribben bijna zo lang als boompjes, klauwen even afschrikwekkend als die welke de nachtmerries van de ouden bevolkten.

Huiverend liet Wolambe zich tegen de rotswand zakken. En terwijl de handen van de goudkleurige jonge vrouw zijn enkel betastten, voelde hij weer paniek opstijgen. Dat trechtervormige putje leek het enige wat daglicht doorliet. Maar het zat zo ver boven zijn hoofd dat hij er alleen nooit bij zou kunnen. Er waren hier en daar wel donkere openingen, maar die leken slechts naar andere tunnels te leiden en naar andere net zulke donkere stenen zalen. Het leek wel alsof deze plek een wereld apart was, een wereld onder de grond, waar overal water stroomde, waar bleke varens groeiden, waar enorme vleermuizen wegvlogen als er mensen langsliepen.

Terwijl hem het koude zweet op zijn gezicht uitbrak, hoorde Wolambe een bekende stem. Hij zag jagers van zijn clan uit een van de gangen komen. De wereld onder de grond voegde zich bij de wereld boven de grond.

De angst verdween en maakte onmiddellijk plaats voor nieuwsgierigheid. Wolambe koesterde al snel nog slechts één verlangen: de kelders en de zalen verkennen die het verst weg waren van de plek waar hij was gevallen. Toch duurde het, ondanks de vaardige zorg van de jonge onbekende, nog enkele weken voordat hij zijn enkel weer kon gebruiken. Dat stelde hem in staat het komen en gaan tussen de bovengrondse wereld en de grot waar te nemen, tussen zijn eigen volk, dat van de sterke zwarte reizigers, en de bewoners van het eeuwige halfduister, tenger en verguld. Tot de dag waarop de jongeman, eindelijk weer op de been, kon deelnemen aan de samenwerking die op gang was gekomen tussen boven en beneden, tussen het licht en de duisternis … en waarop hij de jonge vrouw die hem had verzorgd zover kreeg dat ze instemde met de wederzijdse ontdekking van hun beider lichamen.

Op een avond, toen het duister het gat met licht had gedoofd dat de ondergrondse wereld verbond met de bovengrondse, trok de bleke, tengere man die het hoofd van de stam van de grot leek, het buidelratvel weg dat voor zijn borst hing. Hij keek naar de vrouwen wier advies hij zo vaak inwon.

Wolambe, zijn hand op de dij van zijn verovering, fronste zijn wenkbrauwen. Wat hem betrof spraken mannen met mannen en vrouwen met vrouwen. Tussen de beide geslachten was maar één relatie mogelijk. Afgezien daarvan had de stam van de grot nog wel andere eigenaardigheden. Zo had de bleke man, net zoals de andere tengeren, geen naam. Maar het jonge hoofd van de reizigersstam was nog verraster toen zijn collega langzaam begon te zingen, terwijl hij zittend heen en weer wiegde. De ogen van de bleke man bleven daarbij gesloten, hij boog zijn armen, legde zijn vingers op zijn kin. Het ritme versnelde, werd steeds heftiger. Het lied was moeilijk te begrijpen voor de mensen van de reizigersstam, die de taal van de stam van onder de grond nog niet helemaal machtig waren. Maar ze raakten er desondanks door geboeid.

De man zonder naam zweeg plotseling en deed zijn ogen open. Hij pakte een stokje en maakte een tekening in het stof voor zich: kruisende cirkels, steeds kleiner. Toen nam hij het woord weer, langzamer, terwijl hij zijn woorden ondersteunde met tekeningen, gebaren en klankwoorden. Ondertussen begonnen enkele jongeren van zijn stam in een verbluffend tempo rond te draaien.

'Door die kringen laten wij zien dat wij, de stam van de grot, het begrepen hebben. Alles hangt samen, het grootste met het kleinste, de sterkste met de zwakste. Helaas heeft de zon al vele keren de aarde, de uitgestrekte wateren en de bergen bereden voordat dit tot ons doordrong. Hun botten werden steeds talrijker. Ze stierven, wezens die groter waren dan de grote, nog groter dan alle die de dromen van de jagers wisten te bevolken. Kangoeroes, zoals jullie ze nog nooit hebben gezien, reizigersvrienden. Zulke grote slangen dat jullie ogen ze niet in één keer hadden kunnen waarnemen. Bun-Yip, die de zon konden verduisteren. Hagedissen die nog veel erger waren dan degene die jullie onlangs hebben gezien … Ze raakten allemaal verzwakt. De krachtige wind uit het zuiden velde ze. De nieuwe koude smoorde hun kreten, doodde de planten en de dieren waarmee ze zich voedden. En toen kwamen onze voorouders, van over de wateren en de grote gebieden in het noorden, van de andere zijde van de tijd. Ze zijn deze aarde gaan beminnen. Ze dachten dat ze voor hen bestemd was. Ze stelden zich niet langer tevreden met het verzamelen van vruchten, het opgraven van wortels en het rapen van insecten en larven. Ze begonnen te jagen. Hun speren werden al gauw doeltreffend en volhardend. Ze negeerden de kreten, het hemelse licht op de eerste skeletten. Toen de grond bedekt werd door de resten van de reuzen, begrepen ze het niet. De gigantische beesten waren wild, vijandig en een bron van voedsel. En er leken er nog een heleboel te zijn. De kinderen van onze voorouders zijn doorgegaan. Al sinds mensenheugenis. En ook wij, ook wij zijn doorgegaan.'

De jonge dansers draaiden steeds sneller, hielden even op om te springen, een onzichtbaar wapen weg te slingeren, een wilde jacht nabootsend. De man zonder naam vervolgde: 'Op een ochtend zagen wij geen jongen meer. De wijfjes van die reuzenwezens werden niet meer door de geesten bewoond. Hun mannetjes stierven vermagerd, rillend, voordat ze hun levenskracht hadden kunnen doorgeven. Want ze waren ziek, net zoals wij vandaag. En op een dag zijn ze verdwenen. De laatste wezens hebben zich in deze grot verstopt. Hier heeft de toorn van de aarde op andere wijze gewoed. Hier hebben de vuurgeesten hun werk gedaan. Ze hebben rivieren van zwarte steen achtergelaten. Die rivieren werden vervolgens uitgehold door de geesten van het water. Toen die zich ook terugtrokken, verstopten de reuzenwezens zich hier. De laatste zijn hier gestorven, met als enig nageslacht die reuzenmisbaksels.'

Wolambe huiverde bij het idee van die kolossen, die nog groter waren dan degene die ze al hadden ontmoet, bestreden en bejaagd. De man zonder naam wiste vervolgens de elkaar kruisende cirkels uit, die hij op de grond had getekend.

'Al snel brachten onze metgezellinnen geen kleintjes meer ter wereld. De geesten doorvoeren hen niet meer. Wij konden hun niet meer onze levenskracht geven. Onze vrouwen bleven goed gezond. Maar wij, de mannen, wij verloren het vlees op onze botten en begonnen te trillen. Waren het de geesten van de oude wezens die ons uit woede onze vruchtbaarheid afnamen? Hadden wij, met hun vlees en hun kracht, ook hun ziekte gegeten? Wij hebben toen besloten dat wij geen namen meer zouden dragen die ons verleden vertelden, omdat we alle mogelijkheden voor de toekomst hadden verknoeid. We konden de namen alleen terugkrijgen als de geesten van de reuzenwezens ons zouden vergeven, als we onze vruchtbaarheid zouden hervinden.'

De jongemannen hadden hun dans vertraagd. Ze bleven nu op de plek ronddraaien, heel langzaam, en zakten vervolgens zachtjes op de grond.

Wolambe keek naar het gezicht van de man zonder naam. Mager, verdord, gezwollen door een groot litteken opzij, dat zijn rechterwenkbrauw verbond met het puntje van zijn kaak, brandde het toch met een ongelooflijk sterk vuur, dat zijn ogen deed stralen onder zijn zware wenkbrauwen. Zozeer dat die de maan leken te verduisteren, die schitterde boven de ingang van de grot.

De man zonder naam verhief daarop weer zijn stem, terwijl de jonge dansers opstonden.

'Onze vruchtbaarheid hervinden ... Wij weten dat dat nooit

meer zal gebeuren. Wij, de mannen, zullen sterven, jagers zonder naam. Tenzij ... ons lied weer hervat wordt, tenzij de weg van de geesten van onze voorouders hier niet ophoudt. Als wij ons kunnen verzoenen met de geesten van de reuzen ...'

Hij had moeite met ademhalen, staakte zijn voordracht even en ademde lang uit.

'Het is heel lang geleden dat enkelen van onze jagers die richting uit zijn getrokken ...'

Met zijn rechterarm wees hij naar het zuidoosten.

'Zij die teruggekomen zijn, vele manen later, hebben verteld dat daar bergen van ijs en mist zijn. Sommige grotten in die bergen herbergen nog reuzen, met de geest van die van voor de mens. Daar waar de dageraad blauwer lijkt dan waar dan ook, waar de zachte zeewind het overleven van de belangrijkste schepsels, planten en dieren, mogelijk had gemaakt.'

Plotseling stond de man zonder naam op. Zijn stem werd sterker, nadrukkelijker.

'Daar mag je niet jagen. Nooit. Je moet de oude wereld een kans geven, zodat ook wij een kans krijgen ...'

De dansers hadden zich buiten adem op de grond uitgestrekt. Het verhaal was afgelopen.

Wolambe schraapte aarzelend zijn keel. Hij twijfelde er niet aan dat er nog grotere dieren waren dan de reuzen die hij had gekend, want de skeletten die in de grot lagen bewezen dat ... slangen breed en lang als rivieren, kangoeroes hoger dan drie mannen op elkaar. De kracht van het vlees en de spieren die aan die botten hadden gezeten, en van die tanden, kon inderdaad moeilijk worden betwijfeld. Maar om nu, afgaand op de woorden van de verteller, te zeggen dat een hele stam jagers, tengerder dan zij, hele diersoorten had uitgeroeid, en daardoor de levenskracht verloren was waaruit kinderen voortkwamen ... al was het dan ook nog heel koud ... Toch zag Wolambe, net als zijn mensen, heel goed aan die holle ogen, aan die slapeloosheid met haar dagelijkse stille en bezorgde omzwervingen, aan die zich wringende handen, dat die man gekweld werd. Hij werd gekweld door wat hij en zijn voorouders hadden gedaan. Maar was het niet eerder die ziekte die aan de mannen van de stam vrat? Hoe kun je nou te veel jagen? vroeg Wolambe zich af.

De volgende dag leek hem een antwoord daarop te geven. Aan het eind van de ochtend liepen de mannen van de reizigersstam langs de rand van kreupelhout, voor de bovenste opening van de grot. Boven de savanne rees een stofwolk op.

Wolambe bekeek gehurkt op de aangestampte aarde de sporen van, naar hij veronderstelde, Bun-yip. Hij stond op, kneep zijn ogen half toe. Tib-in-po* verschenen aan de horizon. Ze waren zo groot als minstens twee mannen, hadden een bek die groter was dan hun kop, vleugels die tegen hun lijf aan lagen, gigantische poten waardoor ze even snel konden lopen als de donder … Maar vliegen kunnen ze niet, dacht de jongeman.

De jagers verstopten zich achter een groepje struiken. Ze zouden die nieuwkomers eerst bekijken voordat ze konden besluiten wat ze ermee moesten. Voor hen minderden de vogels vaart, terwijl de zon in de hemel klom en ongenadig elk stukje savanne, elk groepje bomen verpletterde.

Plotseling keerde een van de grotere exemplaren van de groep zich naar de bosjes waarin de jagers zaten. Wolambe huiverde: hij had nog nooit vogels van die omvang gezien. Het dier naderde met gestrekte nek, de bek naar voren. Zonder een kik te geven schoot deze in de richting van een buidelrat. Vervolgens kwam de nek in verticale positie terug, helde de kop naar achteren en gleed het knaagdier in de indrukwekkende keel. Daarna pikte de vogel wat ronde steentjes op, om de afwezigheid van tanden te compenseren en de prooi te kunnen vermalen, die in zijn maag was beland.

Dat was het moment dat Wolambe uitkoos. Hij klemde zijn vuist om zijn speer en wierp zich brullend op de kudde, terwijl de andere jagers eveneens op de dieren afvlogen. Dodelijk verschrikt verspreidden die zich en renden alle kanten op.

Wolambe wierp zich op de grootste, die net de rat had doorgeslikt. Dat was dwaas, en dat wist hij ook. Hij had veel beter een zwakkere kunnen kiezen, zoals gewoonlijk. Op wie wilde hij indruk maken? Hij wist het zelf niet precies. Maar vervolgens gebeurde er wat er moest gebeuren. De reuzenvogel viel de jongeman aan met zijn hele gewicht, zijn monsterlijke bek uitgestoken. Er klonk een bloedstollend gepiep.

Wolambe kreeg nog een tiende van een seconde om na te denken. Een aanval van zo'n dier kon dodelijk aflopen. Zijn arm ging verticaal omhoog en liet de grote brede leren band die hij altijd bij zich had ronddraaien. Met een ruk liet hij de ronde steen los die in een holte aan het uiteinde van de riem zat. Pas toen, vlak voordat hij zich opzij in een bosje wierp, gooide hij met zijn linkerhand de speer. De vogel was zo dicht bij de jager dat de steen hem vrijwel meteen tegen de kop raakte. Hij stortte zich op de lans en verdubbelde daarmee de kracht waarmee die hem in het lijf schoot. Daarop zakte hij als een waardeloze waaier in elkaar.

Wolambe kwam buiten adem overeind, terwijl de andere jagers lachend en schouderklopjes uitdelend het wapen uit het nog trillende lijf van hun prooi trokken. Ze waren blij dat ze die grote vogel hadden geveld, maar konden het toch niet nalaten zich af te vragen hoeveel reuzenwezens ze nog zouden moeten bestrijden … en of ze dat altijd zouden winnen.

In de maanden die volgden, joegen ze nog op andere reuzenvogels, die, niemand wist waarom, onophoudelijk dat deel van de savanne door bleven trekken, naar het westen toe. Veel ervan lieten dus onderweg het leven.

De jagers waren enthousiast: ze hadden vlees, pezen, veren, darmen en botten, en voor een veel langere periode dan ze zich hadden kunnen voorstellen. De vrouwen van de reizigersstam werkten onophoudelijk. Als de kadavers eenmaal waren opgesneden, legden ze sommige stukken op de rots, in de zon en de wind, of in de rook van een vuur, om ze te drogen, er een lekkere smaak aan te geven en ze te conserveren. Sommige ervan bedekten ze met olie of vet, waardoor ze ze niet hoefden te roosteren. Andere wreven ze in met ondoordringbare klei voordat ze ze in de as bereidden, om ze langer goed te kunnen houden.

Bovendien hadden de stamleden al enige tijd daarvoor gemerkt dat bij bosbrand bepaalde bomen heel langzaam wegsmeulden. Als die gebruikt werden om te koken, vormden ze een aanhoudende hittebron. En vooral als ze al een keer waren verbrand en daarna weer uitliepen vormden ze een dikkere bast, die beter tegen vuur bestand was. En zo boden ze dus nog waardevollere mogelijkheden voor een langzame voedselbereiding.

Desondanks lukte het de vrouwen soms niet om het vlees van de dieren op tijd te verwerken. Dus riep Wolambe de hulp van de stam in. Op een avond, bij het permanente vuur van de grot, sprak hij de man zonder naam aan.

'We hebben zojuist Tib-in-po gejaagd, reuzenvogels. Wij weten niet wat we moeten doen met al dat vlees. Willen jullie het niet? Kunnen jullie ons helpen om het te snijden en verder te verwerken?'

Maar de reactie beantwoordde niet aan zijn verwachtingen.

'Waarom?'

Het magere gezicht van de man zonder naam leek nog vermoeider.

'Waarom hebben jullie al die vogels gedood? Niemand kan zo veel vlees eten. Wat zouden we er volgens jullie mee moeten doen? Zullen die reuzenvogels nu nog wel hierlangs komen? Hebben jullie echt zo veel jongen gedood? Heeft onze ervaring dan nergens toe gediend?'

Die avond besloot Wolambe, enkele maanden na de ontmoeting met die vreemde bewoners van de fossielengrot, die plek te verlaten en de reis voort te zetten. Hij droeg voortaan de kracht van Ti-ra-kaa, de reuzenvaraan, met zich mee. Hij kon nu andere reuzen gaan achtervolgen en liep daarbij geen enkel risico. En hij had al meerdere keren bewezen dat er niets mis was met zijn vruchtbaarheid.

Het wederzijdse afscheid van beide stammen was kort. Als er al spijt was, dan bleek dat niet uit de gezichten. Wolambe bracht zijn hand naar zijn voorhoofd als teken van respect. De man zonder naam deed hetzelfde. Daarop wendde de jonge jager zich naar de horizon. Hij tekende op zijn borst het symbool van zijn beschermgeest, Ti-ra-kaa. Hij deed de leren band waarin zijn mes zat om zijn middel en hief zijn arm op naar de hemel.

Al snel verlieten de reizigers de rode en droge gronden, die geteisterd werden door de wind. Weer sloegen ze de richting van het zuiden in, die van de zee, zoals hun voorouders dat langgeleden hadden besloten. Wellicht zouden ze onderweg de bergen zien waarover de legenden van de ondergrondse wereld spraken. Als die tenminste bestonden.

Al vanaf de eerste dagmars hadden ze het gevoel weer tot leven te komen, hun leven, dat alleen maar begrijpelijk was door de jacht en het reizen. Totdat ze zich onderweg realiseerden dat enkele vrouwen van de grottenstam hen volgden. Zij zouden kinderen baren, droegen de kracht van de mannen van de stam. Tenslotte was dat de natuurlijkste zaak van de wereld.

Wolambe vond het niet erg. Want het bleke meisje dat hij had bemind was er ook bij. Ze was nog steeds even tenger, alleen haar buik werd rond. Toen hij haar zag naderen en haar fijne, goudkleurige gezicht bekeek, zei hij bij zichzelf dat ze hem aan Narbeth deed denken. Maar, kon hij haar de naam geven van een geest die nog maar zo kort geleden was vertrokken? Nee. Ook al had de stam hier geen vastomlijnde regels voor, het leek Wolambe niet goed. Bovendien merkte hij al snel dat zij, in tegenstelling tot Narbeth, veel volwassener was. Ze verzamelde planten die de reizigers niet kenden en droogde ze. Dan vermaalde ze ze tussen stenen, een holle en een bolle, die ze altijd in een zakje van leer droeg dat dwars over haar borsten hing. Ze haalde dat zakje alleen weg als Wolambe haar onder zich nam en haar deed buigen als een riet. Want dan was het ritme van zijn omhelzing niet te stuiten, waarbij de zware zak gevaarlijk hard tegen de vooruitstekende buik van de jonge vrouw sloeg.

Al lopend deden de stamleden nieuwe krachten en nieuwe ideeën op en werden hun zintuigen scherper. De grond die ze al snel betraden was minder rood, de zwarte rotsen die eruit staken werden zeldzamer. En op een avond, toen ze een heuvel in het terrein waren overgetrokken, omvatte hun blik het landschap dat zich voor hen ontvouwde. Het was een vlakte, zelfs in de zonsondergang groen. Zonder precies te weten waarom, hadden ze het gevoel dat deze onbekende plek hun bekend was. Door de beschrijvingen van de bleke en tengere man, door de dingen die de stamleden uit de grot er wellicht in vroeger tijden hadden beleefd, door de dromen die zij, de reizende jagers, erover hadden gehad.

Na enkele dagen liepen ze er vrij in rond alsof ze er thuis waren, een steeds weer hernieuwd thuis, maar vriendelijk. Terwijl ze onder hun voeten de hoge grassen deden buigen, keken, roken en betastten ze. De bomen en de struiken waren dicht en groen, beladen met vruchten in de vorm van een ronde, lange borstel, of met knoppen die opengingen in een vurig rood. En als de regen viel, dan kwamen er bloemen in een veelheid aan kleuren, die weer nieuwe dieren aantrokken. Zo hoorden de reizigers de eerste Koo-ka-boo[*], vogels met zulke doordringende kreten dat ze in staat leken een geest te wekken. Ze sprongen op bij het gebrul van de Wo-ro-ko[*] met zijn grote ogen, die ze zomaar konden aanzien voor een kind dat verdwaald was in de nacht. Ze verrasten de schuchtere Pi-ra-poo[*], die bij het geringste geluid onderdook in waterplassen, waar hij zich gemakkelijk kon bewegen door de zwemvliezen aan zijn poten. Ze vermeden de bruine slangen en hun zwarte familieleden, omdat dat potentiële moordenaars konden zijn.

Gaandeweg de kampementen en jachtpartijen trokken de stamleden verder in zuidoostelijke richting. Ze hadden beslist niet de wens om de wervelwinden te trotseren die ten zuidwesten van hun route voortdurend de zandduinen teisterden.

In tegenstelling tot wat haar tengere gestalte in combinatie met haar aanzienlijke buik deed vermoeden, bracht Wolambes fragiele jonge vrouw haar kind zonder enige moeite ter wereld. De baby, een meisje, huilde zodra de lucht haar longen vulde.

En toch bekeken de vrouwen van de reizigersstam haar met on-geruste blikken: ze vonden haar te klein, vergeleken met hun eigen zuigelingen. Nog afgezien van die vreemde huidskleur, niet goud zoals die van de ondergrondse wereld, en ook niet bijna zwart zoals die van de bovengrondse wereld. In feite had het kind de karameltint van de grote hagedis, dezelfde die vroe-ger haar vader had aangevallen en de aanleiding was geweest voor de ontmoeting van beide stammen ... en haar totemdier was geworden.

November 2004. Een taxi en een citroenboom

Het was nog bijna nacht toen de 747 landde. Liz fronste haar wenkbrauwen en keek eens op de klok in het toestel. Het was desondanks al half negen in de ochtend, Franse tijd. Waar was de zon dan? In een halfcomateuze toestand stond ze op van haar stoel, deed het kastje boven haar hoofd open en kreeg prompt haar beautycase op haar schouder.

Rillend trok ze de jas aan die ze in Sydney had gekocht, op aanraden van mensen die Europa kenden. En nadat ze een kwartier lang opgehouden werd door een Franse familie die hun jongste kind kwijt was, lukte het haar uiteindelijk uit het toestel te komen. Ze hoefde alleen nog de trap af, waar wind en regen haar lastigvielen.

Vreemd genoeg verjoeg de thermische schok in één keer haar vermoeidheid. Ze klom in de bus die de passagiers naar de ter-minal van Roissy bracht. Een nieuwe huivering ging door haar heen. Van genoegen ditmaal. Ze was aan de andere kant van de planeet beland. Dit was dat 'elders', de vrijheid die haar deuren openzette voor wie ze durfde open te duwen. Dit was Parijs, Frankrijk, het land van haar moeder.

Op het natte trottoir wierp een taxichauffeur zich op haar, haar in het Engels aansprekend. Indiër? Pakistaan? Bengaal? Liz accepteerde zijn aanbod, evenzeer uit schuldgevoel als uit een reflex, terwijl ze zich afvroeg of ze er zo vreselijk Engels uitzag ... Nadat hij haar koffers in de bak van de gedeukte Mercedes had gesmeten, wendde de chauffeur zich tot haar. De jonge vrouw probeerde de naam van het hotel uit te spreken en hield hem vervolgens de fax voor die haar reservering had bevestigd.

Een minuut later reed de taxi het vliegveld af.

Het was donker en het was vies weer. Liz zag de borden voorbijflitsen. Citroën, IKEA, en nog iets anders, dat ze met moeite kon ontcijferen. *Pé-ri-phé-ri-que.*

De woorden van het lied dat de taxiradio uitbraakte, bereikten amper de hersens van de jonge vrouw.

... I wonder how, I wonder why/ yesterday you told me 'bout the blue blue sky/ And all that I can see/ is just a yellow lemon tree[6] ...

Zou ze een citroenboom kunnen planten in dat Provençaalse gat dat ze nog niet kende? Het nummer was afgelopen. De chauffeur zette het geluid nog harder en riep: *'Excuse me, Madam! I want to hear the news!'*

De neutrale stem van de nieuwslezer klonk zo hard dat hij zelfs het gebrom van een vrachtwagen overstemde die in volle vaart de taxi passeerde. Liz schrok op.

'Hedenochtend zijn duikers van het brandweercorps van Pierrelatte ingezet om het lijk van een man op te vissen dat in de Rhône dreef, een kilometer stroomafwaarts van de atoomcentrale Tricastin. Het reeds grotendeels ontbonden lijk was ontdekt door een wandelaar, die de gendarmes heeft gewaarschuwd. Het slachtoffer, waarschijnlijk van Aziatische oorsprong, is niet geïdentificeerd. Volgens de woordvoerder van de politie was de buik van het lichaam opengesneden en ontdaan van zijn inhoud. Mogelijk gaat het hier om een rituele moord ... Voetbal ... Hedenavond de vijftiende dag van het

kampioenschap van de eerste liga. Ajaccio tegen Marseille,
Caen tegen Nice …'

De Franse woorden buitelden zo snel over elkaar heen de oren
van de jonge vrouw in, dat ze de betekenis ervan pas begon te
vatten toen de voetbalcommentaren volgden. En op dat moment richtte de taxichauffeur zich tot haar in het Frans.

'We verlaten de rondweg. Dit hier is Bercy, het sportcomplex.
Ik ga elke keer kijken als Johnny komt!'

Liz knikte meteen, maar vroeg zich af wie die Johnny was en
waar dat vreemde ding met gras op het dak voor diende.

Eenmaal op dreef werd de chauffeur steeds spraakzamer.

'En nu zijn we op de Quai de la Rapée. Links het lijkenhuis
… En nu rijden we over de Pont d'Austerlitz, en dat … dat … is
het mooiste van Parijs … Ik kwam in Frankrijk toen ik nog een
kind was. En sinds die tijd kan ik er geen genoeg van krijgen!
Moet u zien hoe mooi het is!'

Liz hoefde geen enkele moeite te doen. Ze was nu klaarwak-
ker en dacht dat ze nooit genoeg ogen zou hebben om alles te
zien. Die rivier, gevangen tussen die prachtige oude gebouwen,
die natte trottoirs waar de voetgangers zich overheen repten, die
spitsen die naar de hemel wezen.

'Daar hebt u het Île Saint-Louis. En het Île de la Cité. Notre-
Dame!'

De taxi sloeg links af, reed over een plein met een grote fontein en draaide een drukke boulevard op, waarna hij plotseling
een bocht naar rechts maakte. De jonge vrouw voelde zich zo
overweldigd dat ze haar vragen en zorgen vergat. Waarom leek
alles zo snel te gaan als ze in het buitenland was? Dat gaf haar
tegelijkertijd het pijnlijke gevoel een beetje onnozel te zijn. Op
dat moment zette de chauffeur de taxi in een dubbele file.

'We zijn er, Rue Racine nummer 25. Twee straten van de Jardin du Luxembourg.'

Liz hield hem drie biljetten voor, wurmde zich uit de auto die
klem stond tegen een bestelwagen die bezig was te lossen, pakte

de koffers die op het trottoir werden gezet en richtte haar blik omhoog. De gevel van Jardin Gonzague, van hout en glas, leek op die van een oude winkel en de deur die onder een luifel zat bevestigde die indruk slechts. Maar toen ze zich in beweging zette liet ze haar beautycase vallen, die tegen haar reistas rolde. Zo moe dat ze bijna niet meer in staat was om te vloeken bukte ze zich om hem op te rapen.

Ze hoorde de piepende banden niet eens. Zonder de tijd te krijgen zich te realiseren wat er gebeurde, werd ze op het wegdek gesmeten en belandde ze met haar hoofd tegen het trottoir aan de overkant. Om haar heen bleven auto's staan en begonnen mensen te rennen.

Iemand boog zich over haar heen.

'Alles in orde? Hoort u mij? Rustig aan maar ...'

Het leek wel alsof de schok bepaalde verbindingen in haar hersens had geactiveerd, want plotseling begreep ze Frans volmaakt. Toen besefte ze dat ze aangesproken werd in het Engels, met een licht Amerikaans accent. Dat stoorde haar niet echt: momenteel had ze andere zorgen aan haar hoofd. Een in elegant donkergrijs tweed gestoken arm kwam binnen haar bereik. Ze leunde erop, kwam overeind, en boog zich toen weer voorover. Haar menselijke steun protesteerde.

'Nee! Laat uw spullen nou liggen. Die pak ik zo wel. Komt u mee ... U wilde naar het hotel, toch? Laten we naar binnen gaan, dan kunt u gaan liggen en dan roep ik een dokter.'

Gaan liggen? Een dokter roepen? Liz stond op het punt om te protesteren. Er kon geen sprake van zijn haar bedrukte zijden onderbroekjes zo op het trottoir te laten liggen, in gezelschap van de resten van haar beautycase. Maar de menselijke steun boog zich naar haar over. De jonge vrouw schrok. Ze haalde haar hand door de haren die tegen haar schedel zaten geplakt door zesentwintig uur vliegen. Ze voelde iets plakkerigs op haar handpalm en keek omlaag. De aanblik van haar eigen bloed had een onmiddellijke uitwerking: de hal van het hotel begon te hellen.

Voordat ze weggleed, voelde Liz nog net hoe haar voeten van de grond kwamen en haar hoofd tegen het grijze tweed aan zakte.

70.000 v.Chr. Het meisje van twee volkeren

Toen Pinanga, de dochter van de jonge vrouw zonder naam van de ondergrondse wereld en van Wolambe van de wereld boven de grond, opgroeide, werd in toenemende mate een vermenging zichtbaar van de lichaamstrekken van beide stammen. Ze had een lange maar sterke, gespierde gestalte, een mooie ronde schedel op een stevige hals, fijne, geprononceerde trekken, hoge jukbeenderen en dikke lippen. Dat weerhield haar er niet van om zich onder de andere kinderen te mengen, maar ze onderscheidde zich van hen door wat haar moeder haar doorgaf aan ingewikkelde kennis over het verband en de relatie tussen geesten, mensen en de natuur, en over het eerbiedige gebruik van laatstgenoemde.

Al naar gelang seizoen, plaats, gedrag van de diersoorten en behoeften van de stam, leerde Pinanga zo de acacia met de beste zaden te herkennen, de wortels te vinden die die verrukkelijke mottenlarven herbergden en bijenhoning te zoeken in een banksia*. Ze leerde te roosteren, met een vijzel te werken, eetbare orchideeënwortels te gebruiken, met kruiden te verven, de truffels te vinden die onmisbaar waren bij buikpijn ... of met hun zwarte sporen de haardos konden kleuren.

Op een dag, ten slotte, werd het meisje waardig geacht het leren zakje van haar moeder te erven waarin die haar vijzelstenen had bewaard. Pinanga begon daar elke dag iets in te stoppen van elk wezen, plantaardig of dierlijk, dat ze op elke plek die ze ontdekte leerde kennen. De verzameling verging al gauw tot stof, maar het gaf haar het gevoel dat ze haar herinneringen en haar kennis op die manier vaste vorm gaf.

Die kennis was veel verder ontwikkeld bij de vrouwen uit

de ondergrondse wereld dan bij die van de reizigersstam, die gedoemd waren tot eeuwig zwerven en elk instinct ontbeerden. Het instinct, die onbewuste herinnering van wat er in de loop der tijden is aangeleerd, die voorouderlijke herinnering leek uitgewist bij de moderne homo sapiens. Kwam dat doordat de laatste door een vreselijke vulkaan met uitroeiing was bedreigd? Want om te overleven had hij zich met steeds groeiende snelheid moeten aanpassen aan de veranderingen. In elk geval hadden de vrouwen van de wereld onder de grond de tijd gehad om kennis op te bouwen, op te slaan en te delen. Ze hadden ook altijd een veel actievere rol gespeeld in het zoeken naar voedsel, ze hadden vruchten, planten, insecten en schelpen verzameld, op kleine buideldieren, hagedissen en kikkers gejaagd. Ook hadden ze gereedschap gemaakt, waren kunstenares of genezeres geweest. Hun kennis was doorgegeven van moeder op dochter, van tante op nicht, van grootmoeder op kleindochter.

Voortaan hadden allen profijt van die kennis en men erkende de subtiele banden tussen de natuur en de vrouwen. Hun invloed werd daardoor des te groter. De stam, opnieuw gevormd rondom die van beide werelden, werd egalitair. De status van de leden hing wel degelijk af van persoonlijkheid, leeftijd, geslacht en kennis, maar uiteindelijk was niemand belangrijker dan zijn buurman en de tocht werd er des te gemakkelijker door.

Naarmate de reizigers vorderden, werd de lucht ook frisser. De vegetatie veranderde, omdat deze zich aanpaste aan het nieuwe klimaat, dat het terrein geschikt maakte voor kruiden, voor allerlei soorten eucalyptus, acacia's, lampenpoetsers*, banksia's en zilvereiken*, terwijl de oude boomvarens nog bleven staan, maar alleen in vochtige en beschaduwde ravijnen. Ze hoopten allemaal niet weer die grote hagedis tegen te komen. Ze vroegen zich af of ze het terrein niet moesten openleggen door het plat te branden, om de zichtbaarheid te vergroten.

Maar de temperatuur daalde nog verder en hun zorgen werden van een andere aard: ze moesten zich nu warmer kleden. Ze begonnen dus met benen naalden de huiden van buidelratten en kangoeroes aan elkaar te naaien. Ze maakten er kleden en dekens van, die ze aan de binnenzijde inkerfden, volgens ingewikkelde patronen die hun eigen verhaal vertelden.

Op een dag zagen de stamleden in het schemerdonker van de zonsondergang een bergketen. In de invallende duisternis was het moeilijk om in te schatten hoe hoog hij was en of ze hem zouden kunnen bedwingen. Hij leek vanaf de horizon tot aan de hemel op te rijzen, tot aan de sterren, die die avond schuilgingen achter wolken. Met kloppend hart, het hoofd vol beloften van de legende van de ondergrondse wereld, ging Pinanga, de dochter van beide stammen, in de opstekende nachtwind zitten. Ze durfde amper te mompelen, alsof er voorvaderen luisterden die niet helemaal de hare waren. Vervolgens bedacht ze dat ze met haar wat blekere huid, met haar haren die niet zo dik waren, haar ogen die soms verguld werden door de zon, haar sierlijke maar tengere gestalte in vergelijking met die van haar nichtjes, dat ook zij uiteindelijk misschien wel thuis was. De voorouders uit de wereld onder de grond waren ook de hare. Maar waren dit echt de bergen waarvan Wolambe had gehoord?

De kinderen vielen op de grond in slaap. Die dromen waren nog niet de hunne. De volwassenen maakten zich op hetzelfde te doen, toen Pinanga haar neus opstak. De wind verjoeg de wolken naar de plek waar de zon was ondergegaan. Hij onthulde de sterren, liet de schitterende puntjes zien die aan de rand van de toppen hingen en verdwenen in het nachtelijk duister. Toch leek dat randje hemel langzaam helderder te worden, als de herinnering aan een voorbije dag. Daardoor werd de hoogte van de bergen duidelijk. Duizelingwekkend.

De dag brak aan. De zon kwam achter de bergen op, als een bal van vuur boven een droge takkenbos. Zij onthulde de steile hellingen die de reizigers moesten beklimmen. Gladde rotsen rezen op naast hellingen met zwarte grond. Dicht gebladerte verhief zich naar een hemel vol water. Een vlucht ibissen trok de aandacht van de stam, die weer op weg ging, op hun qui-vive en plotseling vol twijfel.

De beklimming, die aanvankelijk nog te doen was, werd al snel moeilijker. De reizigers kwamen maar langzaam vooruit en werden vooral door de ouden vertraagd. Toen ze bleven staan om wat op adem te komen, liep Pinanga weg van de groep, beklom wat rotsen om een beter uitzicht te hebben en zich te kunnen oriënteren. Achter hen, zo ver als de blik reikte, strekte zich de vlakte uit. Die verlieten ze nu. Was dat wel verstandig? De vraag kwam heel even bij haar op. Ze hadden er al over gesproken. Dat stadium waren ze gepasseerd. Met een paar sprongen daalde ze weer af tot bij haar mensen en ze wendde zich tot haar vader. Gebroken door ouderdom was Wolambe toch nog krachtig.

'Volgens mij kunnen we vanavond die kleine top daar wel bereiken', sprak Pinanga en ze wendde zich naar het oosten om op een ronde berg te wijzen, bedekt met groen, een heel stuk onder de verre toppen.

Hij leek zo dichtbij, die berg, zo gastvrij vergeleken met de stenen uitsteeksels die de doorgang verhinderden, achter de laagste wolken. Op dat moment stak de wind op, kouder dan alle winden die ze tot nog toe hadden gekend. Hij voerde mee wat geen van hen ooit had gezien: sneeuwvlokken. Aanvankelijk verbaasd en verrukt, raakten de stamleden al snel ontnuchterd. Die prachtige witte veertjes plakten aan elkaar, hoopten zich op, vormden op de grond een tapijt dat het lopen bemoeilijkte, en al gauw bedekten ze de reizigers met een ijskoud laagje. Bovendien begon de sneeuw te warrelen en de lucht die ze inademden steeds meer te verdichten. Er ontstonden sneeuwhopen. De kinderen begonnen te huilen. Door de kou deden hun vingers en tenen zeer. De eerste oude zakte in elkaar.

Pinanga, die zich voor haar vader een weg baande, aarzelde even. Ze konden daar zo halverwege de beklimming niet blijven staan. Maar weer afdalen? Ze fronste haar wenkbrauwen.

Op dat moment werd ze verrast door een gegrom. Het meisje draaide zich om. Tegen de berghelling onthulde een grot een smalle opening. Een tweede grom klonk eruit. Pinanga beduidde degene die haar volgde vuur aan te steken. Maar de man liep te beven en zweette. Het idee nu reuzen uit oude tijden te ontmoeten sprak hem plotseling niet zo erg meer aan. Het karwei kostte hem veel te veel tijd. Pinanga stond op het punt om het van hem over te nemen, toen er eindelijk een vonk tussen de takken opschoot.

Er klonk weer gegrom. En het beest kwam de grot uit, met glinsterende ogen, de bek open, de tanden naar voren, met zijn typische gang. Een Ya-kurr*, even hoog in de schoften als een meisje van zeven of acht winters, lang als een liggende man, en zwaar als vier of vijf van hen. Het leek alsof op deze aarde zijn enige serieuze concurrent de reuzenvaraan zou zijn.

De stamleden hadden in de verte al een paar van die leeuwen gezien. Ze hadden altijd eerbiedig afstand gehouden. Dat leek ook het meest logisch, toen ze eenmaal hadden gezien hoe de beesten hun prooi vasthielden met hun enorme klauwen. En ze hadden ze ook grote grazers zien openrijten en in stukken scheuren, met hun uitzonderlijke snijtanden en scheurkiezen die ongelooflijk scherp waren.

Maar dit exemplaar leek niet te willen vluchten. Het was bijzonder indrukwekkend. Het liep naar voren, tot op enkele meters van de kring die de reizigers hadden gevormd, en stiet een gebrul uit dat zelfs de meest geharden onder hen de haren te berge deed rijzen. Pinanga bleef stokstijf staan. Wat zou haar vader gaan doen? Hij was zo oud. Onbewust deed ze een stap naar voren. Maar Noongo, de grote, donkere Noongo, verhief zich voor hen beiden en schreeuwde: 'Achteruit! Ik ben niet bang voor je! Achteruit!'

De leeuw begon nog harder te brullen, kromp in elkaar, sprong, zijn klauwen en tanden naar voren. Wolambe, die tussen het meisje en de jongeman stond, deed een stap naar voren. Heel lang zou Pinanga zich afvragen waarom hij dat had gedaan. Uiteindelijk kwam ze maar liever tot de conclusie dat ze het niet wist.

De leeuw kwam op Wolambe terecht. Hij opende hem de

keel met een beet van zijn krachtige kaken. Het bloed spoot er zo krachtig uit dat de kreet van het stamhoofd werd gesmoord nog voordat die zijn mond had verlaten. Het dier begon de gapende wond nog groter te maken, terwijl het lichaam van de oude man nog stuiptrekte en het bloed volop stroomde. Alsof wat er nog van hem over was meer bevatte dan mogelijk was.

Daarop deed Noongo iets ongelooflijks. Hij greep de leeuw bij zijn manen. Dit was een daad van bijzondere moed, en van verregaande waanzin. Het dier draaide zich onmiddellijk naar hem om, met al zijn klauwen in de aanslag. Pinanga, die zich op haar stervende vader had geworpen, hief haar hoofd op, en gilde met overslaande stem: 'Noongo! Niet doen!'

Hem ging ze ook nog verliezen … Het gevecht van de man met de leeuw was zo dichtbij en zo wild dat het moeilijk was iets te onderscheiden.

Met een enorme drang om weer te gaan schreeuwen greep Pinanga de speer van de jongeman. De klauwen drongen in zijn lijf, veroorzaakten langgerekte wonden waaruit ongetwijfeld binnenkort de levensstroom zou wegvloeien. De enorme kaken zochten fanatiek de hals. Ze werden slechts tegengehouden door een stevige hand, die verloren ging in de vacht.

Het lemmet van Noongo's dolk werd opgeheven en zakte tot drie keer toe in de borst van het beest. De leeuw slaakte een vreemd gebrul en zakte toen zachtjes onder de greep van de man in elkaar. Buiten adem stond deze op, zijn lichaam en zijn gezicht bedekt met diepe, bloedige sporen. De buidelleeuw rilde nog eventjes, toen viel zijn kaak stil. De jonge jager liet zich op de grond vallen.

Pinanga knielde naast hem neer en legde haar kangoeroevel onder zijn lichaam. Ze keek wat ze in haar zak van buidelrattenhuid had, haalde er de vette zaden uit waarmee ze een zalf zou maken om Noongo's wonden te bestrijken.

Aan het eind van de dag installeerden de stamleden zich in de vrijgekomen grot en sneden de buidelleeuw aan stukken. Ze roosterden het vlees boven het vuur met acaciazaad. Ze hadden ook nog wat tomaten van de savanne, prachtig donkerbruin met een smaak van prikkelende karamel. Buiten wervelde de sneeuw nog altijd, in steeds dichtere vlagen. Het vuur knapte echter lang genoeg om hen in staat te stellen tegen elkaar aan gedrukt in slaap te vallen. Pinanga wilde waken bij de krijger, maar ze kon niet langer weerstand bieden. Ze viel al snel in slaap tegen het van koorts rillende lijf van Noongo.

Vroeg in de ochtend schrok ze wakker, hief het hoofd op en keek naar de opening van de grot. Het zonlicht drong al binnen. Stilletjes dankte de jonge vrouw de geesten van de voorvaderen. De storm was gaan liggen. Pinanga draaide zich om, legde haar vingers tegen de wang van de slapende jongeman. De koorts was gezakt. Toen Noongo rilde trok ze voorzichtig haar hand terug. Hij deed zijn ogen open en lachte haar toe. Ze verbaasde zich niet toen hij zijn hand op haar buik legde en ze hem, hard, tegen haar dij voelde. Ondanks zijn verwondingen had hij de kracht en de geest van de leeuw overgenomen. Als zij ooit zwanger zou worden, zou het kind ongetwijfeld ook een groot jager worden.

De reizigers kwamen uit hun schuilplaats en ontdekten een wereld die bedekt was met witte watten. De bijna helemaal schone hemel liet hun de toppen zien, prachtige juwelen van sneeuw en ijs tegen het diepe blauw van de horizon.

Het weer bleef mild. Drie dagen later vonden de reizigers een zee van bergen, met steile hellingen die moeilijk toegankelijk waren. Diepe ravijnen slingerden zich tussen dalen bedekt met een dicht woud, prachtig zilvergroen, aan de rand van de eeuwige sneeuw. Bronnen en rivieren stroomden overal. Onbekende vogels stegen met een plotseling vleugelgeruis op in de mist.

Een zonnestraal viel door de wolken en toverde een iriserend schijnsel op de nevel. De regenboog die vervolgens ontstond verlichtte het hart van Pinanga. Woonden de wezens van voor de wezens echt in deze bergen? Zou ze haar kinderen nog zien, in wie zich de geesten van hen van de reis en hen van de grot zouden mengen, zoals water en licht zich mengden om prachtige kleuren te doen ontstaan? Hoeveel waarheid stak er in wat de man zonder naam aan Wolambe, haar vader, had verteld?

November 2004. Mister Tweed

Liz deed haar ogen open. De heerlijke geur van eau de toilette die sinds enkele minuten haar neusvleugels streelde hoorde bij het komen en gaan van een gestalte tussen de deur en het bed … Ze knipperde met haar oogleden, zag haar redder in tweed op haar afkomen en haar bezorgd aankijken.

'Kijk eens aan … dat is al beter! De dokter komt zo. Ik zal uw spullen gaan halen terwijl hij u onderzoekt.'

Daarop stapte een man met een streng gezicht naar binnen, een tas in de hand. Met ervaren vingers inspecteerde hij de wond op het hoofd van de jonge vrouw en legde een verband aan. Vervolgens, zonder zich iets aan te trekken van de blos die de wangen van zijn patiënte overdekte, kleedde hij haar uit, controleerde haar ledematen en ausculteerde haar.

Terwijl de dokter zijn tas weer dichtmaakte, kwam Mister Tweed weer binnen en hij ging aan de voet van het bed zitten. Liz trok meteen het laken voor haar lichaam. Ze rilde, terwijl ze zichzelf verwenste vanwege haar reactie. Hij trok zijn wenkbrauwen op.

'Hebt u het koud?'

Hij legde de sprei over haar heen en vervolgde: 'Het komt allemaal in orde. De dokter zegt dat u niks hebt, behalve een flinke bult, wat bloeduitstortingen en een paar schaafwonden. Het is beter dat u nu wat gaat slapen. Ik ga een verklaring afleggen bij de politie. Maar alles is zo snel gegaan: niemand heeft gezien wie u heeft aangereden.'

Liz opende haar mond. Haar stem klonk als gekwaak, wat haar deed blozen tot in haar haarwortels.

'Maar … ik stond toch te ver op de weg, of niet?'

'Dat viel wel mee. Niettemin is het weinig waarschijnlijk dat de politie die chauffeur zal terugvinden. In deze stad …'

Met slaperige stem waagde ze te zeggen: 'U lijkt Parijs goed te kennen.'

Hij lachte.

'Een beetje. Ik ben naar Frankrijk uitgezonden als consultant … Trouwens, ik zou u vanavond graag mee uit eten nemen. Denkt u dat u daar fut voor hebt?'

De jonge vrouw viel om van vermoeidheid. Laat hem gaan. Ik wil slapen. Mister Tweed ging staan.

'Luister … U bent moe en u hebt een shock. Ik kom u vanavond wel opzoeken, tegen half acht. Als u zin hebt kunnen we ergens gaan eten. Is dat goed? Trouwens, mijn naam is Ralph. Ralph Winthrop.'

Zonder een woord te zeggen knikte Liz. Haar redder hief zijn hand op en verliet de kamer.

Liz sloot haar ogen. Weer een grote blonde … Ze verborg haar gezicht in de holte van haar elleboog. En voordat ze nog verder kon nadenken viel ze in slaap.

Aanhoudend getoeter klonk in de straat. Liz schrok wakker, deed met moeite haar ogen open, alsof er twee kilo marmelade op haar oogleden rustte. Het duurde even voordat ze zich herinnerde waar ze eigenlijk was. Achter de dichte gordijnen scheen licht. Haar horloge gaf vier uur aan.

Ze gooide haar benen over de rand van het bed. Rond het bureautje en de grote openslaande deuren hingen gordijnen. Achter de ramen keek een smeedijzeren balkon uit op straat, waarvan het geroezemoes op geen enkele manier haar plekje van luxe en rust kon verstoren.

Links van het enorme bed stond een grote klerenkast met laden en een hanggedeelte. Door een halfopen deur zag ze het geschitter van marmer en spiegels. Ze liep naar de badkamer, keek naar het verband op haar hoofd, maakte het los. De huid was er niet af, alleen flink geschaafd, en de blauwe plek kon wel verborgen worden onder wat foundation. Ze kleedde zich uit, glipte onder de douche en draaide de oude kraan open. Het warme water stroomde weldadig over haar blauwe plekken en schaafwonden.

Gekleed in de zachte ochtendjas van het hotel liep Liz terug naar haar kamer, at de chocolaatjes op die op haar nachtkastje stonden en ging op het open bed zitten. Ze had zin om weer te gaan slapen. Negen uur tijdsverschil ... Nee, dat was idioot. Ze was in Frankrijk gekomen om haar leven te veranderen. Na wat in haar koffer gerommeld te hebben haalde ze er een buisje vitamine C uit en knabbelde gretig op de pillen. Toen trok ze een schone broek aan, een grote trui met een rolkraag en haar jas.

Er viel iets fijns en kouds. Beschermd door de luifel keek Liz omhoog: sneeuw. Dat had ze nog nooit gezien, ze raakte er helemaal verrukt van, waardoor plotseling al haar zorgen leken te verdwijnen. Toen rilde ze, zowel van schrik als van de kou. Ze was in Parijs, en alleen.

Het warrelen van die lichte deeltjes die zich al in haar kraag en de mouwen van haar jas nestelden, werd sterker. Voortgedreven door de elementen begaf de jonge vrouw zich op weg. Ze was van plan een muts en handschoenen te gaan kopen, want dat verschafte haar een doel.

Een fijne witte laag plakte nu aan de grond en aan de kleren van de voorbijgangers. Liz schuilde in een portiek, zocht in haar handtasje de kaart waarvan ze zeker wist dat ze hem had meegenomen. Niks. Ze moest dus de weg vragen. Ze bekeek de voorbijgangers, verwachtte een glimlach, zoals dat in Sydney zo vaak gebeurde. Vergeefs. Haar ijskoude oren dwongen haar nu voort te maken. En tot haar grote verrassing was het haar accent dat de vrouw die ze had aangesproken gunstig stemde. Een minuut later stond Liz eindelijk in een bredere straat, waar de winkelpuien de grillen van de herfst uitlachten.

Gretig liep ze langs de etalages ... zonder naar binnen te durven, alsof ze, eenmaal voorbij de deur, met het ballet van klanten rond de kleren en de neerbuigende blikken van de verkoopsters, de gedragsregels niet kende. Maar in de verte zag ze een groot bord – *Au Bon Marché* – en ze versnelde haar pas.

Van de gewatteerde maar ijskoude buitenwereld stapte ze in een geparfumeerd en koesterend universum. Daar voelde ze zich op bekend terrein. Grote warenhuizen, of ze nu in Sydney, Hongkong of Parijs staan, lijken allemaal op elkaar. Al snel stond de jonge vrouw te aarzelen voor een grote toonbank. Muts of pet? Handschoenen of wanten? Nadat ze haar keus had gemaakt, gaf ze zich over aan het genoegen om tussen de bakken te slenteren. Heel even schaamde ze zich bijna voor dit eenvoudige pleziertje, die tijd die ze doorbracht met kijken, mooie, warme, luxe dingen kiezen, terwijl er zo veel architectonische, historische en culturele wonderen buiten wachtten. Maar in deze consumptietempel was het tenminste warm.

Een uur later, beladen met pakjes, stond Liz weer op het trottoir, met een leeg hoofd. De sneeuw was overgegaan in regen. Het was een doordringende motregen, die de witte laag al had doen smelten, waarvan nog slechts enkele zwartachtige resten op de hoeken van de trottoirs lagen. Liz zuchtte. Ze had niet de moed zich weer om te draaien en een paraplu te gaan kopen. Toen er een taxi in haar blikveld verscheen, hief ze dan ook een gebiedende arm op, en binnen enkele seconden dook ze de auto in.

Eenmaal terug in het hotel begon Liz haar pakjes open te maken. Het was een eeuwigheid geleden dat ze tijd had gehad om te winkelen. Maar toen ze voor de grote spiegel een sjaal probeerde, viel haar blik op de Lodewijk xv-klok die op de schoorsteenmantel stond. Twintig over zeven.

Ze fronste haar wenkbrauwen. Lieve hemel, Mister Tweed! Wat was zijn echte naam ook alweer, van die wonderbaarlijke Amerikaan? Hoe dan ook, als hij woord hield zou hij over tien minuten hier zijn. Ze kleedde zich zo snel uit dat je zou denken dat er een spinnennest in haar nek was gevallen, trok uit haar koffer de enige zwarte jurk die ze had meegenomen, glipte erin en bad dat geen enkele naad het zou begeven.

Terwijl ze zichzelf voor de gek hield door zich voor te houden dat ze zich weliswaar wat te dik voelde, maar dat het in dit land zo koud was dat ze de hele avond haar jas wel kon aanhouden, werd er op haar deur geklopt. Liz gooide haar haar naar achteren en deed open. Het was inderdaad haar redder, heel sober gekleed in een grijs hemd en een zwart wollen pak. Ze had nog niet eerder opgemerkt hoe verleidelijk hij was … bijna te.

Desondanks lachte de jonge vrouw en ze pakte haar jas, die op bed lag. Ze volgde de jonge Amerikaan de trappen van het hotel af en dankte de hemel dat hij haar niet dwong tot een vroegtijdig onderonsje in de lift – die vreselijke martelkamer voor verlegen mensen. Waarover moest ze eigenlijk praten met die man aan wie ze tot nu toe niet eens had gedacht als man, maar als een reddende en geruststellende aanwezigheid?

Terwijl ze in de kleine groene Engelse Rover ging zitten, die netjes op een paar meter van het hotel geparkeerd stond, besloot Liz dat onverschilligheid en koelte de beste verdediging waren tegen een persoon wiens charme, in tegenspraak met haar eerste indruk, niet anders dan verontrustend genoemd kon worden …

En toen de wagen opnieuw geparkeerd was, stapte Liz uit de groene Rover alsof reeds haar hele leven charmante heren portieren voor haar hadden opengehouden. Toen hief ze haar blik op naar het monument aan het eind van de straat. Op dat moment begon het weer te regenen. Liz voelde hoe een hand de hare pakte.

'Vooruit, we moeten rennen, want anders …'

Ze hadden amper honderd meter afgelegd of hun werd de weg versperd door gebladerte. Liz stond op het punt eromheen te lopen toen haar gids haar bij de arm pakte en haar meenam onder een begroeid stenen gewelf. Ze bleef stokstijf staan. Het lawaai van auto's, het kletteren van de regen waren vervangen door twinkelerende vogels, een murmelend watervalletje … en drukke gesprekken. Hij draaide zich lachend naar haar om.

'Nou, was het het nat worden waard of niet?'

Verrukt vergat Liz haar terughoudendheid.

'Maar waar zijn we dan?'

'Niet zo ver van uw hotel in feite. In zekere zin precies tussen de Sorbonne en het Lycée Henri IV, pal tegenover het Panthéon. Het is een van mijn favoriete Parijse restaurants.'

De jonge vrouw knikte, hopend dat hij niet zou raden dat al die namen haar nauwelijks iets zeiden. Daarop volgde ze hem naar een gereserveerd tafeltje, een beetje geërgerd door de warmte, die haar zou verplichten haar jas uit te doen als ze zich niet volslagen belachelijk wilde maken.

Toen ze eenmaal zaten en haar begeleider de wijnkaart bestudeerde, bekeek Liz hun buren en ontdekte dat haar zwarte jurkje bij lange na niet het meest strakke was ... Geheel verdiept in haar analyse van de vestimentaire vormenleer, besteedde ze geen aandacht aan de man die voor haar zat tot het moment dat ze hem de bestelling hoorde doorgeven. En daarop ontspande ze zich, wonderbaarlijk genoeg. Omdat hij zich in het Frans tot de ober wendde, met veelbelovende termen als 'tourte aux poireaux' en 'clafoutis aux poires', maakte hij weer deel uit van de gewone stervelingen ... En wel in zo'n mate dat de jonge vrouw zich plotseling zijn voornaam – Ralph – herinnerde en zichzelf al snel haar plannen voor een vestiging in Frankrijk hoorde voorleggen.

Ze stond net op het punt er meer over te vertellen toen de ober terugkwam om twee borden op tafel te zetten met een vreemde paté. *Foie de canard aux pommes caramélisées.* Liz verstijfde. Ondanks het feit dat ze voormalig inwoonster van een wereldstad was, had ze nog nooit die hoeksteen van de wereldgastronomie geproefd. Ze keek haar gastheer vanuit haar ooghoeken aan, terwijl hij zijn mes pakte om zijn brood te besmeren. Ze deed hem na en durfde hem toen wel een vraag te stellen.

'En u? Ik zit mijn leven wel uit de doeken te doen ... maar ik weet niets van het uwe.'

Hij keek haar aan, aarzelde even en begon toen te vertellen. En toen de ober de eerste borden kwam weghalen wist Liz dat Ralph was opgegroeid tussen Europa en de Verenigde Staten, bij een vader die diplomaat was en een schilderende moeder. Terwijl ze haar forel op groene linzen en gegrilde ham begon te eten, vernam ze dat hij had gestudeerd in Pennsylvania, op Wharton, een van de best bekendstaande business-schools van de hele wereld. De komst van een ongelooflijke kaasplank onderbrak de uitleg van de jongeman over zijn baan als consultant, gespecialiseerd in vernieuwingen voor duurzame ontwikkeling, bij Accenture, de oude 'consultancy'-tak van Andersen[7]. Bij Liz' grimas lachte hij en begon met het kaasmes te spelen.

'Ja, ik weet het, sinds de Enronaffaire kun je dat woord beter niet meer in de mond nemen. Maar in feite was de consultancy al lang voor deze geschiedenis gescheiden van accountancy. Daardoor kon Accenture ook het hoofd boven water houden toen Anderson zonk. Maar ik ...' (hij stak het lemmet in de brie) 'ik had allang genoeg van wat ik deed. Ik was eerst junior geweest bij voorziene fusies van oliegroepen. Vervolgens hadden ze me op herstructurering gezet, en daar kwam ik midden in de sociale plannen terecht. Ik onderhandelde over conflicten, baas aan de ene kant, vakbonden aan de andere. En na een poosje werd dat onhoudbaar ...'

Toen de ober een *moelleux au chocolat* met sorbet bracht, zuchtte Ralph.

'En sinds vorig jaar hebben de lui van Wharton Accenture gecontracteerd. Wilden onze hulp bij het opzetten van MBA-programma's in duurzame ontwikkeling met de grote Franse business-schools. De zaak heeft een interne sollicitatie opgezet. Ik heb meteen de gelegenheid aangegrepen. En ik moest kiezen tussen het INSEAD in Fontainebleau en het HEC in Jouy-en-Josas. Ik kende Fontainebleau ... Ik heb dus voor INSEAD gekozen.'

Terwijl Liz voortdurend beleefd bleef glimlachen, vroeg ze zich het een en ander af. Hoe kon je zo knap, in beide betekenissen van het woord, zo politiek correct zijn, zo ... alles? Was er nergens een minpuntje? Was hij getrouwd? Homo? En zo ja, waarom had hij haar dan mee uit eten gevraagd?

Nog niet zo heel lang geleden had ze zich best willen laten

inpakken. Ze legde haar handen plat op tafel aan weerszijden van haar bord en ademde een keer diep in. Die tijd was voorbij. Koelte, wantrouwen, helderheid, dat was het parool.

Maar toch, in de minuten die volgden, in de loop van zijn verhalen, voelde ze zich bijna onmerkbaar smelten. Zijn voorkomende manier van doen, zijn voortdurende aandacht waren wel een hele verandering ten opzichte van die sukkelige, stijve Bob, die verstandelijke en ingewikkelde Mark, en de rest.

Toch schrok ze toen hij haar hand pakte en mompelde: 'U bent vast doodop. Zal ik u terugbrengen?'

Onderweg in de auto klemde Liz haar kaken op elkaar. Koelte, wantrouwen, helderheid. Maar deze mantra leek niet meer het gewenste effect te hebben.

Toen de auto voor het hotel tot stilstand kwam, regende het niet meer. Het trottoir lag te glimmen in het lantaarnlicht. Ralph zette de motor af en draaide zich naar de jonge vrouw toe.

'Ziezo. Denkt u dat u alleen uw kamer kunt vinden?'

Liz antwoordde zo snel dat ze er meteen spijt van kreeg.

'Natuurlijk.'

Toch boog hij zich naar haar over.

'Als u bent geïnstalleerd in uw Provençaalse boerderij, zou ik u best willen komen helpen … er zijn altijd een heleboel dingen te doen in oude huizen. Hebt u een mobiel nummer?'

Een geopende hand verscheen in haar blikveld, vergezeld van een elegante balpen. Liz aarzelde. Toen pakte ze de pen en schreef haar telefoonnummer op de handpalm … terwijl een lastige blos haar naar de wangen steeg.

Ralph sloot langzaam zijn vingers boven de cijfers. Onder zijn uiterlijk van perfecte gentleman gedroeg hij zich als een puber. En toch, toen hij zich naar haar toe boog en zijn grijze ogen in de hare boorde, opende ze haar lippen, in weerwil van zichzelf. Ook zij voelde zich een puber, verstrikt in haar lijf en haar gevoelens. Toen knipperde hij met zijn ogen en trok zich terug.

'Dank je, Liz. Welterusten. En tot gauw.'

Een halve minuut daarna reed de Engelse groene wagen met

een vaart weg in de regen, die weer begon te vallen. Met de balpen nog in haar rechterhand zag Liz de achterlichten in de Parijse nacht verdwijnen. Koelte, wantrouwen, helderheid? Flauwekul. Koorts, goedgelovigheid, stommiteit, ja … Ze voelde een flinke prop in haar keel. En plotseling had ze het heel koud.

70.000 v.Chr. De weg der legenden

Jarenlang zochten Pinanga en de haren naar die reuzenwezens uit de legende van de onderaardse wereld. Ze leerden te leven in de bergen, zich tegen de kou te beschermen, toevlucht te zoeken in holen die ze uitgroeven of door hutten te bouwen die steeds steviger werden. Ze zongen er nieuwe liederen, die van hun wegen spraken, en voegden ze toe aan die van de voorvaderen. Die liederen gaven ook hun nieuwe milieukennis, hun nieuwe sociale organisatie weer.

Pinanga bracht vele kinderen ter wereld. Haar oudste zoon, Unambur geheten, nam de leiding van een groep die zich van de oorspronkelijke stam afscheidde en besloot zich in de bergen te vestigen. Pinanga had dolgraag bij haar oudste zoon willen blijven, maar ze kon niet meer tegen de kou die elk jaar onherroepelijk terugkwam. Al heel lang geleden was haar lieve Noongo naar de voorvaderen vertrokken. Zij wilde de warmte, de genade van de dalen en van de kustvlakten voelen. Er waren een paar leden van de oorspronkelijke stam die haar wel wilden volgen. Onder hen was haar favoriete kleindochter.

En zo gingen de reizigers weer op weg. Ze volgden de beekjes die langs de berghellingen naar beneden stroomden, beklommen de nog onverkende heuvels waarop ze stuitten, daalden flinke steiltes af, steeds maar weer en weer.

Het piepkleine stroompje dat hen had begeleid, verbreedde zich langzamerhand tot rivier, vervolgens tot delta, tot aan de stralende wateren van een zee. Nog enkele dagen lopen en de ondergaande zon begeleidde hen in hun afscheid van de bergen, op de laatste hoogvlakte, voor de bodem van de vallei. De wind die hun in het gezicht woei was zo zacht dat de jongsten van verrukking de ogen sloten. Jammer dat de wegzakkende dagster hen niet in staat stelde iets anders te onderscheiden dan de omtrekken van het brede dal en die van de zee aan de horizon, maar dat zou morgen wel anders zijn. En die avond, voor het eerst sinds heel wat jaren, kon Pinanga weer rustig slapen.

Toen ze haar ogen half opendeed viel het licht haar in het gezicht. Ze dacht even dat ze te lang had geslapen en kwam met een ruk overeind. Toen zag ze dat ze nog allemaal in hun bont gewikkeld lagen. Ze knipperde met haar oogleden. Die ochtend leek het licht van de opkomende zon de hele horizon te omstralen, alsof ze zich in een doorzichtig water spiegelde, en alles wat ze aanraakte met bleek goud bekleedde. Pinanga sloot weer haar ogen en voelde hoe een zachte warmte haar doorvoer.

Het beboste dal opende zich voor haar. Aan de voet van de hoogvlakte vervingen de eucalyptusbossen de naaldbomen. De rivier stroomde tot aan de delta en bereikte de goudgele stranden die schitterden in de zon. Om haar heen zag Pinanga het korte gras waarin de vorige avond de stam zijn kampement had opgeslagen. Kleine maar stevige stengels stonden zo'n beetje overal, met daaraan witte bloemen met puntige bloembladen. Pinanga kreeg zin zich te bukken om dat golvende tapijt aan te raken, maar haar gezond verstand fluisterde haar in dat dat niet aangenaam zou zijn voor haar reumatiek. Desondanks voelde ze zich als herboren.

Boven haar verbleekte de hemel steeds verder. De lucht was fris, maar zoet. Ze ademde diep in. Nooit was ze zich zo bewust geweest van het leven, van het genoegen van het bestaan. Een vluchtige spijt doordrong haar echter, de spijt dat ze dat niet eerder had gekend. Nooit. Niet bij de liefde, niet bij het baren, niet bij het moederen, niet bij het plukken, niet als kunstenares. Nooit? Ze dacht na. Toen ze kind was misschien? Ze slaakte een zucht. Misschien, ja, maar dat was zo lang geleden. Het zou niet lang meer duren of ze zou vijfenveertig zijn. Ze had allang dood moeten zijn. En het was waar, haar einde naderde. Haar leven was heel lang geweest en heel vol. Te lang? Wie haar op dat ogenblik zou zien, zou verbaasd zijn geweest de rimpels uit Pinanga's gezicht te zien verdwijnen. Ze was bijna weer die jonge vrouw geworden, vol kracht, vol bezieling, die hen allemaal naar dit dal had meegevoerd, over obstakels en angsten heen.

Ze pakte de enigszins kromme stok die ze altijd bij zich had. Zingend begon ze strepen op de grond te trekken. Het kind kwam naar haar toe. Een jongetje, haar achterkleinzoon, Tjoonake. Zachtjes streelde ze zijn hoofdje, terwijl ze bleef tekenen.

'Moet je zien, kleintje. Dit is de weg van de voorvaderen. Die komt van heel ver, weet je ...'

Haar stok volgde haar geest, en die van de haren voor haar.

'Hij begon nog voor de woede van het vuur van de aarde, nog voor de grote wateren, nog voor de koude winden ... Hij heeft heel wat wezens gezien, heel wat geesten. Hij heeft nieuwe geschapen, totdat de reuzenvaraan de oorsprong werd van mannen en vrouwen, van ons, de Koo-ri ...'

Ze glimlachte, waarbij haar tandeloze mond openging.

'... en van jou, kleintje, net zo goed!'

Het kind begon te lachen en blies over de richeltjes stof die gevormd werden door Pinanga's stok. Ze fronste haar wenkbrauwen, zuchtte toen.

'Wacht, jochie. Luister. Ik moet je vertellen wat ik geloof. Wat de voorvaderen hebben gedaan, dat is belangrijk. Waar zij gereisd hebben, waar zij zijn blijven staan, waar zij de gebeurtenissen van hun leven hebben beleefd. Die wegen, die plekken, zullen ons op een dag leiden. Vandaag begin ik de weg der legenden te tekenen. Hier loopt hij. Ik zal hem morgen op de wanden van de kleine grot achter je nog eens tekenen. Die weg zal van rode oker zijn. Andere komen erbij, van zwarte kool, van fijne witte klei, van gele oker. De grot zal getuige zijn, een heiligdom, net zoals de grot van de ontmoeting tussen onze verschillende voorvaderen. Aan de ene kant waren er de jagers van de wereld boven de grond, die van de overkant van de onafzienbare wateren waren gekomen, verjaagd door de woede van het vuur van de aarde. En de anderen, dat waren de plukkers, die daar al zo lang geleden waren aangekomen dat zelfs de geesten zich het niet meer herinnerden, en zich vestigden in de wereld onder de grond. Ti-ra-kaa, het hagediswezen, bracht de een naar de ander. Kijk, hier is hij, Ti-ra-kaa. Dankzij hem zijn wij er, zijn we sterk en slim. En wij moeten steeds beter leren waarnemen, onderscheiden en onze gevolgtrekkingen daaraan verbinden, respecteren wat ons omgeeft en deel van ons uitmaakt. En jij, mijn kind …'

Met haar tekenstok tikte ze tegen de neus van het joch.

'… jij zult naar jouw totem en jouw voorouders moeten luisteren. Je zult in hen jouw visie op de wereld vinden. Vanaf vandaag ga ik je alles leren wat ik daarvan weet. Jij zult je verrijken en de kinderen van jouw kinderen na jou.'

Zonder naar haar te luisteren zat het kind in het stof en met het stokje van zijn grootmoeder probeerde het de lichtende blauwe hemel aan te raken, die een dak boven zijn hoofd vormde.

3

November 2004. Van massaliteit naar eenzaamheid

Was ze nu wakker geworden door die klapperende luiken of door de kou? Met haar haar in de war en haar ogen zwaar van te weinig slaap ging Liz rechtop zitten en trok de dekens om zich heen. Buiten was het nog viezer weer dan in Melbourne midden in de zuidelijke winter. En dan te bedenken dat ze ervan overtuigd was geweest dat de Provence een land was van zon, honing en lavendel ...

Bijna twee weken eerder was Liz in Montélimar uit de TGV gestapt, waar de notaris die de koop van de boerderij had geregeld haar had opgewacht. Hij had haar eerst naar een autoverhuurbedrijf geloodst en vervolgens naar haar nieuwe 'onderkomen', zoals hij het noemde, terwijl hij een omweg maakte over Grignan. De plek waar haar moeder zou hebben gewoond tijdens de Tweede Wereldoorlog, en in de buurt waarvan Liz vanuit Sydney een boerderij had gekocht.

Toen de notaris na kilometers kronkelwegen over het platteland uiteindelijk zijn auto aan de voet van een dorp als op een ansichtkaart had geparkeerd, had Liz haar handen vochtig voelen worden. Elegante platanen staken hun kale takken omhoog langs een rechthoekig pleintje. De heldere winterzon schitterde boven de dakpannen. Een witstenen weg verdween in een wirwar van kale rozenstruiken. En in het licht van de vroege middag kreeg de roze steen van de verdedigingswallen voor het kasteel een okeren gloed.

Dat prachtige kasteel, het voormalig eigendom van Françoise-Marguérite de Sévigné, dochter van de markiezin van Sévigné en degene aan wie die beroemde brieven gericht waren. Dat prachtige dorp, omringd door lavendel.

Maar die dag was er niets fantastisch aan geweest.

Nadat ze haar nieuwe eigendom in bezit had genomen, had Liz de notaris moeten laten vertrekken, vlak voordat een onweer boven de streek losbrak, waardoor onmiddellijk de stroom uitviel, die zojuist was aangezet. De jonge vrouw had toen geaarzeld tussen twee reacties: in tranen uitbarsten op de oude veranda van het huis of er in de regen vandoor gaan ... en het eerste het beste vliegtuig naar Australië pakken. Op dat moment kwam een gele bestelwagen met een vreemd blauw logo voor haar huis tot stilstand. Een dame in een elegant blauw uniform was uitgestapt. Ze had geholpen de stroom weer in te schakelen en had Liz iets gegeven wat haar bijbel zou worden: de Gouden Gids.

Sinds die dag had Liz niet meer stilgezeten. Alles in deze bouwval viel uit elkaar. Ze had de enkele oude meubels die in het huis waren achtergelaten schoongemaakt. Vervolgens had ze op een salontafeltje de prehistorische bakelieten telefoon geïnstalleerd, die haar nagelaten scheen te zijn. En ten slotte was ze met haar huurauto naar Montélimar geracet, om daar te gaan kopen wat ze nog nodig had. Op de terugreis zat de kofferbak van de wagen zo vol dat er spullen op de weg vielen.

Bij het postkantoor en de bakker in Grignan, drie kilometer van de boerderij, had Liz een advertentie opgehangen voor een tweedehandsauto. Vervolgens was ze haar nieuwe eigendom eens gaan inspecteren om een detailleerde lijst van alles wat er nog moest gebeuren op te stellen. Die lijst was ruim tien bladzijden lang geworden ... een verlangen nam bezit van haar om de bouwers van deze boerderij, evenals de opeenvolgende eigenaars, de notaris en het klimaat, eens flink stijf te schelden. Kortom, de hele wereld. Met al haar zelfbeheersing slaagde ze erin zichzelf ervan te overtuigen dat dit een heel interessante ervaring voor haar was. Zij wilde toch gaan handelen in oud onroerend goed?

Bovendien, als je nu even die woekerende doornstruiken om het terrein heen vergat, en als je, voor de gierput, binnenkwam over het smalle grindpad dat naar de boerderij voerde ... dan was dit een prachtige plek. En als je eenmaal dat stinkgat de rug had toegekeerd, viel de blik aan de overkant van het pad op een vredige vijver waar kringetjes in het water ontstonden telkens als er een muskusrat onderdook. Daarachter een sleets gazon, dat tot rustplaats diende voor enkele bemoste rotsblokken en een hele laag eikels, die uit de eeuwenoude eiken vielen. Op dat kale grasveld stond een grote stenen fontein, waaruit schaamteloos water borrelde onder een met korstmos begroeide zonnewijzer.

De boerderij was gebouwd in een vorstelijke U-vorm. Je betrad de rechter vleugel via een grote trap, waarvan de smeedijzeren leuning prachtig omhoogliep tot boven de benedenverdieping, die diende tot wagenschuur. De linker vleugel herbergde enorme bijgebouwen waarvan de plafonds werden ondersteund door gigantische balken en monumentale stenen bogen. Achter het hoofdgebouw stonden in een boomgaard door elkaar perziken, sinaasappels, een vijg ... en zelfs een citroen. Toen ze die zag, had Liz zichzelf voorgehouden dat het nummer in de taxi een voorteken was geweest. Zij zou inderdaad haar *lemon tree* hebben.

Terwijl ze haar sombere gedachten van zich afschudde, trok de jonge vrouw een deken om haar schouders, rende naar haar badkamer en opende de kraan boven de wastafel. Het enige wat er echter uit kwam was een piepklein straaltje koud water en nogmaals moest ze het doen met een oppervlakkige wasbeurt. Volgende week moest de loodgieter komen ... en vlak na hem de verwarmingsmonteur. Met een beetje geluk zou ze met Kerst warm water en werkende radiatoren hebben.

Ze kleedde zich snel aan. Spijkerbroek, trui, dikke sokken, ingevette schoenen. Een snel ontbijtje en ze zou verdergaan met het losweken van dat vreselijke behang dat de muren van het huis bedekte. Terwijl ze de trap afstormde, wierp ze nog even een blik in de veel te volle hal. Een grote trap, emmers, sponzen en talloze stukken behang ... Ze zuchtte. Zeggen ze niet dat je des te meer houdt van dat waarvoor je moet vechten?

Op dat ogenblik tekende zich een gestalte af achter het glas van de voordeur. Liz schrok voordat ze zichzelf berispte. Ze zag niemand meer, buiten wat werklui en de alleraardigste postbode. Hier probeerden de mensen zich niet tot elke prijs op te dringen aan degenen die een teruggetrokken bestaan leidden. Als dat zo doorging, zou ze een volslagen misantroop worden en haar Frans zou er niet op vooruitgaan. Toen deed ze de deur open terwijl ze haar best deed om een glimlach op haar gezicht te toveren.

De mistral blies naar binnen. Liz deinsde achteruit, net op het moment dat de zon doorbrak. Een straal viel tot op de binnenplaats en verlichtte een blond meisje, dat verzoop in een veel te grote jas boven een versleten wollen rok. In haar hand hield de bezoekster een in bruin papier gewikkeld pakje. Toen ze Liz zag, schrok ze en ze klemde het pakje tegen haar borst, als om het te beschermen. Toen hield ze haar hoofd schuin en probeerde duidelijk in het huis te kijken. Verbaasd wierp Liz ook een blik achter zich. Er was niemand, natuurlijk. Het meisje schudde haar hoofd.

'O, neemt u me niet kwalijk ... ik zocht ... ik dacht ...'

Haar stem klonk schor. Ze was vast goed ziek, want ze zag lijkbleek en haar neus liep.

In een opwelling om zowel beleefd te zijn als door de mensen uit de streek geaccepteerd te willen worden, deed Liz een stap opzij en stak haar rechterhand uit, zoals ze dat de Fransen zo vaak had zien doen ... als ze elkaar tenminste niet begonnen af te lebberen. Ze begon aan haar kleine welkomstrede.

'Kom toch binnen. Ik heet Liz, ik kom uit Australië en ik heb deze boerderij gekocht.'

Dat had volstrekt niet de verwachte uitwerking. Het meisje

klemde het pakje nog steviger tegen haar borst en wierp wat angstige blikken om zich heen.

'Ik heet Marie. Maar ik kan niet ... ik bedoel. Ik heb geen tijd om ...'

Ze draaide zich honderdtachtig graden om, daalde bijna struikelend de trap af, keek nog even omhoog en schreeuwde met haar blonde haren in haar gezicht: 'Mijn vader wacht op me ... hij is ziek ...'

Haar gestalte, vergroot door de enorme jas, verdween tussen de hulsteiken. Kort daarop klonk het geluid van een bromfiets tussen twee vlagen mistral door.

8000 v.Chr. Het einde der reuzen

De nacht was neergedaald over het dal en de maan bleef verborgen achter inktzwarte wolken. In de bosjes had de buidelwolf hen geroken al voordat ze kwamen. Hij had geaarzeld, totdat zijn pijnlijke poot hem herinnerde aan zijn ontmoeting met de grote man, enkele dagen eerder. En hij herinnerde zich de zijnen die de keel was afgesneden. Hij herinnerde zich het moment waarop hij er zelf bijna aan ging. En toen was hij geluidloos in het duister verdwenen. Zijn soort werd uitgeroeid door die van de nieuwe rivaal. Hetzelfde leefgebied, dezelfde prooien, maar niet dezelfde kracht.

Enkele meters daarvandaan sprong Pullinwa van haar ligplaats op, raakte automatisch het zwart geworden leren zakje aan, dat op haar borst hing. Geritsel verstoorde de stilte van het kampement. Het meisje floot tussen haar tanden. Ze moest de anderen wekken.

Intussen begon er gebrul op te klinken. Pullinwa wist niet wie het waren. Maar zij hadden de stamleden omcirkeld en ze waren met velen. De kinderen begonnen te huilen. Mannen grepen naar hun wapens. Pullinwa stookte het smeulende vuur op. En in het halfduister zag ze vreemde beesten. Wit, met een puntige snuit, oren in de nek en een stijve staart.

Een ervan naderde met ontblote tanden de groep pubers. Wirakee hief zijn arm naar achteren. Met een polsbeweging liet hij de boemerang fluiten. In een fractie van een seconde, en zoals altijd wanneer hij dat stuk hout wierp, zag hij Tjoonake, uit de lijn van Pinanga, uit de ontmoeting van degenen van de bovengrondse wereld met hen van onder de grond. Volgens de legende had Tjoonake de hemel ver van de grond opgeheven met een stok, waardoor mensen en dieren niet meer hoefden te kruipen. Vervolgens was die stok door het gewicht kromgetrokken. Tjoonake, die meende dat die stok dus nergens meer goed voor was, had hem ver weg gesmeten. Maar de stok was weer naar hem teruggekomen: de eerste boemerang.

En op dit moment raakte dat instrument het dreigende schepsel, opende het de schedel over de lengte van een mensenduim. De metgezellen van het dier deinsden terug. Pullinwa maakte daar gebruik van door een brandende tak te grijpen. Haar buren deden hetzelfde. De aanvallers trokken zich nog verder terug. De jonge vrouw schreeuwde met vaste stem: 'Ga weg! Verdwijn! Jullie zijn hier niet welkom!'

De beesten verdwenen in het duister. Doodsbang vroeg een kind: 'Wat was dat? Geesten?'

Wirakee dacht even na en wendde zich toen tot Pullinwa.

'Volgens mij zijn dit die wezens die de vissers die uit het noorden[8] komen, van de overkant van de onafzienbare wateren, hebben meegenomen. De ouden noemen ze soms Wo-rii-kul*. Een soort witte wolven zonder buidel op de buik. Vroeger waren ze getemd, maar ze zijn weer wild geworden. Ze zijn groter dan de Yu-kaï, de wolven die wij kennen, die jagen ze op de vlucht. Ze denken misschien dat ze dat met ons ook kunnen.'

'Ze komen dus terug?'

'Vast en zeker.'

Wirakee boog zich over het dode dier, tilde een van de poten op en liet hem weer in het stof vallen. Het meisje moest, of ze wilde of niet, toch wel heel even de gespierde nek met krulharen bewonderen.

'Er zijn kinderen hier. We moeten die beesten verjagen, zo nodig met vuur.'

Hij keek naar Pullinwa. Hij wist dat het verlangen naar haar wederzijds was. Maar dit was niet echt het moment. Zien te overleven was nu belangrijker. En daarvoor moesten ze twee jaar achtereen op dezelfde plek een keer brand stichten ... en dat was verboden.

Generaties lang staken de stamleden stukken grond in brand. Net als hun voorouders verjoegen ze op die manier de roofdieren en schiepen *waar-man*, open terrein waar ze gemakkelijker dierensporen konden volgen. Bovendien verkleinden ze zo het risico van *kaa-bam-baa-ra*, branden die de bliksem ontstak. Het naast elkaar bestaan van afgebrande en nog groene gedeelten zorgde voor een vegetatie die in verschillende groeistadia verkeerde en dus voor een verscheidenheid aan soorten. Ten slotte leverde het vuur de grond de noodzakelijke voedingsstoffen voor de cycadeeën en de struiken die de woestijntomaten droegen. Het vuur opende de keiharde zaden van sommige acacia's waardoor het vocht erbij kon. Maar de stam had dit stuk van het territorium het jaar daarvoor al in brand gestoken. Was het niet wat vroeg om dat alweer te doen?

Pullinwa keek naar Wirakee, terwijl hij met de andere mannen overlegde. Hij was lang, gespierd. Zijn benen en zijn billen waren ongelooflijk rond. Hij was een van de mooiste Koo-ri die ze ooit had gezien. Hij boog zich naar de knetterende vlammen, stak er een stok in, die ontvlamde. De andere mannen deden hetzelfde.

Wirakee wendde zich tot Pullinwa, met zijn toorts in de hand.

'We gaan het kreupelhout weghalen waarin de witte wolven zich verbergen. Zij zullen vluchten. En tussen nu en het moment dat de acacia's en de gombomen* weer gaan groeien ... zullen we een andere oplossing bedenken. Dan zijn de kinderen die jij ter wereld zult brengen veilig in ons dal.'

Toen hij dat zei, keek hij het meisje zo intens aan dat ze dacht dat haar buik smolt. Toen draaide hij zich op zijn hakken om en liep met grote stappen in noordoostelijke richting het dal in.

De mannen volgden die route over een korte afstand en splitsten zich toen ze bij het voorgebergte kwamen. De een na de ander verdwenen ze in het bos, waarbij ze het hout amper deden kraken. De maan ging verscholen achter een sluier. Hun toortsen dansten daardoor des te helderder door het duister. Rondom hen vluchtten de kleine dieren, die het gevaar roken.

Eenmaal bij de oever van de beek aangekomen die van de helling naar beneden kwam, hurkten ze zwijgend neer. Ze moesten een eerste lijn van vlammen aan de overkant van het water ontsteken. Die avond stond er wind van zee. Die zou de brand dus in de goede richting blazen. De mannen zouden vervolgens een tweede lijn aansteken, aan de rand van het schaarse geboomte.

Wirakee stond op en was met één sprong over de beek. De mannen gingen op een paar passen van het stromende water staan, langs de struikenrand. Wirakee liet zijn toorts zakken op de takken voor zich. Maar het droge seizoen was nog ver en de boompjes waren nog groen. Over een lange diagonaal van zuidwest naar noordoost bleven de vlammen enige tijd smeulen. Pas toen ze bij de oudere en drogere takken kwamen, kregen ze meer kracht. Daarop vlogen de struiken in brand. De mannen wachtten tot ze de warmte op hun gezicht voelden, voordat ze naar de andere kant van de beek trokken. Ze waren amper op de smalle oever beland, of twee dieren doken op.

Met hun korte vacht leken ze op reuzenwombats. In het licht van de brand zag Wirakee hun enorme snijtanden glinsteren. Die vreemde wezens waren de grootste die de mannen van de stam ooit gezien hadden. Natuurlijk hadden de ouden wel gezongen over de ergste van die vooroudergeesten, toen de stam van de bovengrondse wereld de stam van onder de grond had ontmoet, en toen er nog reuzendieren door het universum liepen. Maar hier, aan de grens van de onafzienbare wateren, hadden ze nog nooit zulke schepsels gezien. Ze hadden er nog nooit over horen vertellen, zelfs niet tijdens uitwisselingen met andere stammen.

Wirakee was niet de enige die tot de conclusie kwam dat dit vooroudergeesten waren, die waren gekomen om een andere stam op te zetten. En daarop brak de hel los. De mannen trokken zich wanordelijk terug in het kreupelhout, aan hun kant van de beek. Dat hadden ze net zo goed niet kunnen doen. De enorme wezens hielden hun poten praktisch droog, sprongen over het water heen en stormden op de brandstichters af. Ze waren verrast bij hun bomendiner. Hun gewicht was weliswaar buitengewoon, maar hun paniek ook ... want ze werden achtervolgd door iets wat hun instinct beval zo snel mogelijk te ontvluchten: vuur. De *diprotoda* galoppeerden dus naar de veiligheid en verpletterden onderweg twee van die belachelijke tweepoters die ze voor de voeten liepen.

Aan de overkant van de beek woedde de brand steeds heviger. Binnen enkele ogenblikken waren de grote dieren het nog groene gedeelte van het bos door getrokken en verdwenen op de kustvlakte.

De dageraad was omrand met goud en in het oosten van het dal staken de onafzienbare wateren af tegen het duister. Pullinwa draaide haar hoofd. De gestalte van Wirakee tekende zich af boven de horizon van bomen die de heuvels omzoomden, ten westen van het kampement. Ze zag niet dat hij zorgelijk keek, zo groot was haar geluk dat hij heelhuids terugkwam. Ze stormde op hem af.

Maar Wirakee liet zijn hoofd hangen. De jonge vrouw hield haar pas in. Een klacht steeg op uit de groep mannen die volgden en die twee lichamen droegen.

Pullinwa rende hen tegemoet, leidde hen naar het kamp en wees de ligplaatsen aan waarop ze de gewonden moesten leggen. Daarop boog ze zich over hen heen en probeerde hun wonden te wassen met sap van de gomboom. Na enkele ogenblikken keek ze naar Wirakee. Die zat geknield voor haar, met gefronste wenkbrauwen. Ze mompelde: 'Ik kan niet veel voor ze doen.'

De jongeman keek haar niet bepaald vriendelijk aan.

'Waarom niet?'

Met haar wijsvinger wees ze op de grote zwarte zwellingen rond de wonden. Die waren niet zo dik, behalve op de plekken waar de gebroken botten uit de huid staken. Een van beide mannen lag zachtjes te kreunen. Zijn borst was ingedrukt ter hoogte van zijn zonnevlecht. De lucht kwam fluitend uit zijn mond en zijn doorboorde longen. En onder zijn bovenlichaam bestond zijn vertrapte bekken nog slechts uit resten van geslachtsorganen. De andere man zag je niet eens meer ademen. Zijn rechterbeen was verbrijzeld, vertoonde een derde gewricht ter hoogte van het dijbeen, en zijn gezicht was nog slechts vleespap.

'Het kwaad zit binnenin. Het leven loopt uit hen op plekken waar ik niet bij kan. Alsof ze zijn verpletterd door een berg.'

Rond hen bereikte de opwinding een hoogtepunt. Het krijsen van de kinderen dreigde de gesprekken te overstemmen. Wie had die mannen betoverd dat ze zo verschrikkelijk gewond waren? Wirakee fluisterde: 'Zo leek het ook bijna. Twee geestwezens die uit de aarde oprezen.'

Hij beschreef het meisje wat hij had gezien. Ze luisterde met open mond, zonder de kreet tegen te kunnen houden toen hij haar uitlegde waarop die dieren leken. Daarna zweeg hij, en hij keek haar achterdochtig aan.

'Geloof je me niet?'

Pullinwa sperde haar bange ogen open. Het zou niet in haar hoofd opkomen om de woorden van de mooie Wirakee in twijfel te trekken.

'Ja, natuurlijk wel! Het is alleen dat ... volgens jouw beschrijving lijken ze op Bun-yip. Je weet wel, die grote grazers van vroeger. Waarover de ouden ons soms vertellen. Volgens mijn moeder waren die hier nog, niet zo lang geleden. Maar ze zijn gevlucht voor de ouden. En ... mijn moeder zegt dat het de geesten zijn van de stichters-voorouders, die daar waren met het hagediswezen.'

Ze aarzelde. Wirakee fronste zijn wenkbrauwen.

'Je zegt te veel. Of niet genoeg.'

'Ze zullen op een dag ruzie krijgen, omdat wij de legende van onder de grond vergeten zijn. Net als onze voorouders hebben wij te veel gejaagd. We hebben alleen maar aan onszelf gedacht terwijl we het vuur gebruikten om te ontginnen of om de Ti-ra-kaa op de vlucht te jagen. We hebben ons niet bekommerd om de planten en de kleine dieren van het kreupelhout. Die dienen weer andere tot voedsel, en zij zijn verjaagd door het vuur. Op onze beurt hebben wij die grote wezens doen verdwijnen, net zoals volgens de legende de voorouders van degenen uit de ondergrondse wereld de grotere dan grote wezens hebben laten verdwijnen.'

Het meisje durfde amper de ogen op te slaan toen zij haar zin afmaakte. Nooit zou de mooie Wirakee meer naar haar kijken, nu ze hem met dergelijke waarheden had verveeld. En toch zag ze hoe de lange bruine vingers zich naar de hare bewogen en hoorde ze zijn warme en ernstige stem.

'Je zult me dat toch eens in detail moeten uitleggen, Pullinwa, maar later, als we afscheid hebben genomen van onze vrienden.'

Pullinwa keek naar de beide gestorvenen. Hun lijden was ten einde. Alvorens afscheid van hen te nemen, zouden ze gaan zingen om hun geest naar de voorouders te sturen. Hun levenskracht moest zich verstrooien over de wegen van de stam, hun energie moest worden meegevoerd naar de hemelen, en hun schaduw, het onvermijdelijke van hun nagedachtenis, moest de achterblijvers niet te lang vervolgen.

De volgende dag, gereinigd door water, rode oker en rook, liep de stam naar de riviermonding. Er moest ruimte worden gemaakt voor hen die gingen vertrekken. De zon straalde aan het eind van de dag boven de horizon. Onder de rafelige wolken kleurde de zee roze en purper. De klankstaven begonnen hun ritmisch kloppen voor de zojuist gemaakte brandstapels. De lijken waren er net op gelegd. In de schemer van de avond zouden de overledenen vertrekken.

Met veel ceremonie knielde de oude Burnuu en legde zijn toorts op de stapel dode takken. Alsof de wind op dit teken had gewacht, begon hij uit het oosten te waaien, uit zee. Het duurde niet lang of het hout vatte vlam. Het geluid van de klankstaven klonk steeds harder. Burnuu sloot zijn ogen. Zijn lijf en zijn gezicht waren bedekt met rituele tekens. Boven zijn lange witte baard steeg een ritmisch vibrerend crescendo op uit zijn keel, door zijn gesloten mond. Zijn mooie kale kop wiegde naar voren en naar achteren. Zijn bruine, magere, geplooide lijf volgde al snel. Achter hem deden de mannen hem na, daarna ook de vrouwen en ten slotte de kinderen. De rechterschouder van Burnuu ging omhoog en zakte weer. De linkerschouder deed mee met het ritme, toen de rechtervoet, de linkervoet.

En het duurde niet lang of de hele stam stond te dansen, volgens een bekende choreografie, die de aarde deed trillen tot aan het begin der tijden. Zij vertelde de *Ju-kuur-gar* van de oorsprong en de schepping van de wereld. Zij vertelde van de geesten van de voorouders, die door middel van diverse schepsels, zoals de Ti-ra-kaa, allerlei vormen hadden aangenomen voordat zij van onder de grond oprezen. Zij vertelde hoe de geesten de mieren en de rivieren, de bergen en de bossen, de grotten en de savanne hadden gemaakt. Hoe zij de planten, de dieren en de mensen hadden geschapen, voordat ze zich uitgeput hadden teruggetrokken in de ondergrondse wereld.

De een na de ander beeldden de dansers de persoonlijkheid van Ti-ra-kaa, de reuzenvaraan, uit, verantwoordelijk voor de Koo-ri-mannen en -vrouwen van de stam. Vervolgens speelden ze het tafereel na van de vorige dag, toen de reuzenbeesten hadden aangevallen en twee van hen hadden vertrapt. Het verdriet nam nog eens bezit van hen, tot de klaagzang van de vrouwen opsteeg. Daarop begonnen de mannen weer te dansen, maar langzamer, ritmischer, waarbij ze de weg van de geesten van de doden naar het land van de voorouders uitbeeldden.

Op dat ogenblik verwijderde de uitgeputte Pullinwa zich uit de groep en ze verschool zich achter de enorme boomstam van een grote zilverkleurige gomboom. Ze dacht eerst met genoegen, zonder verdriet, na over de dans, nog in vervoering door het ritme en de legende. Vervolgens verloor ze zich in haar gedachten. Die beide mannen zouden niet weerkeren. Maar de Bun-yip ook niet meer. Hoeveel grote dieren waren zo niet al verdwenen? In welke mate zouden de stamleden daarvoor verantwoordelijk zijn geweest? Zou de grond hen wellicht niet meer willen, als ze niet meer zouden oppassen? Het meisje wist dat zij een van de weinigen in de stam was met dat vreemde vermogen van de kennis van de natuur. Een vermogen waarop slechts enkele ouderen prat konden gaan, zij die soms de geesten van de voorouders in hun slaap tegenkwamen. Het moest doorverteld, het moest uitgelegd worden aan degenen van nu, voor degenen van morgen. De legenden van vroeger zouden terugkeren, zouden geënt worden op nieuwe legenden.

Boven het hoofd van het meisje steeg de maan langzaam de hemel in en schitterde nog meer naarmate de schemer week. Pullinwa leunde tegen haar boomstam, haar blik verloren in de verte. Plotseling voelde ze een hand op haar arm.

'Jij had mij nog wat te vertellen, geloof ik, Pullinwa.'

De grote bruine hand van Wirakee daalde langzaam langs de biceps van het meisje. Pullinwa werd helemaal gek en probeerde rechtop te gaan zitten.

'Wil je niet liever nog even wachten?' fluisterde de jongeman haar in het oor en hij boog zich over haar heen. Hij blies lang tegen haar wangen, toen op haar lippen, zoals de kunstenaars van de stam oker over hun hand blazen, waardoor ze een afbeelding in negatief op de wanden van de heilige grot zetten. Pullinwa sloot haar ogen, zwichtend voor de zoete lucht die uit de mond van Wirakee kwam en afdaalde langs haar hals, haar borsten, haar buik, haar dijen. Toen het lijf van de jongeman de warme bries wegnam, ontving ze hem met verrukking.

De manen volgden elkaar op zonder dat iets de band verbrak die die dag ontstaan was tussen de beide jonge mensen. En Pullinwa, wier buik begon te zwellen, nam de gewoonte aan om aan de rand van de delta te gaan zwerven. Ze had het gevoel dat het zien van de onafzienbare wateren de nieuwe angsten die haar bestormden kalmeerde, dat het die deed vervagen op de grens van tijd en ruimte.

Maar toch stelde ze al snel een vreemd verschijnsel vast. Bijna onmerkbaar kwam de vloed dagelijks ietsje hoger, waardoor alle logica over de seizoenen werd getart.

Pullinwa kreeg de bevestiging dat er wat gaande was toen ze op een zomermorgen op het strand aan zee in slaap viel. Haar buik zat haar dwars, zodat ze zich steeds maar weer omdraaide in haar slaap. En een droom beving haar, zoals de wateren die in het dal opstegen. Ze had het warm. De zandkorrels kleefden aan het zweet op haar lijf. Onder haar gesloten oogleden vormde zich een baai en die vulde een deel van het gebied op waarin de stam al generaties rondzwierf. Pullinwa zag steeds terugkerende wolken, dichtere vegetatie, nieuwe diersoorten, nieuwe mogelijkheden voor het kind en de stam in de toekomst. Vervolgens voelde ze hoe op de baai van haar droom regen neerdaalde en hoe de zon er jaloerse blikken op wierp. De hemel straalde met de kleuren van de regenboog, die onder Pullinwa's oogleden de gedaante aannam van een reuzenslang. Daarachter verschenen de gedaanten van grotere, sterkere mannen en vrouwen, met een donkerder huid dan die van de stam. Die gedaanten kwamen op de iriserende slang af, die onder hun voeten kronkelde. De regen viel harder, wiste de lichtende boog uit.

Pullinwa werd plotseling wakker toen ze het koude water aan haar voeten voelde. De vloed kwam op, bijzonder hoog. De jonge vrouw stond op.

Had haar droom de legende nagespeeld die zo vaak was gehoord uit de mond van de ouden? Had hij geput uit de dromen over de wegen van de stam van gisteren of uit die van de stam van morgen? Was dit een teken van de voorouders? Betekende dit dat de zich vormende baai een bron van leven zou zijn, net als de grond die de eerste voorouders hadden bereikt dat was geweest? De jonge vrouw begreep waarom zij zo lang op de droom had moeten wachten die het verwekken van haar kind zou aankondigen: de baai moest zich beginnen te vormen om een identiteit te kunnen geven aan de geest van de kleine. Degene die zou komen, zou bijzondere rechten hebben op deze plek. Hij en zijn nakomelingen zouden hun eigen stam vormen vanuit die droom, vanuit die baai, als band met de wegen van vroeger. Zij zouden de Jerr-inga, de Koo-ri zijn van Bou-deree. De mannen en de vrouwen van de baai van overvloed.

Diezelfde avond baarde Pullinwa een meisje, Mawapanaa.

November 2004. Orgaanvlees en andere specialiteiten

Toen het meisje vertrokken was, betrok de lucht helemaal. Liz ging naar binnen. Kennelijk liepen er overal gekken rond ... en toch zou ze het best leuk hebben gevonden als die onverwachte bezoekster even was gebleven.

Maar had ze echt wel zin om mensen te zien? De jonge vrouw trok haar neus op. Bob ... Waarom moest ze nou plotseling aan hem denken? Wat had hij ook weer tegen haar gezegd? 'Denk maar niet dat ik jou je leven laat vergooien en mij laat wegjagen ...'

Op dat moment klonk er geroffel op de glazen ruit. Ze stormde op de deur af ... en stond oog in oog met een vreemd mannetje in blauwe werkkleding, kaal, bruin als een ei in de dop, met grote ogen achter een flinke bril met dikke glazen.

Hij had een geruite pet onder zijn arm en tastte in de zak van zijn jasje. Daar haalde hij een bruin pakje uit.

'Goeiendag, mevrouwtje! Mijn naam is Joseph ... Joseph Brunaud. Om oe te dienen. Ik zij oew' buurman. Van daarginder ...'

Hij wuifde met zijn hand in oostelijke richting, alsof hij een vlieg verjoeg.

'Ik docht bij mijn eigens: met de kou die we hier hebbe, hedde gij vast wel wat warmte van binnen nodig. En omdagge helegaar alleen zijt, arm mens, met al die spoken die hier rondwaren, zee ik bij m'n eigens: Joseph, ge mut wat doen, man … Dus hier zij ik dan!'

In haar eigen land had Liz nooit een voet in de bush gezet, die in de ogen van stedelingen van haar slag bevolkt werd door 'schapen, wilde honden en boerenpummels'. Ze kende dus amper meer dan twee categorieën 'senioren'. De eerste omvatte gebruinde gepensioneerden die sportief jogden op de ventwegen tussen de bungalows en de pieren van Bondy Beach. De tweede, vooral alle workaholics van de city, bestond uit keurig in het pak gestoken heren met grijze manen en een moordenaarsblik. In Frankrijk waren de recente gesprekspartners van Liz – afgezien van haar Parijse redder aan wie zij heftig probeerde niet te denken – notaris of bouwvakker. Die verschilden uiteindelijk niet zo heel veel van hun Australische evenknieën.

Maar vandaag diende zich een nieuwe soort aan. Terwijl hij met zijn pakje bleef staan zwaaien, begon hij weer woorden uit te kauwen.

'Enne met Margriete …'

Hij keek samenzweerderig.

'Margriete, da's m'n vrouw. We benne al veertig jaar getrouwd en we hebbe twaalf koters. Nou ja, koters benn' 't nie meer. Die hebben zellef alweer zo veel koters gemok dagge ze nie meer tellen ken! Maar daar he'k 't nie over. Dus, om oe van binnen een bietje op te warmen en nou we toch net het verken geslacht hadden …'

De harige wenkbrauwen van de bezoeker rezen plotseling op in de richting van zijn glanzende schedeldak. Toen schudde hij zijn rechterhand, alsof hij zich gebrand had. Op dat moment klonk er luid geknor. Liz schrok, keek opzij. De grenzen van haar verbijstering werden in één klap verlegd. Met een touw aan de pols van zijn eigenaar bevestigd, schudde een enorm varken wild met de kop. De roze, met bruine puntjes bevlekte oren zwaaiden voor zijn ogen als de haren van een kokette dame wanneer ze die schudt. De oude man klopte het beest op de kop.

''t Is goed, Bernard, 't is goed, jong!'

Hij wendde zich weer tot Liz.

'O, 't is nie dit verken dawwe geslacht hebbe, hoor, arm beest … Nee, dit is Bernard v, mijn truffelzwijn, zoals zijn vader voor hem en de vader van zijn vader weer voor hum. Het andere verken dawwe hebbe gegete, da's niet hetzelfde … Ge zoude wel zot weze om oew' truffelzwijn op te vreten! Kunde net zo goed goud gaan vreten!'

Met deze goede raad leek het enorme varken tevreden. Het pakje begon druk te bewegen in de hand van de buurman.

'Maar ik zwets maar een eind weg … ik zou d'r bijkans 't orgaanvlees deur vergeten! Want Margriete zee ook al, dat zou oe vast geen kwaad doen. Kijk, ik kum uit de Vendée. Toen we na dienst terugkwamme uit Algerije ben ik over Marseille gegaan. En toen he'k met de kameraden in een restaurant truffel geproefd. En toen hebben ze gezegd dat de beste hiervandaan kwamen. Dus ben ik hierheen gekomme … Toen he'k Bernard leren kennen, m'n eerste truffelzwijn, de voorvader van deze. En veur ik 't wiest haddik ok d'n Margriete gezien, die is net zo zwart als een truffel! Die dag zij ik met m'n neus in de boter gevallen!'

Het oude mannetje barstte in lachen uit.

'Dus ik docht bij m'n eigen … Here god, docht ik, wat is die knap! En niks geen aanstellerij! Ik zij gebleven en ik zij metter getrouwd … En sindsdien maken wij orgaanvlees met truffel. Orgaanvlees, da's iets van de Vendée. Truffels, da's iets van hier! En momenteel worden ze allemaal zwart. Zo tegen Kerst, dan ga ik met Bernard aan 't werk. Momenteel bin 'k een bietje met hum aan 't oefenen!'

Hij keek Liz hooghartig aan en ontplooide een triomfantelijke glimlach.

'Ik weet haast wel zeker daggij nie wit wa da is, orgaanvlees ... Ach, die stadslui ... en bovendien kumde gij ok nog uit een stad die nie eens Frans is! Maar da doet d'r nie toe. Orgaanvlees, da's nie moeilijk ...'

Hij pakte de arm van de jonge vrouw, die nog totaal verbijsterd was en niet bijtijds kon reageren, waardoor ze klem kwam te staan tussen de muur van de hal en deze plotselinge vertrouwelijkheid.

'Ik mag toch wel gewoon gij zegge, hè, dat doede gij ook maar dan, en ook tegen Margriete. Margriete zee tegen mij ze ziet er aardig uit, dieë kleine vremde. Maar goed, ikke dan, ik hè orgaanvlees met truffels gemokt. 'k Zal 't oe uitleggen. Gij nemt de botten, 't bloed en 't vet van 't verken, da maaldege allemaal fijn en da mengde deur mekaar, da kookte ge dan en dan doet ge de truffels d'r in. En as da bekoeld is, dan snijdt ge d'r plakke van. 't Is altij lekker, werm of koud. En dat verken, da was 'n goeie. Kunde nagaan, zondag zat ik op m'n broer te wachten om het te slachten. D'n avond teveuren had ik het niks te vreten gegeven. Da's beter veur 't vlees. Da's net as ... ge moet ok geen tochtige zeug slachten, want da vlees wordt wormstekig. En bij oe is da net zo ...'

Hij schudde eens aan Liz' arm. Ze luisterde, de ogen tot spleetjes door de concentratie. Ze huiverde en vroeg zich af wat haar vlees hiermee te maken had.

'Gij mokt nooit mayonaise agge ongesteld zijt. Wel, me da verken, da mutte nie voeieren veurdagge 't de strot afsnijdt. Maar da verken van mijn, da was meer as driehonderd kilo. En omdat ik 't sinds den veuravond al niks te vreten gegeven had, is het dieën zondag mataglap gewurden, het 't hek kapotgelopen en is er over den weg vandeur gegaan. Gelukkig hebben de buren me gewaarschouwd. Zat 't vast in een greppel, de halvegare! We hebben het met de wagen d'ruit motten halen, mè een touw aan de kofferbak! En sterk dat 't was ... echt waar, di's 't lekkerste orgaanvlees van de hele wereld!'

Hij hield het pakje onder Liz' neus. Deze rook een zoetige

lucht, die haar in de neus kriebelde en ze moest onmiddellijk haar speeksel doorslikken, hopend dat ze niet meteen haar beschuitjes met koffie op het parket zou uitbraken. In een instinctieve beweging om te overleven hervond zij haar spraak en beweging, en nam het pakje aan.

'Dank u wel meneer, dat is echt heel aardig.' En Joseph trok een pruillip.

'Nee nee, niks te meneer! Ge het toch wel begrepen … Ik heet Joseph! D'n ouwe Joseph!'

Terwijl hij dat zei tikte hij met zijn wijsvinger op zijn borst.

'Ge kump ons maar opzoeken agge wilt. En ik zal wel groente brengen. Ik ploeg nog met peerden net als vroeger, en ik zaai peen en alle groenten diege mut zaaien bij afnemende maan. Da's net as met jongens en meskes. Agge de merrie laat dekken bij wassende maan, dan krijde merrieveulens. De keren da ik Margriete bekend hè, da was met afnemende maan. Adde gij as vent oew' klokkenspel gebrukt om een kleine te maken, dan mutte op de maan letten. Trouwens, in de krant kommen ze in golven: jongens, meskes, jongens … ach ja, en 'k zal ok wel wat ham brengen, en eiers. Van m'n kippen is d'r nie eene die nie leit, ze binne veuls te bang da'k ze anders opvret. En gij zei ook niet van de vetste, meske, gij mot een bietje bijspijkeren. O, niet om 't een of 't ander, maar ik mut nog werken. Tot gauw!'

Zonder te wachten op een reactie verdwenen de oude Joseph en Bernard v in een wervel van dode bladeren. Liz deed de deur achter ze dicht, rook nog eens aan het pakje dat ze in haar hand had en trok een gezicht. Toen barstte ze in lachen uit.

Hier woonde dus, vlak naast haar nieuwe 'thuis', een oude Joseph en ene Margriete, die haar te mager vond … maar wel aardig. En bovendien werd bevestigd dat ze welkom was, en dat ze voor haar zouden zorgen. Plotseling voelde ze heel veel genegenheid voor mensen die ze niet eens kende.

Fluitend ging ze naar de keuken. Dat pakje kon ze maar beter in de koelkast leggen. Wat had hij ook alweer gezegd? … O ja, orgaanvlees. Met truffels …

Jaren verstreken. Als het klimaat al warmer werd, merkten de meeste stamleden daar vrijwel niets van. Pullinwa zag dat de winters in de loop van de tijd zachter werden, de lentes vroeger, de zomers warmer. De vegetatie en de fauna reageerden erop, maar ook de elementen.

En op een ochtend, toen ze, inmiddels een oude vrouw, wortels uitgroef aan de rand van de krijtrotsen, boven de rivierbedding, hoorde ze een dof gerommel. Ze had amper de tijd om stroomopwaarts te kijken en een hand voor haar mond te slaan. Een muur van modderwater, met boomstammen, stenen en ander afval, veegde in één beweging de vrouwen weg die aan de voet van de rotsen aan het zwemmen waren.

In tientallen duizenden jaren had het feit dat de wateren in ijs gevangen waren een daling van het zeeniveau teweeggebracht. Maar nu was het smeltproces bezig overstromingen van hele landstreken te veroorzaken. En de rivier die zijn dal uitsleet trad uit zijn bedding, terwijl de zilte golf de delta overspoelde. En al snel was de inham aan de kust een stuk breder geworden.

Daarop verplaatste de stam zijn kampement. Generaties lang hadden de jagers, die geharde landrotten waren geworden, als enig contact met de onafzienbare wateren het zoeken van schelpen en schildpadeieren in de delta gekend. Maar de aantrekkingskracht van dat natte oppervlak, verlicht door de weerspiegeling van nieuwe prooien, was al snel sterker dan de vrees. En ergens in de legenden overleefde nog de flinterdunne kennis van de voorouders van Soenda over het maken van een boot. De jagers van vroeger trokken dus de zee op, om te gaan vissen in de baai die zich vormde, beschermd tegen de winden. Daarop begonnen ze een ruilhandel met de stammen uit het noorden, die zelf weer ruilden met degenen die aan de overkant van de onafzienbare wateren woonden. Werptuigen, natuurlijke oker, nieuwe liederen werden geruild tegen steeds beter visgerei en technieken om netten uit plantaardige vezel te weven en te boeten.

Op een dag was Pullinwa net op het nieuwe strand gaan zitten, naast haar kleinzoon Kawoonbego, de zoon van Mawapanaa, toen de mannen druk gebarend uit het bos kwamen. Anderen kwamen achter hen aan en trokken hun kano's het witte strand op. Het joch schreeuwde: '*Gun-bai!* Grootmoeder! Monsters!'

Pullinwa ging op haar hurken zitten en zag met grote schrik walvissen door de baai zwemmen.

'*To-ron-gun*. De grote vissen van de wind. De mannen uit het noorden hebben dat onze voorouders verteld. Maar hier zijn ze nog nooit geweest.'

De eerste kano's schoten al het water in. De zon glinsterde op de zee. Die was helder, je kon het fijne zand van de bodem zien, dat al snel bleekgroen werd, toen blauwgroen, toen kopergroen, toen ultramarijn en ten slotte marineblauw. Pullinwa fronste haar wenkbrauwen. De huid van haar gezicht werd nog gerimpelder. Ze hield haar hand als een waaier boven haar ogen en ging staan. Wirakee. De ouwe gek. Die was in een van de kano's gestapt. En dat op zijn leeftijd! Alsof hij dit soort jacht kende. Wat moest hij daar! De oude vrouw voelde hoe de schrik haar om het hart sloeg. Natuurlijk, ze waren allebei dicht bij het land van de voorouders, maar dat was nog geen reden.

Ze beet zich in de hand toen de enorme staart van een van de walvissen opdook in de buurt van de ranke kano. Haar oude metgezel hief zich op in zijn bootje. Hij schreeuwde iets naar de jongeman die voor hem peddelde en tegen degenen die hun speren ophieven. Vervolgens wees hij op een van de reuzendieren. En toen begreep Pullinwa dat hij ervoor zorgde dat alleen die dieren werden gejaagd die gemist konden worden, dat geen wijfjes, geen jongen en zeker niet het hoofd van de kudde werd gedood.

Daarop vlogen de speren door de lucht en drongen in het vlees van het dier dat, zo te zien aan de littekens, een van de oudste was. Het schepsel rees op uit het water, rolde met kracht om en sloeg zo hevig met de staart dat die neerkwam op de kano waarin het nieuwe stamhoofd, Narduaa, zat. Vanaf het strand kon Pullinwa, die haar gebarsten nagels in haar handpalmen dreef, niet zien wat er van hem overbleef. De andere mannen hadden zich weer op het dier gericht. Nieuwe speren vlogen uit de werpers. In een fontein van schuim verdween even het hele jachttafereel.

Toen het uiteindelijk rustig werd, was de oceaan bloedrood geworden. Het leek wel alsof de To-ron-gun meer levenssappen bevatte dan de hele stam bij elkaar. Met het kleintje aan de hand slikte de oude vrouw. De jongen hief zijn blik naar haar op.

'Zeg eens, Gun-bai, waar is *Garo-bai?*'

Met zijn ogen zocht het kind zijn grootvader. De kano's kwamen langzaam naar de oever, met het enorme karkas erachteraan. De rest van de groep was weer naar open zee vertrokken. Pullinwa slikte weer. Waren er dus alleen in de onafzienbare wateren nog reuzen? Waren zij van het land verdwenen?

Op dat moment zag ze Wirakee vrolijk uit zijn kano springen, met zijn baard en zijn haren in de wind. Zijn benen waren mager en krom, net als de rest van zijn lijf, en net als zijn gezicht. En toch bleef hij zo mooi. En ze was bijzonder trots op hem. Ze liep de zee in, naar haar metgezel. Hij draaide zich naar haar om, wierp haar een glimlach toe, stralend ondanks zijn gehavende gebit.

'Heb je dat gezien? Volgens mij beginnen ze het te begrijpen. Vanavond zullen we een nieuw lied zingen. Dat van de To-rongun die deze baai heeft geschapen en die beschikte dat ons volk vissers zouden worden van de grote vissen van de wind. Nieuwe dromen zullen de slaap van de zwangere vrouwen bevolken. Nieuwe totems worden hun kroost gegeven. Zij zullen samenleven met de oude totems in de tijd die niet ophoudt.'

Rechtop in het water naast hem streelde Pullinwa zijn arm. De zon verwarmde aangenaam haar schouders. Op dat moment vergat ze haar ouderdom.

'Je hebt gelijk, Wirakee, en wij moeten nadenken over nieu-we geboden die bij die totems horen. De wereld verandert. De onafzienbare wateren zullen ons leven veranderen. Wij zullen andere wezens zien, die verschillen van die welke we tot nog toe hebben gekend. We moeten ze in de legende opnemen en ze verbinden met de reizen van de ouden, maar ook met de reizen van onze kleinkinderen.'

Terwijl ze dat zei, tikte ze op het hoofd van het bruine man-netje dat op zijn duim stond te zuigen en zich vasthield aan de knieën van zijn grootmoeder.

'Wij zullen dat alles moeten onderwijzen aan Kawoonbego. Hij is snel van begrip en heeft een goed geheugen. Morgen zal ik hem vertellen over de Gu-ruu-wa-ri.'

Wirakee keek bedenkelijk.

'Meen je dat? Nu al?'

Pullinwa was vastberaden en zelfs de zwarte ogen van haar metgezel, die ondanks de zon zo veel donkerder waren door-dat ze als hij zijn gezicht bewoog bijna bedekt werden door het woud van zijn wenkbrauwen, konden haar niet van haar plan afbrengen.

Diezelfde avond nog, want je weet immers nooit wat voor betovering er kan worden uitgesproken, toen de maan niets anders kon brengen dan slaap en bescherming, nam Pullinwa de kleine Kawoonbego op haar schoot. Hij zoog nog steeds op iets: dit keer was het een stukje walvisvet. Zijn dikke armpjes gleden tussen de handen van de oude vrouw. Achter hen dans-ten en zongen de mannen. Vanaf de delta van het Wirakee-meer was de nieuwe legende in de baai gekomen. Deze zou de rode rots van Narduaa bezingen en het rode puntje van het eiland Pi-llun-wa. Ze zouden nooit de golf met de vissen van de wind vergeten, de To-ron-gun, en ook niet de baai van de overvloed, Bou-deree, en ook niet het strand van de oude wijze jager.

Pullinwa wreef met haar neus tegen de wang van het jongetje. Hij zou nu snel gaan slapen. Dat was goed. Zijn geest zou makkelijker doordrongen raken van de eenvoudige woorden van het begin van zijn onderricht.

'Kawoonbego. Jij eet dit walvisvet. Daar word je groot van. En het grote beest van de wind zal binnenkort ook jouw totem zijn. Je bent hem eerbied en begrip verschuldigd, maar niet alleen dat. De dood van deze eerste To-ron-gun zal sporen nalaten in onze nieuwe baai, net als de planten hun zaden in de grond achterlaten. Het is de Gu-ruu-wa-ri. Je moet begrijpen dat de wereld met haar bergen, haar rotsen, haar rivieren, haar waterputten, zich de voorouders herinnert die haar hebben geschapen en ook wat zij hebben gedaan. Maar er zijn plekken die zich meer herinneren dan andere. En de eerste die dat doorhad was de grote Pinanga, ons aller stammoeder. Maar door haar, door mij en door jou en door hen die jouw levenskracht zullen ontvangen, zal deze baai zich die jacht en die majestueuze windvis herinneren. En zijn toekomst zal afhangen van dat oergeheugen. De tijd van de dromen leert ons de kennis, de structuur, de regels, de ceremonies, opdat op deze aarde het leven harmonieus moge zijn. Het geheugen is dus een deel van ons en wij moeten er eerbied voor hebben, het beschermen. De dag waarop jij, kleine Kawoonbego, net zo oud en net zo gerimpeld zult zijn als jouw grootvader vandaag de dag is ...'

Pullinwa verborg haar mond achter haar hand en lachte stilletjes. Het kind droomde en sliep al de slaap van de rechtvaardigen tegen de uitgedroogde borsten van de oude vrouw.

'... zal het je misschien gelukt zijn jezelf te leren kennen en ook de wereld, veel beter dan wij onszelf ooit hebben gekend, wij, de ouden. En dan zul jij kunnen binnengaan in de droomtijd. Op jouw beurt zul jij de wegen en de daden van de voorouders doorgeven, de bronnen en de bergplaatsen van onze wetten. Jij zult ze doorgeven aan de hand van schilderingen, op de grond en op je lijf, aan de hand van tekeningen en gravures, op rotsen en in het zand. Jij zult de liederen doorgeven, die van vroeger en die van jouw tijd, die over geslaagde of mislukte daden, liederen die leven of dood hebben gebracht, aan jou, aan de vrouwen en de mannen, aan alles om je heen. Dan zul jij bijgedragen hebben aan het evenwicht, aan de continuïteit, aan de duurzaamheid. Jij zult het voortbestaan van de stam en zijn gebied hebben gediend.'

4

December 2004. Van gastronomie tot gier

Koude wind deed de nok van het huis trillen. Maar dat kon Liz niets schelen. Eindelijk had ze wifi en kon ze de box naast haar computer installeren, in het vertrek dat ze tot werkkamer had gemaakt, achter in het gebouw. Weliswaar bleef het meubilair elementair: onder de geavanceerde computerspullen en in afwachting van de komst van een adequaat bureau, stonden twee schragen met een plank bij wijze van tafel. Maar de ruimte was voorzien van openslaande deuren, de enige die de vorige eigenaar had durven laten aanbrengen in die geweldig dikke muren. Die keken uit op de boomgaard, die weliswaar op dit moment zwarte en kale takken in de wind liet hangen, maar in het voorjaar ongetwijfeld met bloesem en in de zomer met vruchten overladen zou zijn.

Aan het eind van de avond was het haar gelukt om de internetverbinding tot stand te brengen. Toen ze op het beeldscherm de homepage van haar provider zag verschijnen, slaakte ze een kreet van blijdschap. Nu was ze niet meer alleen op dit platteland aan het einde van de wereld, maar verbonden met de rest van de aarde en met degenen die ze in Australië had achtergelaten.

Koortsachtig opende ze haar e-mailprogramma, om iedereen van haar wedergeboorte in cyberspace op de hoogte te stellen. De weinige daar achtergelaten vrienden eerst. George, Sheena, Walter, Margareth. En vervolgens bleef Liz' vinger hangen boven de muis. Bob? Geen sprake van. Achteraf bezien vroeg ze zich trouwens af wat ze in hem had denken te vinden. Haar vader? Voorzover ze wist had die nooit internet gehad. In elk geval interesseerde het hem geen bal wat zijn dochter deed. Haar collega's bij de rechtbank? Och ...

Liz sloot haar computer af. Ze zou wel een andere keer contact zoeken met de notarissen in de buurt; het opstarten van haar bedrijfje in onroerend goed kon wel even wachten. Op dat gebied had ze het belangrijkste al verricht: ze had een bedrijfsvergunning gehaald bij de prefectuur. Wat het zoeken naar sporen van haar moeder betreft ... ze zou haar Frans moeten verbeteren voordat ze de plaatselijke archieven in kon duiken. Was dat een smoes? Misschien. Het was net alsof ze na al die jaren fantaseren over haar verdwenen verwekster en alles ondernemen om haar terug te vinden, plotseling door angst bevangen werd nu ze het doel naderde. Waarom? Daar stond ze maar liever niet bij stil. Hoe het ook zij, ze had contacten nodig die niet telefonisch en niet virtueel waren. En ze moest ook gauw eens iets anders zien dan potten verf, zakken cement en stapels tegels. Kerstmis stond voor de deur. Was dat nu geen mooie smoes om chocola en gebak te gaan kopen?

Gewend aan zomergasten hadden de kruidenierster en de bakkersvrouw hun mondje klaar. En voor Liz werd de dorpsroddel, in deze tijd van mondaine schaarste, het zout van het bestaan ...

En zo kwam het dat Liz, tussen drie kopjes koffie en een stapeltje eclairs, en de beide middenstandsters elkaar onthaalden op het laatste nieuws. Van de kruidenierster vernam ze dat er een nieuwe winkel zou opengaan in de straat die naar het kasteel voerde.

'Za'k jou es zegge? 't Duur nie lang meer of d'r zitte hier meer vreemden ... Dit keer is het een Schot. Hij gaat aardewerk verkopen. Dan hè je Stephen al met z'n kleertjes. Dat is toch geen vak voor een vent, dat ... Al is-ie dan Engelsman!'

'Hou op!'

De bakkersvrouw proestte het uit, voordat ze een beetje gegeneerd naar Liz keek. Die stak haar neus in haar koffiekop. Maar de kruidenierster liet zich hierdoor niet van haar stuk brengen.

'Ik hoef niks te verbergen voor Liz, ze begrijpt best wat of ik bedoel. En bovendien is het bij haar nie hetzelfde ... zij is geen vreemde meer. Maar om terug te kommen op Stephen, 't is veur z'n eigen bestwil da'k het zeg ... De manier waarop hij leeft, houdt die zaak 't niet lang uit! Maar affijn ... da's zijn probleem. O ja, heb ik jullie nog niet verteld ... d'r komt een nieuwe verkoper in de tijdschriftenwinkel. Sylvie heeft haren Arnaud es effen flink de les gelezen. Ze zegt dazze 't zat is om de hele godganselijke dag aan de kassa te zitten ... en dan ook nog het huishouden en de kinderen de rest van den tijd. En d'r is d'r altijd een ziek ... Kunde nagaan, met zes, ge mot maar durven!'

De bakkersvrouw slikte enigszins overhaast haar stukje gebak door om haar tong te bevrijden. Ze wilde niet achterblijven.

'Ah ja, ik geloof da'k hem gezien heb, die verkoper. Hij heeft een grote bril, zwarte haren en een paardenstaartje ... erg aardig lijkt-ie me nie. Toen ik hem tegenkwam heb ik hem gedag gezegd. Nou ja, hij het wat teruggemompeld ... en is doorgelopen. Ik stond paf!'

'Mmm ... En daarna is-ie natuurlijk verbaasd as iedereen hem met de nek aankijkt! Behalve de kleine Marie natuurlijk.'

De kruidenierster keek veelbetekenend. Liz wachtte op het vervolg. Haar gesprekspartner stelde haar niet teleur.

'Ja, want mutte wete, Liz ... tegen jou ken'k het wel zeggen ... die kleine Marie, witte, diën dochter van den oude Gaston ... nou ja, ze ziet d'r wel uit als een bidprentje ...'

De bakkersvrouw nam de fakkel over, boog zich naar beide vrouwen toe en begon te fluisteren, alsof de eclairs die nog op tafel stonden mogelijk uit de school zouden klappen.

'Dat kunde hem nie kwalijk nemen ... Trouwens, het resultaat is ...'

Zonder haar zin af te maken ging ze weer rechtop zitten en maakte een rondgaand gebaar over haar buik. De kruidenierster sperde haar ogen open.

'Nee toch!'

'Jazeker ... Ik mag een boon zijn als het niet waar is!'

Het drong tot Liz door dat ze het ongetwijfeld hadden over dat blonde meisje dat haar twee weken daarvoor was komen opzoeken ... Op dat moment sloeg de klok in het achterhuis. Ze schrok en keek op haar horloge. De tijd was sneller gegaan dan ze gedacht had.

Vijf minuten later reed haar autootje op hoge snelheid richting de boerderij van Joseph en Marguerite. Maar na amper een kilometer begon Liz te denken aan haar mooie Amerikaanse redder. Hij gaf nog steeds geen teken van leven ... Was hij haar vergeten? Op die vraag hoefde niet meteen een antwoord te worden gegeven, en dat was maar goed ook. Want de jonge vrouw had nauwelijks haar auto voor het huis van de Brunauds gezet of Bernard v stormde op haar af, waardoor er voorlopig geen sprake meer van was dat onderwerp nog eens te herkauwen.

De avond was hartelijk, vol culinair commentaar van Marguerite over de gerechten die ze opdiende en de grappige opmerkingen van Joseph over de komende truffelmarkt in Grignan. Na de soep met *pistou*, de ratatouille en de omelet met eekhoorntjesbrood, zette Marguerite een gebak van amandelen en honing op tafel. Zonder precies te weten waarom, kreeg Liz opeens het gevoel dat ze thuiskwam. En dat was haar zo zelden overkomen dat ze zich liet gaan. Allereerst door te praten, wat ze zeer mondjesmaat deed sinds haar aankomst in Frankrijk, bang als ze was te zullen struikelen over haar woorden. Het was zo veel eenvoudiger om gewoon te luisteren dan om zich bloot te geven, wat ze vrijwel nooit deed. Bovendien was ze ervan overtuigd dat niemand haar interessant vond.

'Ik wil weten wie mijn moeder was. Weet je, ik was twee toen ze stierf. Ik weet alleen dat ze in Parijs is geboren in de jaren dertig. In 1942 heeft ze hier een tijdje gezeten ... Voordat ze naar Australië ging.'

Marguerite zette de borden die ze vasthad neer en nam Liz' handen in de hare.

'Arm kind! Arm meiske toch!'

Joseph sloeg met de vuist op tafel, wat hij wel vaker deed om zijn woorden kracht bij te zetten.

'Mijn god, Margriete, 't is toch geen snotneus meer! En geen huilebalk ok! Gij mut altij de kloek spelen bij de lui. Nòu ja, meiske, wat zoude nog wachten om d'r te gaan zoeken, oewe moeder? Misschien woonde ze hier wel in de buurt!'

Liz zuchtte.

'Misschien. Maar ik moet eerst het huis schoonmaken. En een tweedehandsauto vinden. Een gaan handelen in onroerend goed. Want mijn spaargeld is niet onuitputtelijk. En daarna ...'

Joseph onderbrak haar door zijn wijsvinger op te steken.

'Ah, witte ge wat ... ge wet het goeie nieuws nog nie? De oude Madeleine ligt op sterven en d'r zoon, da's zo'n gebraje haan! Hij zegt dattie as de sodemieter de auto en het huis van zijn moeder mot verkopen, omdazze hum toch geen cent gaat nalaten. As oe dat interesseert, mutt 't meteen zegge. Die auto het ze alleen maar zondags gebruikt om naar de mis te gaan. En aan het huis is niet veul te doen. Ge kent'r een goeien prijs veur krijge agge de muren 'n bietje opknapt ... Wat zegde d'rvan?'

Het duurde tot laat in de avond voordat Liz zich kon losmaken, haar maag goed gevuld en haar moraal opperbest. Ze zat echter nauwelijks in de auto of ze begon toch weer te twijfelen. Een huis kopen van mensen die op sterven lagen, was dat nou echt de manier om waardig een nieuwe carrière te beginnen? Terwijl ze automatisch aan het stuur draaide om de binnenplaats van haar boerderij op te rijden, zag ze opeens een boomstam dwars over de weg liggen.

'Shit!'

Ze ging op de rem staan, waardoor het autootje opveerde, en sprong eruit. Wat was er gebeurd? De wind had hier nooit een eik kunnen omblazen, hoe klein ook. De maan ging schuil achter de wolken, het was pikkedonker.

Liz boog zich naar het handschoenenkastje, pakte de zaklamp die erin lag en liep weer naar het obstakel. De takken van de boom lagen in het water van de vijver. De jonge vrouw liep naar de voet van de eik, die op de gierput lag. Hoe was hij omgevallen?

De maan verscheen weer, wierp zilveren stralen op de heuvels, deed het oppervlak van die gierkuil oplichten en verdween toen weer. Liz scheen met haar lamp op de onderkant van de stam en boog zich voorover. De kleine boom was net omgezaagd.

Ze ging rechtop staan, een prop in haar keel. Plotseling was ze zich buitengewoon bewust van de geluiden van de nacht en ze keek om zich heen. Zachtjes ruisen van de wind, licht geritsel van beestjes, gedempt gekraak van vegetatie. Angst beving haar. Haar benen, plotseling slap, wilden nog maar één ding: terug naar de auto. Het probleem was dat de enige manier waarop ze per auto naar haar huis kon, dit pad was. En te voet door de struiken en de bramen die rond het terrein groeiden, daar wilde ze niet eens aan denken, zeker niet midden in de nacht. Liz keek eens naar het gebouw dat in het donker te zien was, aan de andere kant van het obstakel, een paar honderd meter verderop. Moest ze daar nu heen, of terug naar Joseph en Marguerite?

De jonge vrouw richtte de stralenbundel van haar lamp op haar horloge. Middernacht. Ze rende naar de auto, klapte het portier dicht, rende toen weer naar de voet van de boom, gleed uit, stond op. Als ze naar huis wilde was er maar één mogelijkheid, klimmen. Het lukte haar om haar rechterbeen over de stam te gooien op een plek waar de boom geen takken meer had die haar in de weg konden zitten. Het was een stuk lager dan de plek waar hij was doorgezaagd, en waar hij in wankel evenwicht aan de rand van de put groeide.

Liz zat nu schrijlings op de stam en durfde naar niets anders te kijken dan de schors die ze vasthad. De wind was opgestoken. De stam leek plotseling veel breder dan ze gedacht had. Ze ademde langzaam uit.

De klap kwam op het moment dat Liz zich opmaakte om aan de andere kant naar beneden te springen. Ze had het gevoel dat haar jukbeen ontplofte. Ze verloor haar evenwicht, draaide zich instinctief om, greep zich vast aan wat ze achter zich zag en dat was in dit geval haar aanvaller.

Die sprong overeind en pakte haar bij de voeten. Liz viel achterover in de lage takken. Met haar armen beschermde ze haar gezicht, ze voelde hoe de takken bogen en onder haar gewicht braken. Daarop sloeg ze met haar achterhoofd hard tegen de stam, veerde terug en belandde toen op de grond. Want de aanvaller had nog altijd haar voeten vast en sleepte haar naar het zwarte gat van de put.

Liz verweerde zich uit alle macht en het lukte haar een van haar benen los te krijgen, waarop ze hem flink begon te trappen. Ze dacht dat ze hem bijna zover had dat hij haar los moest laten, toen ze besefte dat ze over een helling gleed en dat de grond onder haar rug en zitvlak vochtig was. Zonder dat ze het in de gaten had gehad, had hij haar meegesleept naar waar hij haar hebben wilde: de rand van de gierput.

Liz werd bevangen door paniek. Haar aanvaller profiteerde van de seconde bewegingloosheid die daar het gevolg van was door haar op haar buik te leggen, haar armen te grijpen en die klem te draaien op haar rug. Ze brulde het uit. Of althans, dat dacht ze. Maar wie kon haar horen? De lucht die aan haar keel ontsnapte was schor, hortend. Plotseling voelde ze dat hij een knie op haar schouderblad drukte, waardoor hij haar voorover dwong. Ze verweerde zich. Het zwartige oppervlak met smerige belletjes kwam dicht bij haar gezicht. Ze opende haar mond om weer te schreeuwen, te smeken. Ze kreeg er de tijd niet voor. De knie was naar haar schouder opgeklommen en drukte haar nog verder naar beneden.

Liz' mond, ogen en neusgaten vulden zich met gier. Een walgelijke golf uit de mest bezonken urine spoelde haar keel binnen. Ze wilde spugen. Te laat. Ze voelde echter plotseling dat haar armen werden losgelaten, dat de druk van de knie in haar rug verslapte en dat een hand haar bij de haren greep, om haar vervolgens gewelddadig naar achteren te trekken. De frisse lucht stroomde haar longen binnen. Liz begon zielig te hikken, probeerde op adem te komen, maar de aanvaller liet haar haren niet los. Weer duwde hij het hoofd van de jonge vrouw onder, en toen, met een trap, schoof hij haar hele lichaam de put in. Liz dook onder in de weerzinwekkende en ijskoude vloeistof.

Proestend en kuchend kwam ze boven, ze sloeg met haar armen, deed haar mond wijd open, wilde de nachtlucht inademen, slikte opnieuw. Haar hoofd verdween weer onder het oppervlak. En dook weer op. Haar voet had grond gevonden. Instinctief steunde ze daarop om zich naar boven te drukken. Het lukte haar, dit keer gelukkig dichter bij de rand. Met beide handen wist ze zich vast te grijpen aan de gaspeldoorns die daar nog wilden groeien.

Met haar ogen vol gier zag Liz niet de schaduw die zich boven haar hoofd aftekende en die zich enigszins aarzelend vooroverboog. Evenmin zag ze hem terugdeinzen en verdwijnen. Hoestend en hikkend trok ze aan haar rechtervoet, die steun had gevonden en vast was komen te zitten. Toen het haar lukte om zich rillend op de kant te hijsen, kwam haar voet los. Slechts één zwartige sliert wier was rond haar been blijven zitten. Maar er kwam iets boven in de put.

Liz veegde haar ogen schoon en keek om zich heen. Haar aanvaller was verdwenen. Achter haar dreef een lange en massieve vorm, bijna onder handbereik. Liz stak haar hand uit, pakte een van de uitsteeksels en schrok. Onder de zwarte vloeistof meende ze de punt van een schoen te voelen. Ze liet los en ging met moeite staan. Pijn, walging, uitputting of angst, ze wist niet wat het ergste was. Toch boog ze zich voorover, pakte weer die eerste schoen, toen de tweede. Haar handen zochten verder, tot aan de enkels.

Boven het hoofd van de jonge vrouw verjoeg de wind eindelijk de wolken. De maan kwam tevoorschijn en verlichtte het vredige Provençaalse landschap. Met haar tong uit de mond, buiten adem, trok Liz het lichaam op de oever en zakte ernaast neer … om meteen weer overeind te springen. Ondanks de gier die het geheel bedekte met een gelijkmatig masker, zag je de omtrekken van handen die op de rug waren vastgebonden, een naakt bovenlijf, een opengesneden buik en darmen die eruit hingen.

Liz begon fanatiek in de grond te klauwen en beklom de helling rond de put. Toen ze eenmaal boven stond, viel ze naar voren, rolde toen opzij. De pijn schoot door haar schouder, haar rug en haar nek. Met eindeloos veel moeite lukte het haar op haar knieën te gaan zitten, zich voorover te buigen om op adem te komen, toen op te staan. Maar haar rechterbeen werd nog altijd in zijn bewegingen belemmerd. Ze keek omlaag, zag het slappe koord dat rond haar enkel gedraaid zat. Door het wrijven over de grond was wat zij voor een sliert wier had aangezien gedeeltelijk ontdaan van modder. Doordat ze had gesteund op het opengesneden lijk dat vastzat onder in de put, had ze er waarschijnlijk een stuk darm uit getrokken.

De sterren begonnen te draaien in de hemel, die nu helder was. Liz dacht dat ze zou flauwvallen. Maar misselijkheid bekroop haar, dwong haar zich nog eens voorover te buigen. En ze begon te kotsen. In enorme golven. Spastisch. Bijna ritmisch.

1789. De schepen der beschaving

Wakarengi was het zat. Volgens de traditie beschouwden alle Koo-ri van de stam zich als zijn moeder en namen het recht, net zo goed als de mooie Chamburra, zijn echte moeder, om op hem te passen. Ondanks de vrijheid die hij net als alle kinderen van de Jerr-inga-stam genoot, begon hem dat steeds meer te beklemmen.

Als baby had hij geslapen in het stuk gebogen bast dat hem tot wieg diende, tegen de flank van zijn biologische moeder. Chamburra was wat dat betreft een waardige afstammeling van Kawoonbego en vooral van Pullinwa: ze liet zich door de wereld om haar heen inspireren, en met name door de wallaby, die, net als alle buideldieren, zijn jong in een zak droeg. Dat gaf haar een grote bewegingsvrijheid. En met haar zoon vlak bij haar kon ze wilde pruimen zoeken, mandjes vlechten, orchideeënwortels opgraven, vissen in ondiep water ... of dansen bij een ceremonie. Toen hij opgroeide was Wakarengi meer tijd gaan doorbrengen in de aanhankelijke armen van zijn grootouders. Maar ook bij hen was hij nooit langer dan een moment alleen geweest en zijn tranen werden nooit genegeerd.

Het jongetje was ook vrijgelaten in zijn emoties, in de manier waarop hij die uitte, of het nu ging om lachen of huilen, om brullen of om schelden ... vaak volslagen tiranniek gedrag dus. Sinds altijd al dachten de volwassenen dat individualisme een universele karaktertrek was van kinderen. Het was vervolgens slechts van belang om die neiging in goede banen te leiden en hen geleidelijk aan bewust te maken van de verantwoordelijkheden tegenover hun naasten – de familie, de stam, de samenleving, het milieu. Het resultaat was dat ze als volwassenen gemakkelijk in het leven stonden, dat ze ontspannen leefden, goede manieren hadden, in staat waren hun emoties uit te drukken ... en ze ook meteen weer te vergeten.

Wakarengi's opvoeding was al heel vroeg ter hand genomen. Chamburra wees het kind op alles wat lekker was om te eten. En waar hij bij was sprak ze met bomen, dieren, rotsen, de zee, instrumenten, alsof alles, elk wezen, verstandelijke vermogens had die respect verdienden. De Koo-ri meenden dat communicatie even vanzelfsprekend was als leven, en niet alleen op verbaal niveau. Zo legde Chamburra haar zoon de verbondenheid uit die hij had met zijn familieleden in wijder verband. Later moest hij iedereen kennen, ook zijn voorouders. En zodra hij er oud genoeg voor was, had ze hem geleerd om voedsel te verzamelen en het te delen.

Op een dag was Wakarengi groot genoeg geweest om alleen rond te lopen. Vanaf dat moment volgden dertig paar ogen hem continu, alle van plan hem op te voeden. Zodra het joch met zijn grootvader naar de bron van de rivier de Illaa-ra ging, vertelde de laatste hem de legende van de regenboogslang en de eerste Koo-ri. Vervolgens liet hij hem het lied horen van de bron die het fabeldier had doen opwellen onder de voeten van de voorouders, en toen dat van de baai met de heldere wateren die het had geopend in het kielzog van de buitengewone Pullinwa.

'Dit is het begin van het dal dat destijds bestond, voor de geboorte van Bou-deree, voor de baai van overvloed. Dit dal heeft de voorouders ontvangen die kwamen uit het land van de reuzenvaraan. Vervolgens heeft het de Bun-yipgeesten gezien die de jagers doodden, het heeft Pullinwa geholpen de eerste nieuwe dromen te dromen, voordat zij op dezelfde manier alle andere stamleden ging bijstaan ... Sinds die tijd zijn de dromen van de moeders die van de vaders blijven ontmoeten. Samen hebben zij de kracht van onze stam gecreëerd.'

Dat verhaal kende Wakarengi uit zijn hoofd. Hij kende alleen niet de veelvuldige uitweidingen van grootvader over de manieren om water te sparen, het te bewaren, het te gebruiken, over hoe je uit de buurt moest blijven van deze of gene slang, en moest kijken waar je je voeten neerzette onder het lopen ... enzovoort.

Dit was niet erg, want het leven was pas leuk als kinderen konden ontsnappen aan het toezicht van hun ouders. En er waren zo veel dingen te ontdekken in de baai.

In duizenden jaren tijd had de vorming van het landschap nog meer voedsel gebracht. Het klimaat was zacht, overal was zoet water. Het witte zand van het strand en de rotsen van de vele kreken zaten vol schelpdieren, zeeslakken en kikkers. Zo veel dat in de loop van die duizenden jaren de stapels lege schelpen ongelooflijke bergen gingen vormen, de seizoensverplaatsingen van de stam langs de kust markerend. Bovendien leverde de zee harder, brasem, zalm, wijting, abaloneschelpen ... voedsel dat tuimelaars, zeehonden, pinguïns, zeevogels en walvissen vrijgevig met hen deelden.

Mettertijd werden de ontstane duinen op hun plaats gehouden door grassen en acacia's. Er waren kleine strandmeren ontstaan, voordat er dichte, taaie heide ging groeien. Aan de andere kant van de duinen waren de bossen met eucalyptus, banksia, Australische pijnbomen en acacia's groter geworden, en daarmee waren ook kangoeroes, buidelratten, wombats, lachvogels*, papegaaien en insecten gekomen. Die laatste hadden actief bijgedragen aan de vorming van prachtige wildebloementapijten in de lente. Verder het binnenland in, aan de voet van de bergen, veranderde het lichte en dichtbevolkte bos in ondoordringbaar kreupelhout met grote donkere bladeren dat slechts hier en daar kruiden en varens liet groeien.

Het was de kinderen strikt verboden om in dat bos binnen te dringen. Want onder dat struikgewas zwierven soms de geesten van die vreselijke Bun-yip, of die reuzenbeesten die waren verdwenen nog voordat de weg van de stam van de bovengrondse wereld die van de stam van onder de grond had gekruist. Desondanks was Wakarengi zo nieuwsgierig dat hij die dag besloot om Palunga en Binowee, zijn twee beste vriendjes, over te halen hem te volgen tot aan de rand van de eucalyptussen en de acacia's.

'Helemaal nu jullie neefjes, Mynaa en Dounto, er al heen zijn!' riep het joch om zijn vriendjes te overtuigen.

Palunga trok haar mooie neusje op.

'Welnee! Die zouden dat nooit gedurfd hebben! Mynaa ligt al te slapen in het vrouwenkamp bij zijn grootmoeder. En Dounto is al maanden geleden naar het jongenskamp gegaan!'

Binowee schaterde het uit.

'Dat vindt hij helemaal niet erg! In plaats van met de anderen te gaan jagen kan hij de hele tijd Mynaa bekoekeloeren, als ze schelpen gaat rapen … Ik heb hem wel gezien!'

Wakarengi voelde dat hij hen kon overhalen.

'Nou ja, maar wat kan er nou gebeuren? Mijn moeder rent natuurlijk achter me aan om te dreigen dat ze me "geestelijk" zal slaan. Dan pakt ze een tak en dan gaat ze mijn voetsporen slaan. En jullie ouders zullen de bomen naast jullie hut aanwijzen, die noemen ze Palunga en Binowee en daar gaan ze dan tegen zitten schreeuwen ... Ze zouden zich allemaal nog liever door de walvissen laten opeten dan boos op ons te worden. Vooruit! We gaan eens kijken wat Mynaa en Dounto samen uitvreten. Laten we opschieten, want anders kunnen we ze niet meer vinden!'

De drie kinderen drongen het open kreupelhout in, tot ze uiteindelijk de donkere massa van de grote bomen zagen, tussen de ranke stammen van eucalyptus en banksia. Maar Palunga hield de pas in.

'Ga jij maar voor, Wakarengi. Tenslotte moest jij er zo nodig naartoe. Wijs ons de weg maar!'

Het joch krabde zich eens op zijn kop, trok de leren riem rond zijn middel aan waaraan zijn mes hing, zijn enige kledingstuk, en stapte vervolgens door het gras. Al snel maakten de dunne bomen plaats voor veel dikkere stammen, die dichtbebladerd waren. Het terrein was tot dan toe vlak gebleven, maar begon nu te hellen. Het leek alsof het bos zich rond hen sloot. Wakarengi voelde de zachte hand van Palunga in de zijne glijden. Onder andere omstandigheden zou hij in de verleiding zijn gekomen hier gebruik van te maken. Maar op dat moment was alles wat hij deed hem stevig omklemmen. Er klonk vrijwel geen geluid meer. Het was alsof de vogels, de insecten en alle beesten verdwenen waren. De helling werd steiler en ze kwamen steeds moeilijker vooruit.

Plotseling hoorden ze een stem. Die was zacht en diep tegelijk, leek woorden en namen zonder samenhang achter elkaar te zeggen. Binowee fluisterde in paniek: 'Dat is niet de stem van Dounto ... en al helemaal niet die van Mynaa ...'

Wakarengi keek op. Ze waren vlak bij een hoog punt. Terwijl Palunga zich bevend tegen hem aan drukte, gaf de jongen een teken dat ze zich stil moest houden. Toen boog hij zich naar de grond en begon stilletjes te klimmen, met de beide andere kinderen in zijn kielzog. Toen ze boven waren gingen ze alle drie zo plat mogelijk op de bosgrond liggen, buiten adem. Wakarengi tilde voorzichtig zijn hoofd boven de rand uit.

Aan de andere kant van de heuvel verlichtte de zon schaars

een bijna ronde ruimte, waaromheen kleine stenen rechtop stonden. De lucht hing roerloos, in afwachting van wat er ging gebeuren. Op de rotte bladeren die de grond bedekten lagen, aan de voet van enorme cycadeeën die uit het binnenste van de aarde en de tijd leken te ontspruiten, donkere hoopjes. Verderop lagen nog twee van die hoopjes, net zo groot, in de zonnestralen die door het gebladerte vielen.

Wakarengi kneep zijn ogen samen om te kunnen onderscheiden wat het waren, totdat de heuveltjes zich tot zijn grote verrassing in beweging zetten. Palunga en Binowee, die ook net hun hoofd hadden opgetild, verstijfden.

Onder de varens hieven een tiental mannen het hoofd op. Op de zonnige plek ging een van hen op de rug liggen. Op een paar passen van hem vandaan ging een oude man met een lange witte baard, met krullend haar dat bijeengehouden werd door een leren veter, rechtop zitten. Een piepklein zakje, dat leek op dat van de moeder van Wakarengi, hing op zijn borst. Afgezien daarvan was hij helemaal naakt en beangstigend mager. Zijn botten staken overal naar buiten en leken op het punt te staan om de bruine perkamenten huid te doorboren. De man die voor hem lag, veel jonger, was nauwelijks dikker. De oude man knielde aan zijn zijde en mompelde iets. Daarna schoot hij met zijn hoofd naar diens buik en beet hem in zijn zij.

Wakarengi voelde hoe een huivering door hem heen trok. De nagels van Palunga drongen in de spieren van zijn arm. Ze wisten dat ze getuige waren van een tafereel waarvan ze niet getuige hadden mogen zijn. En ze wisten ook dat ze zichzelf bij het minste geluid zouden verraden. Hun enige kans was om zich zo rustig mogelijk te houden.

Vóór hen hield de oude man nog steeds zijn mond tegen de zij van de zieke. Hij ademde nu in, in een tegelijkertijd gulzige en intieme zoen. Plotseling kwam hij weer overeind. Een donkerrode vloeistof kleurde zijn lippen en zijn baard. Hij stak zijn hand uit naar een stukje holle schors naast hem, grimaste en spoog erin. Wakarengi kokhalsde. De schors zat vol bloed. Middenin dreef een stukje grijsachtig menselijk weefsel. De oude man bromde: 'Zo is het beter.'

De liggende man kwam langzaam overeind. Hij wankelde even, alsof hij bedwelmd was, legde zijn hand op zijn zij, bekeek zijn handpalm. Geen spoortje bloed, ook geen wond. De man blies even uit en liep toen hinkend weg. Wakarengi hoorde daarop het zenuwachtige gefluister van Binowee naast zich.

'Dat is een Gona-ari, een genezer! We moeten weg, Wakarengi! Hij praat met de geesten uit de droomtijd. Hij is uit de landen van het noorden gekomen, om een vloek op te heffen. En je ziet, het is hem gelukt! Ze zeggen dat hij, als hij naar je kijkt, ziet of er ziekte in jouw lijf zit. En jij zult het gevoel krijgen dat je verbrandt waar je ziek bent. Hij kan ook de mensen zien met een steen in hun kop ... Of met een gat in hun hart ... En zijn kracht wordt almaar groter naarmate hij meer kwaad in de verborgen wereld bestrijdt! En hij kan de Ya-ra-yi zien, de onzichtbare mannen die 's nachts rondwaren!'

Wakarengi fronste zijn wenkbrauwen. Dus de oude man had een vloek opgeheven ... en tegelijkertijd had hij een stukje orgaan verwijderd, zonder de huid te doorboren. Heel even werd het kind bevangen door twijfel. Hij herinnerde zich de tovenaar die vorig jaar was meegekomen met de stam van de gronden aan de overkant van de onafzienbare wateren. Wakarengi had zijn hand aangeraakt. Hij had die bepaalde manier van aanraken, die intuïtie, die rust, die energie gevoeld. Maar toen had hij de tijd niet gehad om er langer over na te denken.

Andere mannen kwamen nu op de oude genezer af. Er ontspon zich een gesprek. Wakarengi drukte zijn wang tegen de grond, beduidde de anderen zich stil te houden, en spitste weer zijn oren. Een van de mannen, iets groter dan de andere, had het woord genomen.

'Wat moeten we nu doen, Marra-arnaa? Enkele maanden geleden hebben de stammen van de noordelijke gronden vreemde vaartuigen zien komen en daarop zaten mannen met een huid die zo bleek was dat ze leken op vissebuiken. En dit jaar zijn de mensen van over de onafzienbare wateren teruggekomen om langs onze gronden op zeekomkommer te vissen. Ze hebben tegen degenen van het noorden gezegd dat ze dergelijke wezens al lang geleden hadden gezien, dat die mannen niet goed waren, dat ze betoveringen uitspraken en dat ze dodelijke stokken bezaten. Ze hebben ook gezegd dat er twee soortgelijke schepen zijn gezonken bij de Tumoa, de mensen van Utupua[9], die de neven zijn van onze voorouders. De nog levende Vissebuiken zijn genadeloos achtervolgd. Maar dat heeft niet mogen baten. Andere bleekgezichten, nog veel ergere, zijn ondertussen aan land gegaan in de baai van Yarra[10], op de gronden van de stam van de Muru-ora-dial[11]. En de stam is uitgeroeid door een verschrikkelijke ziekte waardoor hun huid bedekt raakte met afzichtelijke wonden en waardoor de boze geesten zich op hen konden storten. Wij kunnen niet langer met de armen gekruist toezien en daarom zijn we gekomen om uw mening te vragen, Marra-arnaa.'

Achter hem knikten de anderen hevig en ze gaven luidruchtig blijk van hun instemming. Wakarengi zei bij zichzelf dat hij hiervan gebruik moest maken om te vluchten. Hij liet zich van de helling rollen, gevolgd door zijn beide kameraadjes.

Zonder het vervolg af te wachten, renden ze naar de weg waarover ze gekomen waren. Ze renden door dat angstaanjagende bos, lieten zonder enige spijt die enorme, in elkaar vergroeide bomen achter zich. Eindelijk vonden ze opgelucht het lichtere bos met eucalyptus en banksia's terug, en de volop schijnende zon.

Plotseling bleef Wakarengi als bevangen staan. Palunga botste tegen hem aan en sloeg hem op zijn schouder.

'Hé, wat doe je?'

'En Dounto en Mynaa? Die zijn we helemaal vergeten! Die waren vast niet in het bos ... Die zijn natuurlijk het klif over gegaan! Kom op, dan gaan we daarheen!'

Binowee verzette zich tegen dit plan.

'Nee hè! Heb je nog niet genoeg gezien? Wat wil je nou nog

meer? Ze hebben ons al bijna betrapt!'

Maar zijn kameraadje luisterde niet meer. Hij was al naar de noordpunt van de baai gelopen, met Palunga vlak achter zich.

Eenmaal uit het bos liepen de kinderen door het rietveld onder aan de heuvel van de Ka-ro-ka-ro, de pelikaansheuvel, en beklommen de helling die naar het klif voerde. De wind vertraagde hen, maar ze wisten hoe ze krom en enigszins schuin moesten lopen om ertegenin te kunnen. Toen ze boven waren, hadden ze desondanks moeite met ademhalen. Ze lieten zich op de grond vallen en voelden opgelucht weer het korte, dichte, zachte gras onder zich.

Wakarengi kneep zijn ogen half toe en keek naar de horizon.

'Wat heeft hij precies gezegd? Over die vreemde vaartuigen?'

Palunga deed verontwaardigd.

'Ik dacht dat jij Dounto en Mynaa wilde opzoeken?'

'Ja, maar ...'

De jongen keek om zich heen. De zon verlichtte de baai, doorzichtig, blauwgroen, smaragdgroen. Verderop was de open zee.

Wakarengi stond op en wilde net het vertreksignaal geven, toen hij als aan de grond genageld bleef staan. Zijn hart sprong op in zijn borst. Hij had het gevoel dat zijn jeugd in één keer werd uitgewist.

In het noorden, in de lichte nevel die boven de golven hing, tekende zich het silhouet af van een gigantisch vaartuig, dat op niets leek wat hij kende.

Mei 2005. De boerderij van de Sovino's

Rustig, zonder problemen, sloeg de oude Peugeot van Liz aan en reed weg. Voor de zoveelste keer hield de jonge bestuurster zich voor dat ze nooit zou weten of ze er nu goed aan had gedaan die auto en dat huis van de oude Madeleine te kopen. In elk geval was ze op het bevel van Joseph afgegaan.

'Wel ... adde gij d'r geen gebruk van mokt, dan doet iemand anders het wel!'

De wagen reed alsof hij nieuw was. En het huis zou al snel weer doorverkocht worden. De oude dame, die was ongetwijfeld naar het paradijs van de christenen vertrokken. Vol schuldgevoel had Liz voor haar ziel gebeden. Ze had zich altijd voorgehouden dat ze nergens in geloofde, niet in God en niet in de duivel.

Terwijl ze naar de blauwe hemel achter de voorruit keek, zuchtte ze van tevredenheid. De zomer kwam eraan. Het licht werd met de dag mooier. De knoppen hadden plaatsgemaakt voor jong groen. De lavendel begon te geuren. De vogels waren gek van liefde. Vervolgens waren ze begonnen aan een opgewonden komen en gaan met bouwmateriaal, geknapte takjes, gestolen veertjes. En nu werkten de mannetjes zich te pletter om de broedende wijfjes te voeden.

Liz bleef niet in deze mijmering hangen. Voor het asfalt van de weg minderde ze even vaart en reed er toen op. Zoals altijd wierp ze tegen wil en dank een sombere blik op de oude vijver. Al had ze dan die verduivelde put na Kerstmis laten dempen en al vertoonde het nu gladde en met gras ingezaaide terrein nergens meer sporen van de traumatische gebeurtenissen van die nacht.

Afschuw, pijn en kou hadden haar naar huis begeleid. Desondanks was er opstandigheid in haar opgekomen toen ze merkte dat het huis van boven tot onder was doorzocht. De kapotgesneden kussens en de geopende kasten braakten hun inhoud uit. Papieren, boeken en kleding lagen verspreid over de grond.

Maar al heel snel leek de oude boerderij op een bijenkorf, waarbij de bijen zich verplaatsten in auto's met zwaailichten en gekleed waren in blauwe politie-uniformen.

De gendarmes die ter assistentie waren opgeroepen hadden het opengesneden lijk op het grind van de oprit gelegd. Ze hadden met hun foto's een beeld geschetst van de doodsstrijd van de man, die ooit een mens was geweest. De blauwe plekken die onder de gier verstopt zaten. De opengesneden keel, kapot, waar stukken gedeeltelijk ontbonden vlees niet de sporen konden bedekken van de vele snijwonden in de luchtpijp, de halsaders en andere bloedvaten. Het hoofd helemaal naar achteren gebogen, ongetwijfeld in een uiterste poging nog wat lucht te happen, te ontsnappen aan de gruwel. Ze hadden de laatste verminking gefotografeerd, de opengesneden buik, de weggerukte organen, het gapende gat.

Toen was een van hen bij Liz in de salon komen zitten. Ze was eindelijk schoon, droeg een ochtendjas, had een deken om en was helemaal ingestort. De dienstdoende arts had haar onderzocht en verbonden, voordat hij haar een kalmerend middel had toegediend. Maar desondanks zei ze dat ze op het punt stond het eerste het beste vliegtuig naar Australië te nemen, als men haar maar wilde laten gaan. Maar daar was natuurlijk geen sprake van.

De gendarme, een dik en druk mannetje, had de jonge vrouw ondervraagd voordat hij antwoordde op haar vragen. Zeker, er was hier een poging tot inbraak geweest en hij wilde graag weten of er iets verdwenen was. À propos, wist ze zeker dat ze geen waardevolle voorwerpen in huis had? Ja, in de gierput had een gekeeld, opengesneden en leeggehaald lijk gelegen: dat van een man, waarschijnlijk een Indisch type. Maar het lijk was al een paar dagen oud. Dat hield dus niet noodzakelijkerwijs verband met de aanval waarvan zij het slachtoffer was geweest. De inspecteurs van de misdaadbrigade en de recherche zouden zich daar hoe dan ook over buigen. Maar wist ze zeker dat ze haar aanvaller niet had gezien, dat ze absoluut geen bekende stem had gehoord? Want dit was typisch iets wat nooit in Grignan gebeurde. Niemand hier had het op buitenlanders voorzien. Absoluut niemand.

Liz probeerde die herinneringen te verjagen: ze moest verder en ze niet langer lopen herkauwen. Vastberaden gaf ze een ruk aan het stuur en parkeerde haar Peugeootje onderaan in het dorp bij de vestingmuren, en liep een van de steegjes in. Ze had een afspraak op het gemeentehuis van Grignan om de tekeningen te bekijken van een oude boerderij die volgens Joseph binnenkort in de verkoop zou komen. Ze had weliswaar al een hoop gebouwen bezocht, maar niet één had haar in die mate bekoord.

De papieren die de beambte van het kadaster voor zich uitspreidde bevestigden hoe interessant de aankoop kon zijn. Om die te kunnen doen, moest de jonge vrouw de verkoop van het huis van Madeleine afwachten. De banken waren niet zo vrijgevig tegenover een immigrant met een gemiddeld vermogen. En ondanks de prijzen die maar bleven stijgen, zouden de makelaars en andere handelaren in onroerend goed niet bereid zijn af te wachten wat een nieuwkomer ging doen.

Liz keek eens naar haar gesprekspartner. Corinne Fabre, als ze zich goed herinnerde.

'In welke tijd is die boerderij gebouwd?'

De dame met het korte grijze haar fronste haar dikke wenkbrauwen.

'De eerste gebouwen moeten uit de vijftiende eeuw dateren. Maar het geheel is in de zeventiende eeuw verbouwd, vlak na het huwelijk van de dochter van madame de Sévigné, Françoise-Marguerite, met Adhémar de Monteil, graaf van Grignan. Het is een gebouw dat de evolutie van de plaatselijke architectuur volgt. Ik geloof dat één vleugel tijdens de laatste oorlog beschadigd is geraakt, maar ...'

Liz kon zich niet langer inhouden.

'In de laatste oorlog? Ik dacht dat Grignan in de vrije zone lag?'

'Ja, tot 1942 ... enfin, bijna, want de Italianen lagen vlakbij. Desondanks zaten er bij het begin van de vijandelijkheden talrijke vluchtelingen die uit het bezette gebied waren gekomen. En mensen zoals Louis Aragon[12] ... ik denk niet dat het een naam is die u iets zal zeggen ... Kortom, als u er meer van wilt weten, dan moet u bij Marthe Castagnou wezen. Zij was destijds een jaar of twintig en werkte voor de Sovino's, van wie de boerderij was. Dat weet ik omdat ik in mijn vrije tijd ook penningmeesteres ben van de Historische Vereniging Oud-Grignan, waarvan Marthe een van de oprichters is. Ze is bijna negentig, maar heeft het beste geheugen van de hele streek. Ze woont in een huisje tegen dat van haar oudste zoon aan, beneden in het dorp. Ik zal u haar adres geven als u wilt.'

Tien minuten daarvoor wilde Liz slechts een bod doen bij de verkoper. Maar op dat moment werd ze bekropen door een onweerstaanbare zin om die boerderij van naderbij te bekijken … en vooral om die oude dame te ontmoeten. Ze bedankte de beambte, liep het gemeentehuis uit en rende naar de verdedigingswallen, op zoek naar het huis van Marthe Castagnou.

Lang had ze niet nodig om dat kleine krot te vinden, ingeklemd tussen twee andere in dezelfde stijl. Zonder af te wachten klopte ze aan, terwijl ze met haar linkervoet zenuwachtig op het trottoir tikte. De seconden regen zich aaneen en de cadans van haar zool versnelde … en stopte toen plotseling. Liz beet op haar lip: het speet haar ineens dat ze zo impulsief had gehandeld. Wat had ze toch: zomaar opeens een oude dame gaan lastigvallen.

Ze stond op het punt zich om te draaien toen de deur krakend openging. Een ongelooflijk gerimpeld gezicht verscheen in de opening, ongeveer ter hoogte van Liz' borst. Ogen zo zwart als olijven van de heuvels rondom bekeken haar. Half schuilgaand onder zware, pluizige wenkbrauwen, priemden ze boven een lange aristocratische neus en een mond die vast rond en wellustig was geweest, maar die tegenwoordig door bloedrode lippenstift leek op een in wijn gedrenkte pruimedant. De trillende kin kwam omhoog en daagde de bezoekster uit.

'Wat moet u?'

De stem was verbazend jong. Liz wilde terugdeinzen maar beheerste zich.

'Dag mevrouw. Neem me niet kwalijk dat ik u lastigval. Ik ben hierheen gestuurd door mevrouw Fabre van het kadaster. Zij vertelde me dat u het landgoed van de Sovino's goed kende.'

De zwarte ogen verstarden.

'Bent u weer zo'n makelaar? En ook nog eens Engels? Ik heb u niks te vertellen.'

De deur ging met een flinke zet dicht. Maar Liz had haar voet in de opening geschoven. Ze glimlachte nadrukkelijk, terwijl ze haar accent vervloekte.

'Nee nee, daar gaat het helemaal niet om! Ziet u, ik probeer informatie over mijn moeder te vinden. Die was Française en ik geloof dat zij hier de laatste jaren van de oorlog heeft gezeten.'

De druk van de deur tegen haar voet verminderde. De zwarte blik verzachtte. Liz slikte.

'Aha ... Nou, komt u dan maar binnen.'

De oude dame ging aan de kant. Liz knipperde even met haar ogen in het duister van de met terracottategels belegde gang en volgde toen haar gastvrouw naar een kamer die vol stond met tafeltjes, die op hun beurt weer vol stonden met prullaria. Ze ging zitten op de bank, die bekleed was met olijfgroene velours, en wierp een vluchtige blik op de tientallen fotootjes aan de muur. Marthe Castagnou liep al op en neer tussen de salon en wat haar keuken moest zijn, achter een doorzichtig glaskralengordijn.

Liz wilde opstaan.

'Kan ik u helpen? U hoeft geen moeite te doen, hoor!'

'Blijf zitten, liefje, ik doe dit graag!'

De oude dame liep nu rond een laag tafeltje te redderen. Ze zette er een indrukwekkend zilveren koffieservies op, een fles rode, halfdoorzichtige likeur, twee piepkleine glaasjes en een groot bord koekjes. Zonder het haar bezoekster te vragen, schonk ze de dikke karmijnrode vloeistof in de glazen, reikte Liz er een aan, pakte het andere en leegde het in één teug. Met een zucht van tevredenheid ging ze ten slotte naast de jonge vrouw zitten.

'Hmmm. Wat is die lekker, die cassis. Maar ik kan er natuurlijk niet alleen van gaan zitten drinken. Dus, laat u mij niet in de steek ... proef!'

Liz volgde haar voorbeeld, waarvan ze onmiddellijk spijt kreeg: de vloeistof had zo'n hoog alcoholgehalte dat ze begon te hoesten alsof ze een vlieg had doorgeslikt. De oude dame gaf haar een flinke klap op haar rug.

'U gaat nou toch niet stikken in zo'n klein beetje, hè! Ach ach, die jongeren van tegenwoordig ... Nou goed ... U zei dat u naar informatie over uw moeder zocht.'

Met tranende ogen kwam Liz langzaam weer op adem.

'Neemt u mij niet kwalijk. Ik ben die Franse sterkedrank nog niet zo gewend ... Ja, mijn moeder ... Ik weet weinig van haar. In 1942 zou ze hier gekomen zijn met haar eigen moeder, uit Parijs. Op het gemeentehuis heeft de beambte van het kadaster mij uitgelegd dat u destijds werkte op het landgoed van de Sovino's, en dat daar vluchtelingen zaten.'

De zwarte ogen van de oude dame werden kleiner, alsof ze aarzelde welke houding ze moest aannemen. Ze kuchte.

'Vluchtelingen ... In elk geval mensen die ergens voor op de vlucht waren. Zeker, zulke mensen heb ik gezien. Meneer Sovino kwam zelf uit een familie die zo het een en ander had meegemaakt, in een ander land. En omdat de grootouders Sovino moeite hadden gehad hier in te burgeren, bleef het huis openstaan voor mensen die daar behoefte aan hadden. Ze vingen altijd mensen overal vandaan op, met de gekste namen en de gekste gewoonten, en met verhalen waar wij alleen van konden dromen. We lachten om die verschillen, maar ook om de angst te verjagen of het boze oog te bezweren.'

Marthe Castagnou stond op. Liz hing aan haar lippen en wilde haar een handje helpen. Maar de oude vrouw had al een groot buffet van donker hout geopend en daar een verfletste hoedendoos uit gehaald. Langzaam kwam ze naar Liz toe, ze liet zich op de sofa ploffen en haalde er een stapeltje oude, vergeelde foto's uit. Ze legde die rustig voor zich neer, op het lage tafeltje. Dat duurde even, want er leken tientallen afdrukken te zijn.

Er steeg een bedompte lucht van op. Liz voelde hoe haar hart begon te bonzen in haar borst. Bolle baby'tjes. Vrolijke of sombere oude mannen. Sterke en joviale kerels. Oude vrouwen op hun paasbest. Ondeugende of dromerige kinderen. Meisjes die net hun puberale rondingen waren kwijtgeraakt. Te dik opgemaakte vrouwen. Liz moest ervan slikken.

'Allemaal vluchtelingen?'

De oude dame begon te schaterlachen.

'Welnee, natuurlijk niet, liefje! Dat is mijn album, die hoedendoos! Vind ik gemakkelijker. Dat is minder stijf. Ik kan foto's pakken, ze bij mijn ogen houden en de geur van vroeger ruiken. En als ik met mijn vinger over sommige ga, dan voel ik nog bijna de stof van de jurken, en de baby's, en de haren van degenen die ik heb liefgehad en die er niet meer zijn. Hier …'

Ze hield Liz een foto voor.

'Moet je zien. Wie staat daar volgens jou op?'

Liz nam het plaatje tussen haar vingers en aarzelde. De oude vrouw begon weer te lachen.

'Toe maar … het kan geen kwaad! Ik weet heus wel dat er heel wat water onder de brug door is gestroomd! Kijk maar goed …'

Ze legde haar knokige wijsvinger op de lange gestalte van een mooie, jonge brunette.

'Moet je kijken … Dat ben ik. Ik was toen vijfentwintig. Ik werkte voor de Sovino's en ik had mijn man net ontmoet. Die staat daar, naast het gebouw … Ja, die met die glimlach … En daarnaast, dat is de moeder van Corinne Fabre, van het kadaster. We gingen samen uit dansen. Als ik u daarover zou vertellen … Kijk, daar staan de Sovino's. Meneer en mevrouw, de grootouders, de kinderen. Vijf hebben ze er gehad. En allemaal mooie kinderen …'

Liz wees op haar beurt op twee gestalten op een andere foto. Een blonde vrouw, heel elegant, in chique maar versleten kleren. En een brunette, waarschijnlijk van dezelfde leeftijd, slecht gekleed in een lange jurk en een gekreukte blouse. Voor haar drie kinderen: een jongetje en twee meisjes.

'En zij?'

De oude dame trok haar wenkbrauwen op.

'Nou, nu je het vraagt … Ik kon me niet herinneren dat ik een foto van ze had.'

Liz luisterde niet meer. Ze verslond met haar ogen het gezicht van een van die meisjes. Nee. Dat zou té toevallig zijn. Met trillende handen pakte ze haar portefeuille uit haar handtasje en haalde er een gehavend vierkantje uit. Toen boog ze zich naar voren en legde het naast het fotootje van Marthe Castagnou.

Hetzelfde ronde gezichtje. Dezelfde grote, heldere ogen. Die blonde vlechten waar Liz zo vaak jaloers op was geweest. En dat pruilmondje, dat ze zo vaak geprobeerd had na te doen.

1815. Lichthaar en andere Vissebuiken

In haar prille jeugd was Darrunha bijna nooit bang geweest. Haar wereld was stabiel, bestond uit haar naaste familie en de stam, levende en niet-levende wezens in de natuur, geesten van de ouden, enkele onzichtbare slechteriken en al die geesten die de droomtijd bewoonden, die niet wezenlijk verschilde van het dagelijks leven.

Maar toch, een paar jaar eerder, toen de ouders van de kinderen van nu zelf kinderen waren, was de Jerr-inga-stam wat verstoord geraakt door geruchten die hun ter ore waren gekomen. Er werd verhaald van een reuzenkano met zeilen die de baai was binnengevaren. Het waren zelfs Wakarengi en Palunga, de ouders van Darrunha, die hem het eerst hadden gezien. Maar die kano was niet lang gebleven en de stamleden hadden de tijd niet gehad om van dichtbij te kijken wie erin zaten en ook niet om na te gaan of die nu echt blank en week waren, als vissebuiken. Maar dat was nog niets in vergelijking met wat daarna gebeurde. Niet zo heel veel later werd er weer gefluisterd dat andere wezens, op nog grotere kano's, in groten getale in het noorden aan land waren gegaan. Ze hadden geprobeerd hun wetten op te dringen aan de stamleden daar. Ze hadden hen geslagen, opgesloten, afgemaakt ... en ze hadden hen zelfs zo vreselijk betoverd dat de stamleden door allerverschrikkelijkste ziektegeesten waren uitgedund.

Terwijl ze opgroeide had Darrunha geleerd wantrouwig te zijn. Een beetje, niet veel, want ondanks alles was haar dagelijks leven praktisch niet veranderd. In de baai waren nooit meer van die blanke wezens opgedoken, van die Vissebuiken. En het leven had zijn normale gang weer hervat. Tot op die ene dag.

Darrunha had net de *burrawang*-noten geopend om ze in water te weken om het gif eruit te halen. Met een groot rond stuk hout was ze bezig ze tot pulp te stampen in een grote holle steen. Ze was van plan er koeken van te maken, die ze dan in de hete as kon bakken.

Op dat moment hoorde ze een metaalachtig gelach. Verrast keek ze om zich heen. Bijna alle stamleden waren bijeen, in de kreek van de oude wijze man. Ze moesten een feest voorbereiden ter ere van de jonge mannen die binnenkort werden ingewijd en allemaal waren ze bezig het een en ander te verzamelen. Sommigen waren wortels aan het opgraven, bessen en noten aan het rapen, en maakten ze meteen klaar, zoals Darrunha. Anderen gingen op *yimaduwaya* vissen, van die ronde pietermannetjes, die je kon vangen als de eerste wilde pruimen in bloei stonden. De kinderen bogen zich over de plassen die de vloed had achtergelaten. Zij zochten die lekkere schelpjes die de stam *pil-pil* noemde.

Er klonk verder geen vreemd geluid meer. Slechts het lichte geroezemoes van halfgedempte gesprekken, af en toe opgevrolijkt door het zachte lachen van een kind. En toch voelde Darrunha een lange huivering over haar rug lopen. Zenuwachtig greep ze het leren zakje dat tussen haar borsten hing, vouwde haar hand eromheen en keek op.

Ze had niet gedroomd. Aan de andere kant van de duinen verstoorden vluchtige bewegingen de gebruikelijke rust van het open bos. Darrunha stond op. Niemand om haar heen leek iets te hebben opgemerkt. Voorzichtig, zonder geluid te maken, legde ze haar holle steen en haar stuk hout op het zand en begon de heuvel te beklimmen die de kreek omzoomde. Op dat moment merkte ze dat iemand anders aan de andere kant hetzelfde aan het doen was. Ze bleef stokstijf staan, en zag toen een hoofd voor zich opduiken dat bedekt was met vreemd lichte haren, zo glad dat ze ongetwijfeld zouden zijn weggevlogen als ze ter hoogte van de nek niet met een band bijeen werden gehouden. Gek genoeg was het vooral die nek die aanvankelijk de aandacht van het meisje trok, want de huid ervan was niet blank zoals de buik van een vis, maar mooi licht okerkleurig. Darrunha stond als aan de grond genageld. Was dit een geest?

De man die zojuist boven aan de helling verschenen was, zag er niet zo uit. Maar uiteindelijk wist Darrunha wel een heleboel van planten en het gebruik ervan, net zoals haar moeder en haar grootmoeder voor haar, maar van de geesten wist ze niet veel. En toch, die man ... de zon ging schuil achter zijn rug, tekende de omtrek van een lange en gespierde gestalte, amper verborgen onder kleren van bruine stof. En de schaduw van zijn hand, die ter bescherming boven zijn wenkbrauwen werd gehouden, verdonkerden fantastische blauwe ogen. Nog nooit had Darrunha irissen gezien in zo'n kleur. En ook niet zo'n arendsneus, en ook niet zo'n wilskrachtige kaak.

Van achter Lichthaar dook een andere persoon op. Zijn huid was heel blank ... maar ook knalrood, op de plekken die het meest aan de zon blootstonden. Zijn kin, bedekt met een schaars baardje, was vreemd slap. Twee kleine zwarte Koo-ri volgden, met een heleboel zakken. Te zien aan hun lichaamsverf, raadde Darrunha dat ze van de Threawal[13] waren. Maar onder het vuur van de blik van Lichthaar had ze geen tijd om daar verdere gissingen over te doen.

Het was inderdaad al maanden geleden dat Philippe d'Auberac begonnen was om naar een route te zoeken die de zuidelijke gronden van Sydney verbond met deze onbekende baai. En het was net zo lang geleden dat hij een vrouw had aangeraakt ...

Dertig jaar daarvoor was Philippe Charles d'Auberac scheep gegaan met Joseph de la Martinière, voor zijn eerste natuurwetenschappelijke reis op de Astrolabe, een van de twee schepen van de expeditie van Jean-François de Galaup, graaf van La Pérouse [14]. Samen met andere geleerden had Philippe de natuurlijke bijzonderheden van de Grote Oceaan verkend, alvorens in januari 1788 te blijven hangen in Botany Bay, aan de oostkust van Australië ... Amper enkele dagen nadat de Engelsen er hun eerste kolonisten hadden ontscheept.

En daar, gefascineerd door wat hij daar allemaal zag, had de piepjonge natuurwetenschapper de wens te kennen gegeven enkele maanden aan land te blijven. Wellicht zou hij daar ook die ongelooflijke boa* met felle kleuren vinden, die enkele keren was waargenomen in de nauw vergroeide wortels van een wurgvijg*. Het scheen dat de sjamanen van de Samoa-eilanden daar een poeder van maakten dat heel nuttig was voor het behoud van de mannelijkheid ...

De Galaup had dus afgesproken om Philippe enkele maanden later weer op te zullen halen, als ze Botany Bay voor het laatst zouden aandoen, nadat de Boussole en de Astrolabe verderop de kust van het nieuwe continent en wellicht een paar eilanden zouden hebben verkend. Bij die gelegenheid zouden ze dan meteen kunnen zien hoe ver gevorderd de Engelse kolonie was die net was verhuisd naar Port Jackson, ze zouden brieven en kranten aan de koning kunnen afgeven, en vers water, hout en proviand innemen alvorens weer te vertrekken naar het île de France [15], en van daar naar Frankrijk.

Helaas waren de Astrolabe en de Boussole nooit teruggekomen, en Philippe kon dan wel alle scheepskapiteins die Botany Bay aandeden ondervragen, hij zou zich uiteindelijk moeten neerleggen bij het onvermijdelijke: de graaf van La Pérouse en zijn voltallige bemanning waren volledig verdwenen, ergens in het zuiden van de Grote Oceaan. Niet veel later had Philippe zich ook moeten neerleggen bij iets nog veel ergers ... dat hij nooit naar Frankrijk terug zou kunnen. Daar waren het Lodewijk XVI en de monarchie die volledig verdwenen waren.

In 1791 had Philippe admiraal Entrecasteaux leren kennen, uitgestuurd door de weinige officieren en geleerden die zich nog het lot aantrokken van die koninklijke expeditie. Maar wat hij toen hoorde over de gebeurtenissen in Frankrijk, had hem alleen maar bevestigd in zijn mening dat hij in zijn ballingschap moest berusten. Uit afkeer had hij zijn natuurwetenschappelijk onderzoek stopgezet. En na enkele voorzichtige experimenten had hij zich bij de eerste Franse vluchtelingen gevoegd, vaak voormalige functionarissen van de monarchie, die in de handel gingen, met name in wol.

En zo kwam het dan dat Philippe d'Auberac sinds reeds geruime tijd koppig zijn best deed om de weg te vinden die er moest zijn tussen de opkomende stad Sydney en de baai die hij en de bemanningsleden van de graaf van La Pérouse destijds hadden gezien, een paar dagen voordat de Astrolabe en de Boussole verder naar het noorden Botany Bay aandeden. Een koppigheid die Philippe had doen vergeten dat hij een man was, tot op dat moment. Tot hij dat meisje zag.

Hij kon niet genoeg van haar krijgen. Zijn blauwe blik bleef rusten op dat karamelkleurige gezicht, bewonderde de hoge jukbeenderen, die stralende bruine ogen, die dikke roze lippen. Nee, hij kon maar niet stoppen met kijken naar haar ... Zijn blik daalde af langs de slanke hals, de opgerichte borsten, bleef even hangen bij de platte buik, de golvende billen, voordat hij langs de fijne en gespierde benen verder zakte. En een nauwelijks merkbare huivering doorvoer de dijen van de ontdekkingsreiziger.

Het meisje zag niet meteen welke uitwerking ze op hem had. Kwam dat door haar onschuld? Eerder door haar onkunde en door haar verbazing. Want in tegenstelling tot de verhalen die de ronde deden over de Vissebuiken was de man die haar zo doordringend aankeek eerder edel en krachtig. Zijn gezicht, gebruind door de zon, toonde trekken die de vreugden en de tegenslagen van het leven weerspiegelden. En vreemd genoeg had hij geen baard en geen snor, alleen maar die buitengewone haren die straalden in het licht. Naast hem deed de rode man heel nerveus, wierp schuine blikken op de stamleden. Beiden droegen van die vreemde stokken, van hout met iets wat in de zon leek op een lang, stevig licht.

Lichthaar boog zijn hoofd naar Darrunha. Hij sprak woorden die ze niet begreep, legde zijn stok van hout en licht op de grond en zijn hand op haar borst.

Maar op dat moment voelde Darrunha hoe ze naar achteren werd gesleurd door de stamleden. Voordat ze werd teruggestuurd naar de wilde kreken, kon ze nog net Wakarengi zien, haar vader, die waardig op de blanken afstapte. En ze wist niets van de onderhandelingen die daarop volgden, de weinige woorden die begrepen werden, de goedkope prullaria die de Jerr-inga met minachting bekeken, en de buidelratvellen die de blanken achterdochtig besnuffelden. Voordat ieder zich aan zijn kant terugtrok.

Maar die avond, in het kamp van de stam, lukte het alleen de kinderen om in slaap te vallen. De volwassenen waren druk aan het praten en Darrunha luisterde oplettend toe.

'Wat zijn dat voor wezens?'

'Ze zijn gekomen op enorme vaartuigen. Het schijnt dat ze van heel ver uit het noorden komen.'

'Ze zeggen ook wel dat zij het land van de Dharug[16] zijn binnengevallen.'

'Is het waar dat ze stammen uitroeien? Mannen, vrouwen en kinderen? Dat zij geen voorouders kennen en ook geen wegen van geesten? Is het waar dat ze vreselijke betoveringen uitspreken? Dat de dood hen overal volgt?'

Wakarengi zweeg. Hij stond op, liep naar het halfduister, buiten de lichtkring die het vuur vormde. Darrunha keek hem wanhopig aan. Ze brandde van verlangen om hem op haar beurt met vragen te bestoken, maar ze durfde niet.

'O, vader ... Zou je mij kunnen zeggen? Die man, is die ook

kwaad? Hij lijkt zo anders. Maar hebben we niet een paar dingen gemeen? Want waarom werd hij anders zo door mij aangetrokken? Kun je me dat vertellen? Wat voelde jij toen je moeder voor het eerst zag? Was dat zo anders dan wat ik bij hem ervaarde? Ik smeek het je, vader, vertel het me.'

Het jonge meisje nam haar hoofd in haar handen en zakte weg in een wanhoop die ze niet kon verklaren. Enkele uren daarna viel ze uiteindelijk in slaap, een eindje van de vrouwengroep vandaan.

Een vochtige en warme aanraking in haar hals wekte haar. Gebiedende lippen kusten haar. Een lange, sterke hand omsloot haar rechterborst. Een naakt lichaam kwam met zijn hele gewicht op haar liggen. Ze nam het geslacht van de man in haar hand. Dat was oneindig hard en heerlijk zacht. Het vulde haar handpalm steeds meer. En toen, heel voorzichtig, ontsnapte het, en begon zijn weg te zoeken.

De Vissebuiken vestigden zich in de buurt en brachten het grootste deel van hun tijd door met jagen in de bosjes en vreemde tekens op bladeren verven die niet van bast waren en ook niet van gevlochten vezel. En nu het leek alsof ze wilden blijven, vredig, zonder oorlog om het dagelijks leven van de stam te verstoren, accepteerden de Jerr-inga hen zonder verder vragen te stellen.

Enkele weken verstreken, daarna enkele maanden. Degene die Darrunha had verleid werd Balaa-Gawugaa. Lichthaar. Hij legde zijn stoffen vodden af, zijn potlood en zijn stok van hout en licht en begon de paar woorden Jerr-inga te herhalen die Darrunha hem leerde. Het werd voor iedereen duidelijk dat hij weliswaar geen lid van de stam was … maar dat zijn kinderen dat ongetwijfeld wél zouden zijn. En zo, in de loop van de tijd, ontstond er een vredige verstandhouding tussen beide volkeren, zonder dat daar veel woorden aan te pas kwamen. En op een dag, toen de buik van Darrunha rond werd, stuurde Balaa-Gawugaa zijn metgezellen weg: hij wilde zijn tijd verder doorbrengen naast de jonge vrouw. Hij moest nog zo veel jaren inhalen dat hij van elk moment wilde profiteren.

En na enkele maanden bleek dat dat een verstandige beslissing was geweest. Op een ochtend zat Darrunha in de kreek van de oude wijze man over een waterput gebogen, met een lijn in de hand, toen ze de eerste weeën voelde. Aan de overkant van het strand hoorde Philippe d'Auberac haar kreet. Hij wilde haar te hulp schieten. Maar hij vergat de wet van de Jerr-inga omtrent het baren van kinderen, een wet die hij volstrekt niet kende ondanks zijn duidelijke betrokkenheid in de maanden daarvoor. Hij had nog geen tien stappen gedaan of hij werd aangevallen door de oude wijven, die met een van verbazing en woede vertrokken gezicht naar hem wezen en begonnen te joelen.

'*Ka-ra-kul.* Ka-ra-kul! Tovenaar! Ga weg!'

Hij werd woest en begon hen in het Engels de huid vol te schelden.

'Ga aan de kant, stelletje ouwe tangen! Zien jullie dan niet dat ze gaat bevallen?'

Daarop moest hij denken aan de overval waarvan heel wat jaren daarvoor de schepen van La Pérouse het slachtoffer waren geweest op de Samoa-eilanden. Nee, niet weer. Niet hier. Hij begon voor de neus van die vrouwen te zwaaien met zijn stok van hout en licht. Als de leeuwin die voor haar kleintjes gehurkt zit en het roofdier ziet aankomen, wierp de oude Alambi zich op hem. Want weliswaar aarzelde ze nooit de maden te delen die ze met haar lange vingers en haar scherpe nagels van onder boomschors vandaan pulkte, ze bemoeide zich ook constant met andermans zaken ... en wist heel goed hoe je varanen moest temmen.

De vuistslag die zij in het gezicht kreeg hield haar dus ook niet tegen. Ze stond meteen op en wierp zich op de geslachtsdelen van de man met de gouden haren, al haar nagels uitgestoken. Maar het geweer zakte, tegelijk met de hand die de kostbaarste organen van de natuurwetenschapper moest beschermen. Het schot klonk. En het schedeldak van Alambi ontplofte, liet haar hersens ontsnappen, overvloediger dan men had kunnen denken.

De verbijstering van de andere vrouwen duurde niet lang, want het leven had ze begiftigd met een opmerkelijk reactievermogen. Stok van hout en licht of niet, boze geest of niet, ze besprongen de geleerde. De eerste steen raakte Philippe bij zijn slaap, haalde zijn huid open, brak het bot. De tweede brak zijn neus, om daarna ook nog een oog te verpletteren. Het bloed stroomde over zijn gezicht, tot op zijn kaak, die door een derde steen werd ontzet. Op dat moment ontsnapte de stok van hout en licht aan de handen van zijn eigenaar. De nicht van Alambi wierp zich erop en met schorre kreten van woede begon ze het instortende lichaam ermee te slaan. De andere vrouwen voegden zich bij haar: en binnen enkele minuten was er van Lichthaar nog slechts een hoopje menselijke resten over. Al die tijd tekende zich boven hun hoofden, in een beginnende regenboog, een slang af met levendige kleuren, wellicht lijkend op die van de voorvaderen, maar in elk geval lijkend op die welke zo lang gezocht was door Philippe Charles d'Auberac.

Op luttele passen van het lijk, aan de andere kant van de rotsen die de begrenzing van de kreek aangaven, baarde Darrunha hun kind. In de zee mengde het bloed van de jonge vrouw zich met dat van haar minnaar. In het avondbriesje verstierven haar kreten terwijl die van de stervende wegebden. Daarop weerklonk het gehuil van de baby boven het zand, tot over de golven. Darrunha had niets gezien of gehoord van het drama dat zich had afgespeeld. Ze keek naar haar huilende zoontje, rood als de grond die vroeger door de voorvaderen was betreden, en heel even had ze het gevoel dit alles al eens te hebben gezien. Zo'n gevoel dat voorafging aan talloze dromen, bij bepaalde stamleden die daar bijzonder ontvankelijk voor waren.

Het kind leek haar buitengewoon mooi en tegelijkertijd toch vreemd. Misschien op dezelfde manier als Pinanga van de legende waarschijnlijk vreemd had geleken in de ogen van haar ouders, meer dan zestigduizend winters daarvoor, op het kruispunt van tijd en volkeren.

Toen voelde Darrunha hoe een kille angst haar bekroop. Ze

greep het kind, drukte het tegen het leren zakje dat tussen haar borsten hing, als om hetgeen haar nu dierbaarder was dan haar eigen leven tegen het kwaad te beschermen. Joanyoo.

Mei 2005. Herinneringen van de oude dame

Marthe Castagnou wierp een liefdevolle blik op de jonge vrouw die naast haar zat. Ze legde een magere hand op haar schouder.

'Is dat je moeder?'

Liz knikte. Ze had zo'n prop in haar keel dat ze dacht dat er nooit meer een geluid uit zou komen. Ze richtte haar blik op de oude dame en klemde haar kaken op elkaar om haar tranen niet de vrije loop te laten, maar het was al te laat. Snel veegde ze haar gezicht af met haar mouwen. Haar gesprekspartner wees op het footootje dat Liz tussen haar vingers had.

'Die lui zijn allemaal op de boerderij van de Sovino's gekomen in april 1942. De blonde vrouw die je hier ziet, in die chique kleren, dat is Cécile, de vrouw van een Joodse arts die een praktijk had in Amiens. Die arts had zijn vrouw met zijn kinderen naar het zuiden van het land gestuurd, in de hoop dat ze zich daar ergens zouden kunnen verstoppen tot het einde van de oorlog. Hij vond het niet zo noodzakelijk ze naar het buitenland te sturen. Hij was geboren in Amiens, weet je, en zijn ouders ook, hij is er gebleven om zijn praktijk te redden ...'

De oude dame slaakte een zucht die het vervolg deed vermoeden.

'Ze hadden twee kinderen, Jacques, een uitermate charmante kleine tiran, en Jeanne, een verlegen maar lief meisje.'

Ze zweeg even en keek eens naar Liz.

'En wat die andere dame betreft, jouw grootmoeder dus, die heette Mathilde en die was dik bevriend met Cécile. Zij was net zo bruin als de ander blond was. Dat was vreemd, want je zou gezworen hebben dat de kleine Agnès – dat was dus jouw moeder – het dochtertje van Cécile was. Maar, als ik jou goed bekijk dan vind ik trekken van je grootmoeder in je terug.'

Marthe Castagnou verborg even haar gezicht in haar handen.

'Ja, ik hield me vooral bezig met het huishouden. Jouw grootmoeder begon te helpen met de beesten. En vervolgens is ze ook op het veld gaan werken. Ze zei dat ze dat liever deed. Ze was graag buiten. En bovendien hadden ze daar hard hulp nodig: er waren een heleboel mannen in de bloei van hun leven vertrokken. De vrouwen moesten hen vervangen, tegen kost en inwoning, de gevluchte vrouwen evengoed als de andere. Over het algemeen werden die mensen zowat familie. In elk geval bij de Sovino's. Want ik heb wel horen vertellen dat er plaatsen waren waar dat niet het geval was ...'

Liz kuchte en vroeg met schorre stem: 'Maar waar kwamen ze vandaan? En tot wanneer zijn ze gebleven?'

Haar gesprekspartner boog zich voorover, pakte de zilveren koffiepot, goot het bruine vocht in de kopjes, bracht er een naar haar lippen, nam een slokje.

'Ik weet dat ze allemaal uit de omgeving van Parijs kwamen. In het begin had de kleine Agnès het nog over een stad met mooie witte huizen en een plek met paarden waar haar vader werkte. Vervolgens waren zij en haar moeder vertrokken om te gaan wonen in, wat zij noemden, een 'oud krot'. Helaas was dat in de buurt van een fabriek waar de moffen vrachtwagens maakten. Dus zijn ze op een dag door de Engelsen gebombardeerd. Toen moesten Agnès en Mathilde weg en zijn ze in Grignan terechtgekomen ... Meer weet ik niet, want ik durfde geen vragen te stellen. Hier, in elk geval, is Agnès vol bewondering geraakt voor de kleine Jeanne, haar jurken, de verhalen van haar vader en van haar mooie huis. Ze wilde absoluut lijken op een meisje uit een gegoede familie. Voor haar betekende dat ongetwijfeld het eind van de ellende en het rondzwerven. Begin 1944, toen Jacques en Jeanne, de kinderen van Cécile, naar Zwitserland vertrokken, stortte haar wereld in. Hun moeder wilde terug naar Amiens om te proberen haar man terug te vinden, van wie ze geen bericht meer had gehad. Iedereen heeft geprobeerd haar daarvan af te houden, maar er hielp geen lieve moeder aan. We hebben nooit meer iets van haar gehoord. Toen werd Frankrijk bevrijd. De krijgsgevangenen zijn teruggekomen en we hebben een heleboel Amerikanen en Engelsen over de vloer gekregen. En op een dag kondigde jouw grootmoeder Mathilde aan dat ze met haar dochter naar Australië ging. Je moet je voorstellen wat dat voor schrik gaf! Mathilde was verliefd geworden op een Engelse soldaat, ene ... tja, mijn geheugen is niet meer wat het was ... hoe heette die ook alweer ... o ja, Oliver ... Kijk, dat is hem!'

De oude dame wees met haar vinger op een vergeeld kiekje. Koortsachtig boog Liz zich voorover. De man was dik, klein, vrij rond van postuur. Zijn neus was kort en plat, zijn kop met kort haar stond tussen twee grote oren die onderaan slap naar beneden afhingen. Hij deed eerder denken aan een bang en tegelijk agressief jong stiertje. Hij stond naast Mathilde en probeerde duidelijk op zijn tenen te staan om niet kleiner te lijken dan zij.

Marthe begon te lachen.

'Ik heb ze maar één keer samen gezien. Hij gaf Mathilde allerlei bijnaampjes en hij zat haar constant in haar nek te zoenen. Wij vonden dat een beetje gênant. Maar goed, volgens mij had jouw grootmoeder behoefte aan affectie. Toen is ze vertrokken met haar dochter. Het volgende jaar en het jaar daarop hebben ze me brieven gestuurd.'

Liz sprong op van de sofa.

'Brieven? Van Mathilde?'

Marthe leek verrast.

'Welnee, van Agnès natuurlijk! Ik kon goed met haar opschieten. Na het vertrek van Jeanne trok ze veel meer naar mij toe. Toen ze besefte dat ze op haar beurt weg zou moeten uit Grignan, was ze vreselijk bang ... voor wat haar daar te wachten stond, in dat nieuwe leven. Dat begrijp ik best. Kun jij je dat niet indenken? Een meisje van die leeftijd dat zomaar weg moet, naar de andere kant van de wereld … Maar goed …'

De oude vrouw schudde haar hoofd.

'Wat ben ik toch dom. Dat had ik je meteen moeten vertellen. Ik zal kijken, wacht even … ik moet ze ergens hebben, die brieven …'

Voorzichtig stond ze op, liep naar het oude buffet waaruit ze ook de foto's gehaald had en trok er een monumentale stapel witte lakens uit, die heerlijk naar lavendel roken. Liz sprong op om haar te helpen. Marthe begon te lachen.

'Nee nee, ik red me wel. Ik doe dit wel vaker!'

Een tweede en een derde stapel belandden op de grond. Marthe dook met haar hoofd achter in het meubel. Na enkele minuten, die Liz uren leken, draaide de oude vrouw zich om, met teleurgestelde blik.

'Ach, liefje toch … het spijt me nou zo, maar ik kan ze niet vinden. Maar ik beloof je, ik zal zoeken. Geef me je adres maar, dan laat ik het je wel weten als ik ze heb gevonden.'

Verschrikkelijk teleurgesteld, maar tegelijkertijd met haar hoofd vol van wat ze net allemaal gehoord had, nam Liz afscheid.

Toen ze eenmaal de veranda van het huis af was gestapt, knipperde ze eens met haar ogen tegen de ondergaande zon. Ze had het gevoel dat ze verdwaald was geraakt in het labyrint van tijd en ruimte, en even op aarde moest terugkomen. Haar blik omspande het pleintje, volgde het straatje dat uitkwam op het middeleeuwse centrum. Het café, de kinderbibliotheek, een winkeltje met dameskleding – waarschijnlijk dat van die Engelsman, dat net geopend was – en de kapper.

Tien minuten later zat Liz zichzelf te bekijken in een spiegel van de kapsalon, ontzet door wat ze net gevraagd had. Een voor een vielen de uitgegroeide asblonde lokken op de grond. Daaruit dook een kastanjebruin kopje op. Vervolgens kregen mooie jukbeenderen meer reliëf, waardoor Liz' blauwe ogen beter uitkwamen, die ze toch al niet meer opmaakte. Haar neus, waaraan ze zo'n hekel had, werd bijna aristocratisch. Net als die van haar grootmoeder. Het kunstmatig blonde gordijn verborg hem niet meer, toonde haar niet meer het spiegelbeeld van een geïdealiseerde moeder. In de spiegel ontdekte Liz haar nieuwe gezicht en haar hals, die, net als de rest van haar lichaam, aanzienlijk was veranderd door de gymnastische toeren tijdens de verbouwing.

Toen de jonge vrouw uit de kapsalon kwam, voelde ze zich zo licht dat ze niet de verleiding kon weerstaan om oorbellen en een blouse te gaan kopen in de belendende boetiek. Stephen, de eigenaar van deze zaak, kwam inderdaad uit Londen ... en het was niet te zien. Op zijn gegroefde gezicht, zijn stierennek en zijn enorme bicepsen was zijn huid gebronsd als oud leer. Zijn dikke bruine haren met rossige gloed en de kraaiepootjes rond zijn sombere ogen verrieden eveneens een langdurig verblijf in de zon. Hij leek voortdurend bereid complimentjes uit te delen en een of andere vette anekdote op te dissen.

Een uur lang bevredigden beide jonge mensen hun nostalgische verlangen naar de moedertaal en deelden hun indrukken als Angelsaksische stedeling in ballingschap op het Franse platteland. Toen ze de winkel uit liep, straalde Liz. Zozeer dat ze Stephen zonder aarzeling haar mobiele nummer gaf.

En ten slotte, bijna spijtig, begaf ze zich naar het straatje dat naar de parkeerplaats afdaalde, aan de voet van het kasteel. Onderweg ging ze nog even langs de tijdschriftenwinkel. Zonder op de jonge verkoper met het paardenstaartje te letten, die haar zoals gewoonlijk met sombere blik opnam, kocht ze allerlei verschrikkelijk vrouwelijke tijdschriften, smeet een biljet van twintig euro op de toonbank en vertrok met haar neus in de lucht, zonder op haar wisselgeld te wachten.

Eenmaal in de auto keek ze heel even in de achteruitkijkspiegel. Om een moment op haar gemak de persoon te leren kennen die haar nog vreemd was ...

Ze stond op het punt het sleuteltje in het contact te steken toen een tengere, gebogen gestalte in de spiegel verscheen. In het afnemende avondlicht herkende ze Marthe Castagnou. Die liep zo snel naar de parkeerplaats als haar benen haar konden dragen. En ze zwaaide met iets.

Liz stapte uit de auto op het moment dat de oude dame bij haar was. Marthe legde een pakje vergeelde papieren in haar handen.

'Ziezo. Die zijn van jou. Ik ga nog op zoek naar de rest. Ze moeten ergens liggen: ik gooi nooit iets weg. Ik zal je wel bellen. Dan kunnen we weer wat kletsen!'

Nog voordat Liz de tijd had gehad om haar op de een of andere manier te bedanken, was de oude dame alweer vertrokken om de treden te beklimmen die naar het oude centrum voerden.

TWEEDE DEEL

DE OPSTANDIGEN

I

Mei 2005. Van beeld naar tekst

De banden van de Peugeot knarsten op het grind voor de boer-derij. Na alle verkeersregels te hebben overtreden, stormde Liz haar werkkamer binnen, smeet de stapel brieven op tafel en liet zich in haar stoel ploffen. Bevend vouwde ze het eerste vel open, dat overdekt was met een kinderlijk schrift, met potlood ge-schreven. De woorden dansten voor haar ogen. Ze beet op haar lip. Dit was niet het moment om te gaan janken, helemaal niet omdat sommige zinnen al zo verbleekt waren dat ze vrijwel on-leesbaar waren geworden. Liz hield de vellen bij het halogeen-lampje op het bureau.

15 november 1946

Beste Marthe,
Je gelooft het niet, maar sinds een paar dagen ben ik eindelijk Australische, en dat is een hele opluchting. Mama, Oliver en ik hebben twaalf weken op een vrachtschip gezeten, waarop we vreselijk zeeziek zijn geweest. Maar dankzij jou was ik niet meer bang om te vertrekken en ik verheugde me er zelfs op om allerlei exotische havens aan te doen. Maar ik moet je wel zeggen dat ik niet veel gezien heb van Malta, van het Suezkanaal of van Java (waar ik dertien werd!), want we mochten niet van de boot af.
Gelukkig zijn we vorige week aan land gegaan in het mooie haventje Freemantle, aan de westkust van Australië. Beste Marthe, ik weet zeker dat jij net als ik gek zou zijn op dat

mooie witte stadje onder een hemel die bijna net zo blauw is als die van Grignan (ja, echt waar!). Jij zou ook lachen om die Australiërs, die allemaal roodverbrand rondlopen met hun slappe hoeden, raar gekleed in open hemden, korte spij-kerbroeken en sokken in lage laarsjes.

Momenteel wonen we in een heel schoon pension en we we-ten nog niet wanneer we vertrekken naar de boerderij van de oom van Oliver, maar die is aan de andere kant van het land. In afwachting van ons vertrek maak ik wandelen met mama en ik hoop dat die boerderij lijkt op de mooie witte huizen die hier aan het strand staan, en dat er ook zwarte bedienden zijn, en dat ik een lady kan worden, zoals de Engelsen zeggen …

De rest was weggegumd, Liz pakte snel het volgende blad.

6 januari 1947

Beste Marthe,
Ik huil terwijl ik je schrijf. Mama, Oliver en ik zijn per trein door de woestijn gereden en dat was verschrikkelijk. We zaten opgesloten in snikhete wagons, vol stof, waarin aan één kant zelfs heel lelijke negers zaten, met een heleboel haar in hun gezicht.

Van Melbourne aan de zuidoostkust hebben we alleen vieze buitenwijken en het station gezien, en toen moesten we over-stappen op een tweede trein en die heeft ons naar een andere woestijn gereden. Vervolgens zijn we aangekomen op een plek die Swan Hill heet. Het schijnt dat het een stad is, maar ik heb alleen maar houten en stenen huisjes gezien midden in een rood landschap.

Op het station van Swan Hill stond de oom van Oliver ons op te wachten met een oeroude auto. We werden daar allemaal in gepropt en het was even doorbijten, de drie uur die die nieuwe reis duurde. Ik dacht dat mijn botten een voor een

zouden loskomen en geroosterd worden onder die duivelse zon
hier, zoals de schedels van de koeien of de schapen die we soms
zagen.
Het huis van uncle Matt (zo heet hij) is een smerig bouwsel
van planken en zeildoek midden in de woestijn, met twee
bomen die nog magerder zijn dan Australische honden.
In dat vervloekte oord gaat het alleen maar slechter en slech-
ter. Mama huilt stiekem alle avonden en ik, ik doe mijn best
om naar de vogels te kijken, want dat is het enige wat hier
mooi is. De witte papegaaien hebben een prachtige gele kuif
op de kop, en de ibissen zijn zo licht en zo sierlijk dat ik soms
denk dat als ik mijn ogen sluit en heel hard bid, ze mij mee
zullen nemen, ver weg van hier. Dan, mijn allerliefste Mar-
the, zie ik je weer terug.

Tegenstrijdige gevoelens woelden in Liz' borst. Enerzijds had ze
medelijden met dat kind dat ze nog maar nauwelijks als haar
moeder kon zien ... Anderzijds was ze bijna opgelucht om te
ontdekken dat haar emigratie, in tegenovergestelde richting, net
zo moeilijk was geweest ...
Haar blik viel op de derde brief.

12 februari 1948

Beste Marthe,
Ik dacht dat het afgelopen zou zijn met al dat werk op de
boerderij. Maar daar dacht uncle Matt anders over. Eigenlijk
geloof ik dat hij het goed vond dat mama en ik met Oliver
naar Australië zouden komen omdat hij al het idee in zijn
achterhoofd had om ons aan het werk te zetten. En onder wat
voor omstandigheden! De klussen zijn uitputtend, het half-
bloedhuispersoneel is stom, de vliegen zijn niet meer te tellen
... en dat alles onder een genadeloze zon, met slecht eten.
Uncle Matt eet 's morgens schapebiefstuk, voordat hij langs de
kuddes gaat of de irrigatiekanalen gaat inspecteren die zijn

negers graven en onderhouden. Desondanks is hij zo mager als
een lat en gemeen als de wilde honden van hier.
Bovendien kunnen we niet meer op Oliver rekenen om ons te
verdedigen, integendeel. Ik vermoed sinds een poosje dat hij
mama 's avonds slaat, als ze alleen zijn. Hij begint haar zelfs
te verwijten dat ze slecht Engels spreekt.
En toch zou het leven hier best draaglijk kunnen zijn, want
de noodzakelijke dingen zijn er altijd, net als in Frankrijk
tijdens de oorlog. Maar het lijkt wel alsof niemand dat be-
seft, behalve de negers, die nog erger worden behandeld dan
dieren.
Gisteren is mevrouw Preston gekomen, onze naaste buur-
vrouw (vijftig mijl verderop!), om ons te waarschuwen dat een
halfbloedkoeienherder een hoornstoot had opgelopen in zijn
dijbeenslagader. Oom zat te ontbijten. Hij keek niet eens op
van zijn bord maar hij zei: 'Laat hem maar creperen, Emmy,
er zijn zat bastaarden die staan te wachten om zijn plaats in
te nemen. De gieren ruimen hem wel op.'
Och, lieve Marthe, ik mis je zo, en ik mis Frankrijk ...

Met een prop in haar keel pakte Liz voorzichtig het laatste vel,
alsof haar vingers naar andere vingers zochten, naar andere
huid. Toch was er slechts enigszins verkreukeld en wat vochtig
papier. Het handschrift hier was uitgesprokener, rijper.

3 november 1950

Beste Marthe,
Kun je mij de afgelopen twee jaar van stilzwijgen vergeven?
Maar wat had ik je ook kunnen vertellen, afgezien van de
dagelijkse hel die ons leven hier is geworden?
Twee jaar lang heb ik gewerkt als een slavin, zonder te we-
ten wie ik was noch wat mijn leven voorstelde. Mama leed
aan hallucinaties: ze zag overal mijn vader. Een week geleden
kwam Oliver de eetkamer binnen terwijl mama zat te praten

met de geest van papa, toen ze het zilverwerk van uncle Matt zat te poetsen.

Oliver stonk uit zijn mond en wankelde. Hij heeft mama bij de keel gegrepen, heeft haar een paar oorvijgen verkocht en haar daarna met een enorme mep tegen de muur gesmeten. Ik werd wild van woede en van angst en ik ben hem aangevlogen. Hij heeft me geslagen, ik ben tegen de tafelpoot gevallen, half bewusteloos. Hij heeft mama over de grond gesleept, is op haar gaan zitten, heeft haar rok opgetrokken en zijn broek laten zakken. En toen heeft hij iets gedaan wat ik je niet hoef te vertellen, Marthe. Het was weerzinwekkend. Mama lag roerloos en ik vroeg me af of ze dood was. Maar op een gegeven ogenblik bewoog ze toch een beetje. Toen Oliver klaar was is hij plotseling opgesprongen en heeft haar geschopt, zo hard dat ik mijn ogen dichtdeed. Daarna is hij vertrokken en kon ik overeind komen. Ik keek naar mama: haar gezicht was veranderd in een afschrikwekkend masker.

Die ochtend, toen de mannen weg waren naar het veld, zijn mama en ik weggelopen, met ieder alleen een koffertje. Mama had nog wat moeite met lopen, maar de angst dreef haar toch voort. En gelukkig kwam er een oude rammelkast voorbij: mevrouw Preston ging naar de stad. Toen ze mama's gezicht zag heeft ze ons meegenomen zonder vragen te stellen, en een paar uur later namen we de trein naar Sydney.

Mijn lieve, lieve Marthe, ik hoop je binnenkort de details van ons nieuwe leven te kunnen beschrijven. Dat kan slechts ...

Dat was het einde van de bladzijde, en het laatste vel. En als Marthe die andere brieven niet terugvond, hoe moest Liz dan weten wat er daarna gebeurd was? Heel even bedacht ze dat ze misschien liever niets had willen weten, in plaats van slechts een flard van haar moeders jeugd. Een lelijke flard, die in haar hart een nog groter gat sloeg.

1835. Voorspel op de hel

Ondanks een uiterlijk dat weinig strookte met Koo-ri-schoonheidsbegrippen, was Joanyoo, de zoon van Darrunha, aangenaam om naar te kijken. De goudbruine weerschijn van zijn haardos leek iets unieks, iets van de ouden. Zijn gezicht en zijn lijf waren een stuk bleker dan dat van zijn voorouders van de ondergrondse wereld, zoals die beschreven werden in de legende. Zo erg dat zijn moeder lang bang was dat hij door de maan zou worden opgegeten. Net zoals die ogen met de kleur van de dageraad haar bang maakten, die, als je erin keek, je het gevoel gaven dat je in het land van de geesten dook. Om al die redenen werd het verhaal van Joanyoo verwerkt tot een lied dat in de loop van de ceremoniën uitgewisseld werd. En dat zelfs nog voordat het leven van de jongen tot een einde kwam, nog voor zijn ongewone dood.

Joanyoo was amper vijftien winters toen hij zijn levenskracht doorgaf aan het kind van een van zijn voormalige speelkameraadjes.

Agramea, het kind in kwestie, was heel knap, maar veel minder getekend door de kracht van de binnenvallende vreemdeling dan haar vader. En afgezien van enkele legendefanaten vond de rest van de stam het zo allang best. Ze begonnen immers geruchten op te vangen van dat kampement dat de blanken huis of instituut noemden, en dat in Paramatta[17], aan de noordkant van de baai, bewoond zou worden door kleine Koo-ri-halfbloeden. Het zou zogenaamd bedoeld zijn om hen te laten profiteren van de ongewone opvoeding, maar in de praktijk was het niets anders dan een middel om die kinderen van hun gezin en van hun gemeenschap te vervreemden, en om ze de onderdanigheid van een goede bediende bij te brengen. En al leek de baai voorlopig niet bloot te staan aan nieuwe invallen, velen hadden zo'n vermoeden dat dat niet lang meer zou duren.

Tien winters waren voorbijgegaan sinds de geboorte van Agramea, toen nieuwe Vissebuiken verschenen. Het merendeel van hen was er niet best aan toe, afschrikwekkend vermagerd, onder de korsten en de wonden, in vodden gestoken, door een weerzinwekkende stank omhuld ... en ze waren aan elkaar vastgeketend. De groep, zo groot als twee aanzienlijke stammen, was in de baai aangekomen onder bewaking van een bataljon andere blanken, allemaal in het rood gestoken en voorzien van die stokken die doodden.

Verscholen in het bos hadden de Jerr-inga hen bekeken. Ze kapten bomen langs een weg die de baai verbond met Braidwood, een stad aan de andere kant van de bergen. De stamleden die een beetje de taal van de invallers kenden, begrepen dat ze die weg wilden gebruiken om het vel van die vreselijke grijs-witte beesten te kunnen vervoeren die tegenwoordig aan de andere kant van de toppen graasden. Ze wilden het tot aan de baai kunnen brengen en van daar naar de stad van de baas van de invallers, Sydney.

De Jerr-inga-mannen gingen naar een van de kreken waarvan zij wisten dat de invallers die niet kenden, om met de ouden te beraadslagen. Joanyoo wilde meteen zijn mening doordrukken.

'We moeten vechten! Ze kennen de streek niet ... we kunnen ze zo uitroeien!'

Op de ouden, die wisten onder wat voor omstandigheden hij geboren was, had zijn overtuigingskracht een zekere uitwerking. Temeer omdat de vrouwen mompelden dat de kracht van Joanyoo veel groter was dan die van een normale Koo-ri.

Die avond maakten de mannen hun wapens gereed. Speren, boemerangs, pijlen en bogen, stokken, messen, slingers, bijlen. Vervolgens overlegden ze over een aanvalsplan. Daarop wendden ze zich tot de geesten van de voorouders en beschilderden hun lijf, alvorens zich tot de vrouwen te wenden om hun buiken te vullen. De aanval was vastgesteld voor middernacht.

Wat daarentegen niet voorzien was, was dat Joanyoo zich

verwijderde van de zijnen, niet in staat de aantrekkingskracht te weerstaan van de jonge Baregga, die zojuist de vrouw was geworden van zijn vriend Oluno. Dat had verder geen problemen opgeleverd als Joanyoo het bij één keer had gelaten. En helemaal niet als Oluno hen niet had betrapt toen ze voor liefkozende buidelratten aan het spelen waren.

'Verrader! Valse broer! Hoe kun je me dat aandoen? Mij … terwijl je ze allemaal kunt krijgen!'

Toen had de tengere en lelijke Oluno, in de ban van een vreselijke woede, de haren van de mooie en sterke Joanyoo gegrepen, die nog niet eens de tijd had gehad om zich los te maken uit de dijen van Baregga. Oluno trok het mes dat hij aan zijn middel droeg, trok het hoofd van zijn vriend achterover en sneed hem de keel af. Met onmiddellijk resultaat: stuipen en spuitend bloed. Baregga begon te gillen terwijl het levenssap van haar minnaar zich over haar verspreidde en zijn zaad nog over haar buik liep. Toen probeerde ze wanhopig achteruit te kruipen op haar ellebogen, maar het lukte haar niet onder het lijk uit te komen, dat dwars over haar heen lag.

Oluno wierp zich op zijn jonge vrouw, met de duidelijke bedoeling haar hetzelfde lot te laten ondergaan. De andere mannen verhinderden dat.

De gebeurtenis ondermijnde danig de moraal van die zojuist gemobiliseerde krijgers, die op het punt stonden voor hun vrijheid te gaan strijden. Ze besloten dat dit geen goed voorteken was en dat ze dus moesten wachten.

Maar enkele dagen later drongen andere bataljons de gebieden rond de baai binnen. Vanaf het klif tegenover de rots van Narduaa, zag Ban-iaa-met-de-Scherpe-Blik een paar Roodjassen. Die kwamen van de voet van de hoge bergen die vroeger door de voorouders over waren getrokken, bij de ingang van het oude dal. Murrin, het stamhoofd, liep naar de rand van het klif, zijn mannen achter zich aan. Daar zette hij een hoge borst op, hief zijn *nulla-nulla*[18] boven de golven en daagde de Roodjassen plechtig uit: 'Vertrek! Neem uw geschenken en uw gebruiken weer mee, uw stokken van hout en licht, uw kwade geesten! Wij willen alleen de vrede van de Ju-kuur-gar van de oorsprong, wij willen slechts spreken met onze eigen voorvaderen!'

Uiteraard klonk er geen spoor van een antwoord, en achter elkaar, in het bleke ochtendlicht, liepen de Jerr-inga de helling met jong gras af en drongen vervolgens het kreupelhout binnen. Geen van hen wierp een blik achter zich, naar de vrouwen en kinderen die ze daar achterlieten. Ze waren er zeker van dat wat er ook gebeurde, de levenskracht van de nieuwe generaties zou overwinnen. Net zoals de generaties van vroeger uiteindelijk de oude vijanden hadden overwonnen, zelfs toen die hun eigen gewoonten waren geweest.

Stilletjes vorderend tussen de acacia's en de gombomen, aan de rand van het dichtere hoge woud, merkten de krijgers plotseling een meervoudige aanwezigheid op. Geen enkel ongebruikelijk geluid verstoorde echter de levendige stilte van de natuur. Was dat het leger van de Vissebuiken al? Dat kon niet. Die hadden niet zonder zich te verraden al zo ver op kunnen trekken. Op dat moment strekte de zon, achter hen, haar vurige handen over de zee uit en hees zich bloedrood boven de rustige golven. De aanwezigheid verdampte. Murrin bleef plotseling staan en slaakte een kreet.

'Dank, voorvaderen! Dankzij u zullen wij het leed vergeten, zullen wij de vermoeidheid niet voelen, zullen wij niet wanhopen.'

De dag vorderde langzaam en de schaduwen werden korter, waardoor een deel van het gefluister van het bos tot zwijgen werd gebracht. Het kronkelige pad van de stamleden voerde hen naar de eerste welvingen van de heuvels die de grens vormden van de gebieden rond de baai, toen er plotseling onbekende stemmen klonken vanuit het noordwesten, stroomopwaarts langs de grote rivier. De Jerr-inga verstarden, krompen geruisloos ineen en verdwenen in het kreupelhout. En toen, met ingehouden adem, zagen ze de Roodjassen.

Die mannen droegen hoeden die nog meer opvielen dan hun

kleren, maar ook stokken van hout en licht, waarop messen zaten die geslepen waren uit een zo gladde en scherpe steen dat de schaduw van de wolken erin te zien was. En bovenal liepen die Roodjassen op een heel vreemde manier, zonder ook maar een poging te doen zich te verbergen, zonder zelfs maar te proberen stil te zijn. Integendeel.

Als ze gezien wilden worden door alle schepselen van de wereld, levende of geesten, was dit de manier: in gesloten formatie, stijf en oneindig lawaaiig, allemaal in dezelfde cadans op de grond stampend, op een manier die een reusachtige duizendpoot uit de legende ongetwijfeld nooit was gelukt.

Wilden ze indruk maken? Hadden ze nog nooit van een hinderlaag gehoord? Of waren ze zo machtig dat ze er niet voor terugdeinzen de voorouders te beledigen en het lot te tarten door het bos te bezoedelen? vroeg Murrin zich af. Kunnen wij ons toch nog terugtrekken? dacht Ban-iaa-met-de-Scherpe-Blik.

Murrin stak zijn beide tot vuisten gebalde handen naar voren, legde de rechter toen op de linker. Vervolgens keek hij om zich heen of iedereen het had gezien. De helft van de mannen van de stam sprong op, terwijl de andere helft bogen spande en pijl na pijl afschoot. De kreten die daarop uit hun borst opstegen gingen over in doodskreten, zoals die ook hadden geklonken bij de achtervolging van de Ti-ra-kaa, na de doodsstrijd van de jonge Narbeth, in de diepten van de Jerr-inga-tijd. De pijlpunten drongen in de borsten van de vijand, tegelijkertijd met de speren, net voordat de dodelijke boemerangs en de ronde stenen hun halzen en gezichten bestookten.

Het bataljon Vissebuiken, aanvankelijk volslagen verrast, verspreidde zich in een zwerm Roodjassen. Sommigen zakten op de grond ineen en Murrin kreeg even spijt van hun aanval. Want het rood van het bloed werd opgenomen in dat van het protserige uniform: nooit hadden de voorouders van die mannen kunnen weten dat zij zich zouden opmaken om hun gronden koste wat kost te bereiken, en dat ze daar zouden wegrotten zonder dat iemand hen zou komen halen.

Het jonge opperhoofd had niet lang de tijd om spijt te hebben.

Onder onbegrijpelijke kreten van een grote man in het zwart hergroepeerden de overlevenden zich achter een hoge rij donkere bomen. Weer klonken er keelklanken. De stokken van hout en licht werden schrap gezet tegen de schouders van de Roodjassen. Er stegen rookwolkjes uit op, tegelijk met harde knallen, net als het getik van muziekstokken in de eerste minuten van een initiatieceremonie. Het resultaat was echter precies het tegenovergestelde. Eén voor één zakten de stamleden in elkaar, als onder een wilde vloed des doods.

Het ritme van de knallen werd opgevoerd. Naarmate er meer Jerr-inga vielen, kwamen de Roodjassen achter de stammen tevoorschijn. Langzaam, terwijl ze hun vreselijke wapens bleven gebruiken, trokken ze op naar de mannen wier bloed al over de ingewikkelde motieven van witte klei stroomde. Degenen die zich probeerden op te richten werden weer geraakt door dat vreemde koudvuur, dat onmiddellijk en genadeloos het lichaam doorboorde. En steeds meer bloed stroomde in de grond van de kinderen van Pinanga en Pullinwa.

In de daaropvolgende weken bleven de Jerr-inga die aan de slachting waren ontsnapt de bijl en de nulla-nulla opheffen tegen de Roodjassen. Maar de laatsten drongen steeds meer op aan de ingang van de baai, leken zich te vermenigvuldigen naarmate ze werden gedood. Al snel spotten de overlevende Koori niet meer met de Vissebuiken met hun vreselijke taal, hun grofheid, hun onwetendheid over de dingen van de aarde en de voorouders, want ze waren in aantal niet sterk genoeg meer om hen aan te kunnen.

Ze vluchtten naar het zuiden van de baai. En bij elke schemer werden ze iets meer vreemden in eigen land. Om hen heen veranderde alles. Toen de herfst ten einde liep, werd Bou-deree Jervisbaai en de kreek van Ma-kaa-lo, de plek van de zomerwolken, kreeg de naam Wreck Bay.

En toen, met de komst van de eerste koude winter uit de legendarische bergen, gingen de grondgebieden van de ouden over in nieuwe handen. Een zekere Archibald Tyrel kocht het grootste gedeelte ervan. Het geheel herdoopte hij met de Aboriginalnaam Coolan-gata, die hij regelmatig hoorde als hij naar een groepje 'negers' toe liep, zoals hij ze noemde. Hij heeft nooit geweten dat dat 'Vissebuik' betekent en het verhinderde hem ook geenszins hen te dwingen voor hem te werken. Want die 'negers' hadden één grote kwaliteit: ze waren goedkoop. Je hoefde ze niet te betalen, je hoefde ze slechts te voeden en ze wat kleren te geven. Dat stelde Tyrel, evenals alle andere indringers, in staat er talloze bedienden op na te houden.

Maar heel veel overlevende Jerr-inga weigerden dat. Sommigen werden overgeplaatst naar streken die als nutteloos, dus onherbergzaam, werden beschouwd. Anderen hergroepeerden zich in miserabele kampementen of zwierven langs de kust. Slechts enkelen ontsnapten aan epidemieën van griep en pokken, terwijl de inlandse dieren bezweken onder de druk van pas ingevoerde soorten: schapen, runderen, paarden, konijnen, vossen, katten ...

Er begon een nieuwe cyclus.

Mei 2005. De allegorie van de hagedis

Ze greep het Harrap's-woordenboek dat altijd op haar bureau lag. Ze legde het zonder omhaal op de vergeelde velletjes die haar enige erfgoed vormden. Om te voorkomen dat ze weg zouden waaien? Of om te voorkomen dat de gebeurtenissen uit het verleden het heden zouden binnendringen ...

Liz wist het niet. Ze liep als een slaapwandelaarster de trap op, liet haar kleren in een hoopje op de vloer van de kamer vallen en glipte in evakostuum onder het laken.

Met haar neus in haar kussen maakte ze zich op om in slaap te glijden. Op dat moment viel het lichaampje dat over de balk boven haar hoofd galoppeerde met een hoorbaar plofje op bed. Liz schoot overeind en zag de hagedis op het laken omrollen. Ze stak haar hand uit naar haar leeslampje toen een vreemde lucht in haar neusgaten drong. Gas.

Haar wijsvinger aarzelde even voordat ze de schakelaar omzette. Ze stortte zich uit bed en rende blindelings de trap af naar de begane grond. Een vreemd gefluit klonk op uit de rechter hoek van de enorme rechthoekige keuken, net naast de oven. Hier was de geur veel indringender. En niet zonder reden: de slang tussen de gasfles en het kooktoestel hing los. Liz sloot bliksemsnel de fles en opende vervolgens ramen en luiken. De nachtlucht kwam met frisse golven naar binnen. In de verte loeide een koe.

Liz sprong op, pakte een zaklamp uit een la en rende terug naar haar kamer. Daar scheen ze met de lichtstraal over haar bed. Ze boog zich naar het laken, dat gedeeltelijk op de grond hing, en tilde het op. Nog steeds niets. Had ze gedroomd?

Het luik piepte. Liz keek op. Op de vensterbank, in een manestraal, zat de hagedis haar te bekijken, de nek opgeheven, als op de loer. Ze wist niet of ze zich het nu verbeeldde, maar ze had heel even het idee dat het beestje het kopje scheef hield. Om vervolgens te verdwijnen.

's Morgens vroeg, nadat ze de hele nacht de sloten van het huis had nagelopen en eindeloos had lopen gissen, liep Liz door de boomgaard naar Joseph en Marguerite. En toch, op het moment dat ze op het punt stond om bij hen aan te kloppen, voelde ze zich een idioot. Ze kon die brave mensen toch niet over zoiets onbenulligs gaan lastigvallen: ze zouden er moe van worden. Ze wilde zich net omdraaien toen Marguerite in de deuropening verscheen, haar handen afvegend aan haar eeuwige gebloemde schort.

'Ziede wel, ik docht al datter iemand veur de deur stond. Kom toch binnen meid, 'k hè net theegezet, met oliegebak[19] ... Het is wel nie heulemaal 't seizoen, maar 't is lekker!'

De oude dame, klein van stuk en nog steeds erg bruin, droeg op haar wangen en haar dijen de sporen van haar snoeplust. Door haar dikke bril keek ze toe hoe Liz ging zitten, en zette haar daarop meteen een kom van een dik zwart vocht voor, met een enorm stuk gebak. Dapper beet Liz erin toen Joseph de keuken binnenkwam en zijn pet op zijn achterhoofd schoof.

'Ha die meid! Alles goe? Aardig van oe om es langs te kommen.'

Liz moest het stuk gebak dat aan haar tanden kleefde doorslikken voordat ze kon uitleggen wat haar de afgelopen nacht was overkomen. Joseph fronste zijn wenkbrauwen.

'Tja ... wa da gas aangaat, daar mutte gewoon goed op lette. Da's nog veul gevaarlijker as spoken. En wa die hagedis betref ... da's zo gek nie, die kommen overal binne. Maar ge hoef nie te denke dattie oe het zitte bekoekeloere, da beest. Beesten binne nie zo as wij. Vorig jaar ha'k een veule van veertien daag en die kreeg de groene reeskak. Die hek mooi naar 't slachthuis brenge kenne! En deur die vuiligheid konde we hum nie eens opvrete!'

Het laatste stukje gebak bleef enkele centimeters voor Liz' mond hangen. Haar culturele integratie was nog lang niet afgerond. De oude man fronste streng zijn wenkbrauwen.

'Nou nou, meske, daar mutte toch nie van schrikke! Ge zij nou nie meer in de stad, witte! Trouwes, ik wit nog 'n veul betere. Diën grote Roberte, die nou zo krom loopt ... Wel ... al d'r koters, die het ze in de stal gemokt, om de lakens schoon te houwe. En de koeie konden toch niks verder vertelle. En zij dee net alsof die koters van d'r daardeur sterk waren als stiere! Moar ja, die Roberte, die het ze niet allemaol op een rijtje.'

Aan het eind van de ochtend keerde Liz naar huis terug vol oliegebak en meer of minder onsmakelijke anekdotes. Daarentegen bleef de enige verklaring voor het nachtelijk ongemak haar eigen onoplettendheid. Vastbesloten om dit verhaal niet tot een obsessie te laten uitgroeien, begon ze de scheuren te dichten die nog steeds de muren van de oude boerderij ontsierden. En al snel, boven op een ladder, met een troffel in de hand, begon ze te fluiten.

Die avond controleerde ze toch drie keer de kraan van de gasfles voordat ze naar bed ging, haar gedachten voornamelijk beheerst door renovatieproblemen.

De volgende ochtend werden haar dromen van gips dat niet wilde uitharden en verf die niet wilde drogen onderbroken doordat haar mobieltje overging. Terwijl ze zich met moeite aan de nachtelijke nevelen ontworstelde, greep ze haar handtasje, dat naast haar nachtkastje stond, en klapte het apparaatje open. Een diepe stem deed haar schrikken. Liz schoot overeind in haar bed. Hij was het. En ondanks haar kersverse onafhankelijkheid was het zijn telefoontje en van niemand anders waarop ze, min of meer bewust, al weken zat te wachten. Hij, naar wiens groene Rover ze zogenaamd nooit, maar dan ook echt nooit had uitgekeken …

'Liz? Ik maak je toch niet wakker?'

Het 'nee' dat uit haar nog plakkerige mond rolde leek eerder op gegorgel dan op een bevestiging.

'Ik vroeg me af … Volgende week ben ik in de buurt …'

Bij die woorden werd Liz hoogrood, alsof ze een heel kistje Spaanse pepers had ingeslikt.

'Zou je het misschien leuk vinden om mij je onderkomen te laten zien, en wie weet Grignan? Dan zal ik je de volgende keer Parijs laten zien …' (hij moest even lachen) '… en wat beter dan de vorige keer! Wat vind je daarvan?'

Ze moest zelf ook lachen. Terwijl ze tegelijkertijd haar best deed zich te vermannen. Koelte, wantrouwen, helderheid. Koelte …

Automatisch trok ze de sprei voor haar borsten.

'Ralph, ik …'

'Toe … zeg nou ja … Het zou te gek zijn, echt waar! Dat ben je me toch wel schuldig!'

De ellendeling, dacht ze glimlachend bij zichzelf. De ellendeling.

Ze sloot het mobieltje, rende naar de badkamer en installeerde zich voor de grote spiegel. Een uur later zat ze er nog.

1892. Halfbloeden en andere 'makaken'

Pakkaala was amper zes. Ze was de dochter van Berrigaan, het kleinkind van Agramea, zelf de dochter van Eminjeyan en kleindochter van Darrunha, van het glorieuze geslacht der Jerringa, allemaal kinderen van Pullinwa. Het was een kind met glimmende kastanjebruine haren, grote groene ogen en een bijna blanke huid. De levenskracht die aan de kinderen van die vrouwen was doorgegeven was dan ook al sinds duizenden jaren afkomstig van afstammelingen van de Koo-ri. Maar die waren vervangen door de Vissebuiken, die de stam zijn meest elementaire rechten hadden ontnomen, de vrouwen dienstbaar hadden gemaakt en zich tussen hun dijen hadden genesteld. En Pakkaala droeg, zoals voortaan zo veel anderen, de levenskracht van een blanke in zich. Deze ene was een afstammeling en erfgenaam van Archibald Tyrel, die zich de gronden rond de baai van hun voorouders had toegeëigend.

Die ochtend, op een van de weinige ogenblikken van vrijheid, gestolen van de tijd die zij haar westerse meester schuldig was, liep Pakkaala achter haar moeder aan langs de zee. Samen renden ze, blind voor de dreigende wolken die de dageraad vertraagden, tussen de bomen door, vergaten hun moeheid in de wind, ademden gretig de lucht in van de open zee, die hen thuisbracht. Toen beklommen ze de lange helling die naar het klif voerde, renden het steile pad af naar de geheime kreken, tegenover de rode rots van Narduaa. Eindelijk kwam de zon op, waardoor de horizon rood kleurde. Plotseling leek alles weer mogelijk, als bij de dageraad in vroeger tijden.

Moeder en dochter raapten schelpen, draaiden een schildpad op zijn rug, die ze roosterden boven een vuur op het zand. Berrigaan sprak in het Dharawal tot het kind. De jonge vrouw kende verscheidene Koo-ri-talen, naast die van haar stam ... en natuurlijk ook Engels. Maar dat was de taal van de bezetter. Minuut na minuut stelden ze het ogenblik uit dat ze terug zouden moeten naar het stinkende hok dat nooit hun thuis zou zijn, op het landgoed waarop ze, door het feit dat ze Koo-ri waren, moesten gehoorzamen en dienen. Toch moesten ze al gauw de weg naar het huis van de meester weer inslaan.

In hun hut waste Berrigaan haar voeten, deed haar oude sandalen aan, liet de jurk die ze droeg, en die ze de afgelopen uren met haar ceintuur had opgebonden, langs haar benen zakken. En toen rende ze weg om haar werkzaamheden weer op te pakken. Die zouden waarschijnlijk pas laat in de avond eindigen ... als de meester haar niet zou bevelen te blijven, om te voldoen aan het soort lusten dat de geboorte van de kleine Pakkaala had veroorzaakt.

Aan het begin van de middag pakte dat kleine meisje de lege melkkan en liep de hut uit. Met haar hoofd nog vol van de verrukkingen van die ochtend lette ze niet op de mannen te paard die in de verte verschenen. Zij draafden in stilte aan de rand van het gazon en de vijvers rond het huis van de meester, een groot wit huis, dat schuilging onder eucalyptussen. Tot het moment waarop ze haar zagen. Toen gaven ze hun rijdieren de sporen, reden door het weiland en vervolgens door de boomgaard.

Pakkalaa draaide haar hoofd om, aarzelde, bleef staan. De ruiters reden het erf met de konijnen- en kippenhokken op, voordat ze stilhielden op het modderige terrein dat hen nog scheidde van de hutten van de inlandse bedienden. Het kind voelde hoe haar hart sneller sloeg. Ze zette de melkkan aan haar voeten en van onder haar wenkbrauwen keek ze hoe de man in uniform afsteeg. Toen ze begreep waarom, wilde ze het op een lopen zetten. Maar het was al te laat. Hij had haar te pakken, opgetild, in zijn arm geklemd en was weer in het zadel gaan zitten, terwijl hij haar vasthield alsof ze niets anders was dan een baal vuil wasgoed. Het kind brulde. Hij hield zijn grote hand voor de mond van Pakkaala en gromde: 'Houd je bek, smerig wurm! Het wordt tijd dat je leert te werken!'

Terwijl hij het kind dwars over het zadel legde, boog de man zich naar voren, gaf zijn paard de sporen en galoppeerde weg. Op dat moment zag Pakkaala, klem tussen de beide schepsels die haar ontvoerden, niets anders meer dan schaduwen van dingen en wezens die voorbijvlogen, in een onophoudelijke stofstorm. Totdat ze voelde hoe het dier onder haar de pas in-hield, de man boven haar rechtop ging zitten, dat ze niet meer werd vastgehouden maar ergens in een hoek tegen een grijze, vochtige muur werd gesmeten, ver van de hemel en de zon.

Geplaagd door tranen en nachtmerries, met de handen achter de rug gebonden met touw dat haar huid openhaalde, bracht Pakkaala een vreselijke nacht door in de gevangenis van Nowra en durfde zelfs haar moeder niet te roepen. Toen de dag de kou-de sterren van de nacht verjoeg en verscheen tussen de tralies die het celraampje bedekten, had het meisje de ogen al heel lang open en een antwoord gevonden op de vreselijke vragen die haar halfslaap hadden geteisterd. Het antwoord deed haar nog meer verstenen.

Ze besloot dus haar geest af te wenden van wat er gebeurde, te denken aan de voorouders, aan hun reizen, aan de obstakels die zij hadden overwonnen. Ze sloot haar ogen. En de vibraties die langs haar stembanden opstegen leken vreemd genoeg op die welke duizenden jaren daarvoor hadden geklonken uit de keel van de legendarische Pullinwa, toen zij, naast de oude Bur-nuu en alle anderen van de voorvaderlijke stam, afscheid had genomen van de geesten van de mannen die waren omgekomen door de laatste Bun-yip. Ook Pakkaala nam op haar manier af-scheid. Van diegenen onder de haren die ze niet had gekend en die ze ook nooit zou kennen. Van haar moeder.

In het uur dat daarop volgde werd ze met andere meisjes in een trein gestopt en naar een onbekende bestemming af-gevoerd. En daar, ondanks het heen en weer schudden en de zure lucht die uit de kapotte plankenvloer opsteeg, ondanks het vasten waartoe ze veroordeeld was, bleef Pakkaala roerloos en zwijgend zitten, alsof haar lot haar koud liet.

Na uren en uren rijden liep de trein eindelijk het station van Goulburn binnen, een vieze, lelijke stad midden in New South Wales. De kinderen werden uit de wagons gejaagd en bij enkele tientallen andere lotgenoten met een meer of minder donkere huid en een wanhopige uitstraling gevoegd, die al enkele dagen zaten te wachten tot de groep groot genoeg zou zijn om een konvooi te kunnen samenstellen. En toen de bergwind opstak en de hemel in het oosten betrok, werden ze allemaal in rammelende laadbakken van oude rijtuigen gestopt.

Deze brachten hen naar een groot gebouw met een bleke, afbladderende voorgevel. Ze moesten snel uitstappen, in de rij gaan staan en een binnenplaats op lopen waar vuil grind lag. Een vrouw in een grijs uniform sprak hen toe, beval hun de mond te houden en haar te volgen.

De meisjes liepen een voor een een enorme, slecht verlichte zaal in, waarvan de ramen bedekt waren met zwart gemaakt krantenpapier. Daar brachten drie jonge halfbloedvrouwen zwijgend stapels uniformen binnen die leken op de hunne. Op dat moment schrokken ze allemaal van een geweldig gebrul, dat van boven kwam en werd gevolgd door een geluid van slagen.

Die avond, toen ze zich naar de eetzaal begaven, ontdekten de nieuwkomers het naakte lichaam van een meisje van een jaar of twaalf, geketend aan een pilaar van een van de afdaken. Ze was tot bloedens toe geslagen. Met de kin op de borst, de ogen dicht en paars aangelopen lippen kon ze nog amper ademhalen. Tijdens het eten, koude grutten, kwam de opzichtster het reglement voorlezen, de lijst van verboden, van straf en van plichten. Voor de meisjes begon een nieuw leven in het meisjestehuis van Cootamundra, in een constant halfduistere wereld.

De tijd was er vooral gewijd aan werk, onderbroken door onderwijs dat weliswaar in geringe mate lezen, schrijven en rekenen omvatte, maar vooral bestond uit zeer praktische leerstof: wassen, strijken, koken, verstellen … kortom, een opleiding tot een goede dienstbode. Maar ver van het licht en de ruimte van vroeger moesten ze vooral leren vergeten. Hun Koo-ri-naam vergeten, een Engelse aannemen. Huidskleur, familie, vrienden vergeten en wat daar volgens de blanken bij hoorde: hun primitieve afkomst, viezigheid, luiheid, stomheid en losbandigheid. Dat alles ten bate van beschaving, discipline, bekwaamheid.

Al heel snel wist Pakkaala dat ze daar niets van moest hebben. En even snel besloot ze het toneelstukje mee te spelen, om zich te onttrekken aan de haat en de walging van degenen die vreesden dat de halfbloeden, die 'gekleurde makaken', de overhand over de blanken zouden krijgen. Ook besloot ze dat ze ondanks alle hekken en sloten zou ontsnappen, elke dag iets meer. Daarvoor hoefde ze alleen maar door de trieste uniformen, de vieze muren en de magere soep heen te kijken, om de oceaan te zien, de meeuwen die boven een vol net dansten, de pelikanen die slaags raakten om een paar vissen. Tot op de dag waarop ze uiteindelijk echt uit Cootamundra weg zou kunnen en op pad gaan naar de baai, om weer een Jerr-inga te worden.

2

Juni 2005. Besluiten rond de ketel

Liz had al honderdmaal op haar horloge gekeken. Ze had haar wekker gecontroleerd, en ook de keukenklok. Ze was zelfs gaan kijken op het klokje in haar auto en op de zonnewijzer in de oude fontein voor de boerderij. Ze had het mos weggekrabd, alsof de zon zich zou kunnen vergissen.

Hij was wat laat. Hij was veel te laat. Daarna verschrikkelijk veel te laat. Ze was klaar geweest. Ze was meer dan klaar geweest. Toen stond ze op het punt om in tranen uit te barsten. Vreselijk teleurgesteld. En vreselijk boos. Ze was woedend geweest, omdat ze haar fameuze devies was vergeten. Koelte, wantrouwen, helderheid.

Toen was de gedachte in Liz opgekomen dat ze iets moest doen om haar woede te koelen en niet zo te blijven zitten. Onmiddellijk. Ze was dus de goot gaan repareren die aan de voorkant van het huis langs het dak liep. Die rottige halve zinken buis zat vol viezigheid, waardoor het water niet weg kon. Daardoor liep er een smerig bruinachtig spoor langs de stenen muur, waarop ze dagenlang had moeten poetsen. Om niet te veel te hoeven nadenken, was er niets beters dan lijfelijk aan de slag te gaan. Dat wist ze uit ervaring. En als ze haar spieren, botten en pezen tot de pijngrens kon brengen ... dan zou ze zelfs niet meer in staat zijn om ook maar één gedachte te hebben. Ze veegde met haar onderarm over haar voorhoofd. De zon steeg in de hemel en hier, in de Provençaalse Drôme, deed het einde van het voorjaar geen loze beloften. Over een paar dagen zou Liz af en toe het idee krijgen dat het warmer was dan in Sydney midden in de zuidelijke zomer. Het zweet stroomde haar in de ogen. Haar tuinhandschoenen plakten aan haar handen. Op dat ogenblik zou ze er wat voor over hebben gehad om ergens aan het strand te zitten, in Sydney of elders. Om de zilte wind op haar huid te voelen, de lucht van zeewier te ruiken, door het zand te lopen, in het turquoise water van de zee te duiken, in de verte dolfijnen en walvissen te zien zwemmen.

Ze schudde haar hoofd. Dat soort stomme fantasieën hielpen haar ook geen meter verder. Werken was de oplossing, de enige die ze kende. Zich flink uitputten door met uiterst praktische dingen aan de slag te gaan luchtte haar op. Daardoor kon ze zich vastklampen aan de werkelijkheid, en de beelden die haar heel even hadden bestookt verjagen.

Toen er stappen klonken op de grote tegels die door de tuin heen waren gelegd, draaide ze zich niet eens om. Het was nu echt niet het juiste moment om Joseph te moeten aanhoren, die haar natuurlijk weer kwam vervelen met een van zijn verhaaltjes. Een groot stuk autoband zat vast aan het einde van de goot. God mocht weten hoe dat daar was terechtgekomen. Al een paar minuten probeerde Liz het los te krijgen, zonder resultaat. Ze trok er eens flink aan en vloekte van inspanning.

'*Bloody ...*'

Ze liet het feitelijke scheldwoord in de lucht hangen.

'*Bloody ... thing?*'

De stem deed haar ter plekke verstijven. Ze sloot de ogen, alsof ze de macht had de nieuwkomer in het niets te laten oplossen ...

Voor haar geestesoog trok de schade voorbij. Straaltjes zweet en smerigheid besmeurden haar gezicht en haar lijf. Haar korte haren plakten tegen haar kop als een vieze muts. Haar huid en kleren waren bevuild door allerlei troep, van veren vol vogelpoep tot spinnewebben, met her en der resten verteerd blad en roest van de goot. Als kroon op haar werk had ze, maar enkele seconden eerder, een flinke fluim op de grond gespuugd om haar mond te ontdoen van de viezigheid die ze had binnengekregen.

Die moest hij gezien hebben. Ze wenste onmiddellijk door de grond te kunnen zakken.

Maar dat gebeurde niet. Integendeel: een heel bescheiden keelschrapen onder aan de ladder maakte haar weer duidelijk dat er sprake was van de aanwezigheid van een mens. Van het mannelijk geslacht, dus ongeduldig.

Ze opende haar ogen, draaide haar hoofd een fractie en voelde zich nog roder worden. Hij was het wel degelijk. Groot, onberispelijk gekleed in een hemelsblauw overhemd en een spijkerbroek, het gezicht deels verscholen achter een enorme bos zalmkleurige rozen. Van het soort dat aarzelt tussen fatsoen en een liefdesverklaring.

Liz verstijfde. Gek genoeg voelde ze afgezien van woede, verrassing en angst om belachelijk gevonden te worden, vooral veel opluchting: hij was eindelijk toch gekomen. Ze haalde eens diep adem en probeerde zich te ontspannen. Dat lukte voor geen meter. Toen wierp ze een angstige blik over haar arm en glimlachte even krampachtig.

'*Hello!* Hoe gaat het?'

Hij lachte.

'Goed. Maar het zou nog beter gaan als jij van die trap af zou komen!'

Hij had gelijk. Het zou belachelijk zijn om een been te breken. Maar bleef hij haar dan staan aankijken? Ze daalde één trede af. Toen probeerde ze bevallig te doen en vond zichzelf een grote kluns.

Eindelijk voelde ze grond onder de voeten en ze draaide zich om. Hij bleef glimlachen. Ze spande haar kaak en weerhield zich ervan hem nog verleidelijker te vinden dan in haar herinnering. Toen balde ze haar vuisten zo hard dat ze haar nagels in haar handpalm dreef. Hij leek niets te merken en riep uit: 'Ik had je bijna niet herkend!'

Liz beet op haar onderlip. Zo gek was dat niet: ze kwam immers net uit de goot! Hij vervolgde, nog altijd onverstoorbaar: 'Het is ongelooflijk zoals jij ... eh ... veranderd bent. Kort haar

... Het staat je hartstikke goed, Liz ... Ik had pech met de auto, maar ik had toch echt niet gedacht dat je me helemaal vergeten zou zijn ...'

De teleurgestelde gelaatsuitdrukking van Ralph liet Liz' laatste verdedigingswerken ineenstorten. Ze greep het enorme boeket en stak haar gezicht tussen de bloemblaadjes, die goddelijk roken. Al haar remmingen verdwenen. Ze begon te schaterlachen.

'Ik ben vooral veel víézer dan in je herinnering! Als je het niet erg vindt om een paar minuten in de woonkamer op me te wachten ...'

Toen Liz het huis binnenliep voelde ze zich al beter. De dikke muren hielden de warmte buiten en de koelte deed haar goed. Onhandig wees ze haar gast de bank. Maar hij schudde zijn hoofd en ging voor een van de weinige schilderijen staan die ze had opgehangen. Toen rende ze de trap op, legde de rozen in de wastafel van de badkamer en nam de snelste en meest energieke douche van haar hele leven. Daarna goot ze over zich uit wat er nog in haar flacon Guerlain zat, schoot in een schone korte broek en blouse, haalde haar vingers door haar korte haar en sprong de trap af, de woonkamer in.

Hij stond de balken te bekijken die ze net met afbijtmiddel had behandeld. Hij draaide zich met een ruk naar haar om.

'Hmm. Zelfs schoon ben je fantastisch! Renoveren gaat je duidelijk goed af!'

Liz bloosde flink en vervloekte haar onvermogen om op een geestig antwoord te komen. Met een theatraal gebaar stapte hij aan de kant.

'Maar ik ben niet met lege handen gekomen!'

Een grote picknickmand stond op tafel. Ralph grinnikte.

'Ik zou toch minder zijn dan een boerenpummel als ik je ook nog zou verplichten te gaan koken terwijl ik al te laat kom! Kunnen we in de tuin zitten?'

Twee uur later, toen Ralph de thermosfles met koffie opendraaide, kon Liz niet meer navertellen wat ze net had gegeten. Ze wist alleen dat het allemaal verrukkelijk was. Zittend op een plaid, onder de grootste eik van het terrein, keek ze naar hem op. Glimlachend hield hij haar een kartonnen bekertje voor.

'Ik kon geen wegwerpkopjes vinden bij de kruidenier ... en ik durfde er ook niet om te vragen. Die dame die daar aan de kassa zit is indrukwekkend.' (Ze lachte.) 'Nog koffie?'

Zonder haar de tijd te geven te antwoorden, wierp hij zijn lege bekertje naast de etensresten, kwam op de jonge vrouw af en raakte haar wang aan met zijn hand.

'Liz ...'

Plotseling drukte hij zijn mond op de hare en met beide handen pakte hij haar gezicht, voordat hij zijn vingers in Liz' korte haar begroef. Het leek wel alsof de hemel boven haar hoofd kantelde, en ze verweerde zich niet toen hij de knoopjes van haar blouse losmaakte, vroeg zich alleen af hoe het mogelijk was dat het allemaal zo vanzelfsprekend ging.

Urenlang verkenden ze elkaar, aarzelend tussen egoïsme en vrijgevigheid, onhandigheid en hartstocht, tot de avond viel. En toen de sterrenhemel een wat frissere bries aanvoerde boven de grote eik, begon Ralphs maag zo duidelijk te rommelen dat Liz begon te schaterlachen.

'Heb je honger?'

Hij gaf toe.

'Hmm ... een beetje wel!'

'Laten we dan verkassen, dan kunnen we een omweg maken door de keuken!'

Ze plunderden de koelkast, laadden de etenswaar op het grote lichthouten dienblad dat Liz bij een uitdrager op de kop had getikt, en zetten dat naast het bed, in de kamer op de eerste verdieping. Daar wierpen ze zich op de resten van de koude kip, op de schapenkaas van Joseph en op het paprikabrood dat Liz altijd in Grignan ging halen. Vervolgens stopte de jonge vrouw een kussen in haar rug en probeerde de kruimels van de lakens te vegen.

'Het zal wel niet helemaal zo horen, maar vooruit dan maar!'

'Precies ...'

Ze draaide zich lachend naar hem om. Plotseling was ze nieuwsgierig.

'Voor iemand die aan Wharton heeft gestudeerd, vind ik je bar nonchalant als het gaat om goede manieren!'

'Ach ja, Wharton ...'

'Nou ga je me toch niet vertellen dat het overgewaardeerd wordt, dat geloof ik niet!'

'Nee ... ik wil alleen maar zeggen dat het een samenloop van omstandigheden kan zijn ... Ik kom uit een familie die al generaties lang thuis is in Martha's Vineyard. Een groot houten huis, een tuin van twaalf hectare ... Je weet wel ...'

Liz verstijfde. Martha's Vineyard, dat was een superchic eiland in zee voor Cape Cod, in Massachusetts ... Dat soort details had hij in Parijs niet vermeld. Prestigieuze opleiding, zeer eerbiedwaardige stamboom ... Plotseling stond hij een eind verder weg. Van haar, van de plek waar ze vandaan kwam. Van degene die ze was of meende te zijn. Met zijn blik op oneindig leek hij echter niets in de gaten te hebben.

'Dat was het paradijs, totdat het zo modieus werd. Maar op een dag mocht ik kiezen tussen Harvard, Wharton ... of het leger. Ik heb Wharton gekozen omdat ik voldoende geld wilde verdienen om eindelijk eens indruk te kunnen maken op mijn vader en mijn grootvader. Ik ben er met redelijke cijfers vanaf gekomen. Ongetwijfeld omdat ik veel minder intelligent was dan mijn ouders dachten ... en omdat ik veel te veel basketbal speelde.'

'En ben je rijk geworden?'

Hij begon te lachen.

'Nee! Weet je nog wat ik je in Parijs heb verteld!'

Hij nam haar kin in zijn hand, kuste haar zachtjes op de lippen en mompelde: 'Of ben je dat alweer vergeten? Anderson, Accenture enzovoort ...'

Liz voelde zich gerustgesteld toen ze terugdacht aan wat hij gezegd had over zijn fouten, zijn spijt. Ze was niet meer alleen, niet meer de enige in elk geval, die last had van pijnlijke zelf-beschouwing. Ze kuste hem. En toch, ook al wist ze dat haar vooroordelen vaak drogredenen bleken te zijn, was ze nog niet in staat zich helemaal aan hem te geven zoals hij zich aan haar leek te geven. Voor nu dan. En zolang zij allebei niet geraakt waren tot in het diepst van hun ziel, zolang de laatste barrière nog niet was geslecht, liepen ze niet het risico om in die monsterlijke ketel van gevoel te vallen.

1942. De weg naar Kokoda

Gordon keek achtereenvolgens eens naar Jack, Andrew, Peter en Charlie. Daarna keek hij naar zijn eigen arm en hield zich voor dat ze binnenkort, blank of Koo-ri, allemaal dezelfde kleur zou-den hebben, die van een overrijpe citroen. Citroenen, verdwaald in het helse bos van Nieuw-Guinea, smeriger citroenen dan ze zich ooit hadden kunnen voorstellen. Hun neuzen, oren en ogen zaten vol met viezigheid die ze er niet uit kregen. Hun hemden en hun kakibroeken waren gescheurd en zaten onder de vlek-ken. Hun lange kousen waren kapot en kletsnat. Water droop over hun kop en ze werden gek van de jeuk onder hun helm, die de vorm had van een omgekeerd soepbord. Toch waren ze ge-middeld slechts eenentwintig. Wat moesten die jochies in deze beerput? Hij, Gordon, was volgens de Australische wet zelfs niet eens 'hoofdzakelijk Europees', maar wel meer dan zijn ouders. Hoe waren ze hier dan terechtgekomen, zo ver van huis?

Thuis, dat was waar Pakkaala, zijn Jerr-inga-moeder, en Charles, zijn Wandandiaanse vader, waren gaan wonen nadat ze eindelijk vrijgekomen waren uit die instituten waarin ze waren gestopt. Thuis, dat was waar zijn ouders, met anderen die waren ontko-men, de ongebruikelijke toegeeflijkheid hadden genoten van het plaatselijk bureau ter bescherming van de Aboriginals, dat hun zelfs boten had gegeven. Dat was de baai van Wreck, Ma-kaa-lo voor de ouden, die er vroeger hun winterverblijf hadden gekozen en waar de overlevende Jerr-inga en de Wandandianen weer hun voorvaderlijke visserij hadden kunnen opnemen.

Wreck, Ma-kaa-lo. De naam van de baai was natuurlijk belangrijk. Maar niet zo belangrijk als de plek die deze, altijd al, in het hart van Gordon innam. Hij was er geboren, in het licht van het hervonden geluk van zijn ouders. Hij was er opgegroeid, gevoed door wat zij hem aan prachtige avonturen van de voorvaderen hadden kunnen doorgeven, hun zwerftochten in de droomtijd. Daar was hij als jonge jongen gerijpt met dromen die de ogen van Mary, de mond van Mary, de rondingen van Mary hertekenden. En daar, in de ochtendschemering van de volwassenheid, had hij de buitenwereld ontdekt in de oude kranten die zijn vader Charles meenam uit Nowra.

Tot de dag waarop de oorlog was uitgebroken.

De baai was nog ver weg. Jack draaide zich om en keek Gordon van onderen aan.

'Hé, Gordon ... Wat ben je aan het doen? Sta je te dromen, of wat? Loop eens door! Er loopt geen kip tussen Port Moresby en ons! Als wij de Jappen niet tegenhouden en zij slagen erin daar te komen, dan is Australië naar de haaien! Dan kunnen ze de Koraalzee binnendringen en dan ...'

Gordon keek bedenkelijk.

'Als ze dat nou echt zouden willen, waarom bombarderen ze dan het noorden van het land niet? Het zou toch een stuk sneller gaan dan een beetje kat en muis spelen in dorpen waar ze niks te zoeken hebben? Helemaal niet in dit vieze, plakkerige oerwoud ...'

Peter, die pal achter Gordon liep, hief zijn besproete neus naar hem op en barstte in lachen uit.

'Nou nou, zeg. Voor een Abo doe jij bar moeilijk!'

Op wat serieuzere toon voegde hij eraan toe: 'De Jappen zijn Guadalcanal al binnengevallen, op de Solomoneilanden. En volgens de luitenant zoeken ze een route dwars over het eiland naar Port Moresby. Ze hebben pech want er is geen weg, er is alleen dat verrekte, godvergeten Kokoda-pad.'

Jack begon te brommen.

'Loop nou eens door in plaats van te klessebessen! Als die Jappen dit hoekje van Nieuw-Guinea hebben ... daarna hoeven ze maar een stap te doen en dan zijn ze bij ons in het noorden, en misschien zelfs bij Brisbane en Sydney. We zitten hier dus aan het front en dat is maar goed ook!'

Peter ging sneller lopen om Gordon en Charlie te kunnen bijhouden, die zich helemaal nergens meer wat van aan leken te trekken. De vochtige hitte die hen verstikte en de miljarden beestjes die hen opvraten, de doorweekte grond die hen sterk vertraagde en het oerwoud dat om hen heen bruiste als een onophoudelijke dreiging. Hij voer tegen hem uit.

'Ja, ik wil heus wel ... maar zo makkelijk is dat niet! Uiteindelijk zijn we maar gewoon dienstplichtigen. Men werd geacht Australië te verdedigen vanaf nationaal grondgebied! Waarom zijn ze ons dan komen halen? Waarom hebben ze geen vrijwilligers genomen?'

Jack keurde hem niet eens een blik waardig.

'De luitenant heeft gezegd dat we naar het noorden trokken om te voorkomen dat de Jappen door Nieuw-Guinea heen gingen ...'

Peter begon te rennen om hen bij te houden, gleed uit in de modder, wist nog net overeind te blijven.

'Maar we hebben alleen machinepistolen! Wat moeten we daar in godsnaam mee?'

Gordon probeerde nu het geouwehoer van het joch dat achter hem aan kwam te overstemmen. Maar dat lukte hem nauwelijks. Het lukte hem evenmin te antwoorden op de vraag die hem zoals altijd dwarszat: wat moest hij hier eigenlijk?

's Avonds kwamen ze in het dorpje Kokoda aan. Daar, tussen de lege palmhutten, hurkten ze neer om hagedissen te roosteren. Sommige waren bijna een meter lang en leken op de Australische. Ze aten ze van spiezen: het witte vlees leek een beetje op kip en het was beter dan niets. Gordon bekeek dromerig de botjes van die beestjes. Het herinnerde hem ergens aan, maar aan wat? Hij was te moe om diep na te denken. Net als de rest trok hij zijn schoenen uit, gooide zijn rubberen cape op de grond en zakte erop neer, zonder een gedachte van spijt aan de kletsnatte deken die hij al weken geleden had weggegooid.

De volgende ochtend, bij dageraad, vervolgden de soldaten hun weg. Het moreel was niet slecht, al droomden ze allang niet meer van roem. Ze hadden nu aardig wat verhalen over de Jappen gehoord, maar geen van hen wist eigenlijk precies wat hem te wachten stond.

Ze hadden nog twee dagen nodig om de top te bereiken die uitzag over het punt waar zij de vijand moesten onderscheppen. Eenmaal ter plekke stonden ze aan de grond genageld: het bleek een breed en lang dal te zijn. Hoe konden ze de opmars van een leger daarin tegenhouden?

Glijdend over de helling, waardoor ze in de vallei belandden, kreeg Gordon amper de tijd het zich af te vragen, of hij zag de bladeren rechts van zich bewegen: een tiende seconde voordat een geel mannetje in uniform voor hem sprong, het machinepistool in de vuist. De jonge soldaat was zo verstijfd dat hij niet eens de reflex had de trekker van zijn pistool over te halen. Toch klonk er naast hem een schot. De Japanse officier wankelde, alsof hij een slok ophad. Een donkere kring verspreidde zich over zijn borst.

Peter stootte Gordon aan met zijn elleboog.

'Hé joh, word wakker! Hij stond op het punt je te doorzeven!'

Op dat moment begonnen de kogels om hun oren te fluiten. Als de weerlicht trokken de Australiërs zich terug, terwijl ze hun gewonden ondersteunden. Een joch dat in de buik getroffen was lag te schreeuwen, niet in staat zijn voeten te bewegen, die tegen elk obstakel op het pad stootten. Toen ze eindelijk bij de top waren die uitzag over het dal, hield het joch opeens zijn mond en deed zijn ogen dicht. Zijn hoofd hing slap op zijn tot halverwege de borst van bloed doordrenkte jas. Hij was witter dan krijt.

Andrew kwam vloekend achter de rest aan.

'Godverdegodver! Ze zijn daar tevoorschijn gekomen ... alsof ze één waren met dat smerige oerwoud! Jezus, godallemachtig! Ze zijn hartstikke goed gecamoufleerd ... en wij hebben alleen maar zandkleurige uniformen!'

Dwars door onafzienbare rubberplantages trokken ze zich terug tot aan de voet van de bergen, waar ze zich verstopten. Daar hoorden ze over de radio dat de Japanners met ongeveer dertienduizend man waren. Dertienduizend getrainde en goed uitgeruste soldaten, en wapentuig met groot bereik. Zij waren met vijfhonderd ongelukkige dienstplichtigen, zonder gevechtservaring en met verouderde wapens.

De nacht die op het eerste treffen met de vijand volgde was moeilijk. Gordon lag net als de rest op het minste geluid te letten, het minste ademtochtje dat op een activiteit zou duiden die niet in het oerwoud thuishoorde. Een klein uur voor zonsopgang zakte het hoofd van de jongeman op zijn borst. Ondanks dat Gordon door vermoeidheid overmand was, had hij toch het gevoel bij bewustzijn te zijn, want hij bleef het oerwoud om zich heen zien. Toen schrok hij plotseling op en probeerde te schreeuwen. Er kwamen mannen aan. Hij zag ze door het kreupelhout naderen. Maar zijn keurslijf van botten en spieren verhinderde hem ook maar een vin te verroeren. Zijn eigen lijf was zijn gevangenis en zijn slaap zijn cipier.

Toch kwamen de mannen dichterbij. Gordon probeerde wanhopig wakker te worden, zijn mond open te doen, zijn revolver te grijpen. Als hij dat niet zou doen, zou dit het einde zijn, net als bij dat joch dat gisteren in zijn buik geraakt was. Hij deed vertwijfeld een poging om zijn ogen open te doen. Zijn oogleden waren zo zwaar. Hoe kon dat nou? Terwijl hij ze toch echt soepeltjes zag naderen, met grote, stille passen. En achter die mannen ...

Hij schrok in zijn slaap. Vrouwen en kinderen, schaars gekleed in gelooid leer en bont. Hun huid was zwart of althans bijna, hun trekken waren in het halfduister moeilijk te onderscheiden. Toch leken ze niet op de bevolking van Nieuw-Guinea en nog veel minder op Japanners. Vreemd genoeg leken ze vaag op sommige grootouders van Gordons voormalige vrienden, uit de tijd die zo dichtbij en zo ver weg was, in de baai van Wreck. Zogenaamde raszuiveren, zoals de blanken ze noemden.

De jongeman staakte zijn pogingen om wakker te worden of te begrijpen. Hij stelde zich tevreden met toezien. De groep naderde snel, maar omzichtig. De man die hen aanvoerde was sterk, groter dan zijn metgezellen maar kleiner dan Gordon. Zijn kroeshaar was doorvlochten met veren en stukjes leer. Zijn lichaam en zijn gezicht waren beschilderd met lichte strepen, waardoor hij niet opviel in het donkere bos waarin licht viel. Was het verf? Het leek op droge klei, versiering en camouflage tegelijk. De ogen van de man bleven almaar in beweging, alert. Hij liep in een buitengewoon ritme voort, alsof hij met het wiegen van zijn lijf en zijn kop, in de cadans van zijn passen, de dans van het bos volgde. Achter hem, aan het hoofd van de groep vrouwen, werd een meisje zichtbaar. Zij hield haar hoofd prachtig omhoog. Haar borsten glommen in de zonnevlekken.

Gordon huiverde, dacht aan degene die hij in het dorp had achtergelaten. Er was een onmiskenbare gelijkenis. Al was Mary veel lichter van leer, veel tengerder, en ook groter. De jongeman hield zijn adem in. Voor hen werd het bos steeds lichter en lichter. En in de verte … hoe kon dat? De man draaide zich om, sprak de groep toe in een vreemde taal, waarvan Gordon geen enkel woord begreep, al had hij het rare gevoel dat hij bepaalde termen en sommige klanken al eerder gehoord had.

De jonge soldaat slikte eens. Want ze kwamen nu uit op het strand. Werd hij gek? Een strand, hier? Ze waren op tientallen kilometers van de kust. Gordon wilde weer zijn ogen opendoen. Dat lukte niet. Voor zijn ogen echter liep de man tot aan de zee, een paar stappen het water in, draaide zich om naar de zijnen, wees met zijn grote stok naar de horizon. Zijn gezicht was plotseling vervuld van een geweldige vreugde, hij riep iets. Op zijn borst hing een heel klein zakje van huid, dat leek op wat er om de nek van Gordon hing.

De jongeman bracht instinctief zijn hand naar zijn keel. Ver weg, voor de stam met de ebbenhouten huid, steeg een lichte nevel op, gevolgd door een vlucht ibissen. Gordon voelde hoe een vreemde verstijving zich van hem meester maakte, alsof hij wegvloog naar een heel ver oord dat tegelijk ook heel vredig was. En hij voelde de aarde bewegen.

'Hé, wakker worden, ouwe, we gaan! We moeten ons verder terugtrekken, de Jappen komen eraan!'

De jongeman schudde zichzelf wakker en keek slaperig om zich heen. In het vochtige, luidruchtige oerwoud waren zijn kameraden bezig om als de weerga hun spullen te pakken. En ginds het kruis op het graf van het joch dat gisteren was omgekomen. Hij hief zijn hoofd op. De bomen waren groter. De zon streek er met haar lichtende vingers in totaal andere hoeken doorheen. De geluiden klonken niet meer op dezelfde manier. En het bos was nergens lichter.

Ze liepen door. Op dat moment, onder die hemel, was er geen berg meer om te beklimmen. Geen strand hier, geen zee. En toch was dit de plek die de jongeman in zijn droom had gezien, enkele kilometers verderop ongetwijfeld, maar enkele tientallen duizenden jaren verwijderd. Terwijl hij met moeite zijn ene voet voor de andere zette, probeerde hij zich de liederen te herinneren die de ouderen van Wreck op bepaalde avonden aanhieven, toen hij nog kind was. Die liederen brachten je naar de droomtijd, naar je geschiedenis, naar wat geweest was. Die liederen vertelden ook wat er gebeurde als je in staat van buitengewoon bewustzijn verkeerde, en dat je dan eindelijk man was geworden.

Toen verdween zijn angst. Als een oud vel viel zijn vermoeidheid van hem af en hij begon te neuriën. Hier hadden vroeger de zijnen van vóór de zijnen gelopen, op weg naar de oversteek van de onafzienbare wateren, naar wat hun land zou worden. En die nacht waren zij teruggekomen, voor hem. Op dat ogenblik wist Gordon dat hij terug zou keren naar zijn baai. En hij wist ook zeker wat hij tot dan moest doen.

Op aanraden van de jongeman improviseerde het bataljon een camouflage, een manier om zich te verplaatsen. Niemand wist hoezeer zijn methodes al aan de praktijk waren getoetst. In enkele dagen hadden ze allemaal geleerd hoe ze moesten versmelten met de heuvels.

Half augustus had het 39ste bataljon van het Australische leger zich gebarricadeerd in een natuurlijke versterkte positie, aan één kant van het dal, in Isuvara. Op de tegenoverliggende helling lag het 52ste bataljon van het leger van New South Wales. En de Jappen kwamen met de bajonet op het geweer voor de zoveelste maal op hen af.

De dagen leken dan zwarte gaten, bestaande uit slaperige marsen, steeds langere pauzes, schermutselingen, vluchten, malaria-aanvallen of aanvallen van dysenterie, exploderende granaten als mannen er een eind aan maakten. En de nachten waren alleen nog in naam nacht, ze waren veranderd in waken dat telkens onderbroken werd door vluchtige momenten van wegdommelen. Van die momenten die, samen met hun jeugdige leeftijd, hen in staat stelden het uit te houden ondanks de honger, want de rantsoenen waren op: ze aten wortels, kruiden die leken op peterselie en altijd en eeuwig hagedissen.

Na enkele weken hevige Japanse aanvallen merkte hij dat er nog maar driehonderd man aan de Australische kant leefden, tegen minstens vier bataljons aan de Japanse kant. Op dat moment kwamen eindelijk de versterkingen met proviand.

Niemand stond op om de soldaten van het 14de van de staat Victoria te ontvangen. De bezetters van het dal van Kokoda, hadden daar de kracht niet meer toe. Ze waren magerder dan ze ooit geweest waren. Hun ogen leken te verdwijnen in zwarte gaten die boven hun jukbeenderen waren gevallen. Ze hadden zich al een eeuwigheid niet meer gewassen of geschoren. Hun huidskleur was gelig, hun lijf zat onder de wonden, de beten, diverse steken. En toch voelden ze allemaal, ook Gordon, een vlaag van liefde opstijgen jegens degenen die hen kwamen helpen.

Het 14de viel bij dageraad de Japanse stellingen aan. Driekwart van de mannen van het 39ste die het hadden overleefd, voegden zich bij hen. Gordon ook, want die dag voelde hij zich hun gelijke. En de anderen zagen in hem ook nog slechts Gordon, hun kameraad.

Hij stormde op een palmbosje af, met Peter naast zich. Maar er kwam dichte rook uit het bos, die hen verstikte. Daarop doken de Japanners schreeuwend op. Peter begon met het machinepistool op zijn heup op de vijand af te lopen. Gordon probeerde hem met een sprong te vergezellen. Een vreselijke pijn schoot door zijn dij, wierp hem in het stof, met zijn hoofd naar voren. Door de rook heen die dit deel van het dal had gevuld, probeerde de jongeman Peter te onderscheiden. Hij zag slechts een gezicht met een goudgele huid, dat van de Japanse soldaat die hem ongetwijfeld had geraakt. De tijd leek langzamer te gaan. De man met de bronskleurige huid keek hem aan en aarzelde. Maar een kogel trof hem in de keel. Hij stortte neer.

Rond om Gordon was er verder niemand meer, niets dan een grijze, dichte mist die hem vreselijk deed hoesten en tranen in zijn ogen joeg. De bloedvlek op zijn broek werd groter. Zijn hoofd tolde. Braakneigingen bevingen hem, maar zijn maag was leeg. De smaak van gal in zijn mond bracht een grimas op zijn gezicht. Hij likte tussen twee hoestaanvallen door zijn lippen. Het zout van zijn tranen verergerde zijn dorst.

Op dat moment dook er een donkere gestalte op uit de rookwolken. De jonge soldaat knipperde met de ogen, nog altijd ten prooi aan hoestaanvallen. De zwarte man, zijn huid met witte klei bestreken, bleef een paar passen voor hem staan. Gordon voelde hoe zijn bewustzijn hem verliet, zoals een handvol schelpen een strand verlaat, meegesleurd door het tij. Met een laatste kreet hief hij zijn hand boven zijn hoofd. De man bekeek hem, stak zijn linkerhand uit naar het zuidwesten, zei iets wat de jongeman niet begreep.

Gordon zag echter voordat hij zijn ogen dichtdeed een regenboog ontstaan onder de staart van de oude slang, midden in de rook. Vervolgens verdween deze, om plaats te maken voor de avondwolken aan de kalme horizon, slechts onderbroken door de sproeinevel van een walvis. Ver vóór het strand van de oude wijze man klonk de kreet van de lachvogel door het bos. En toen viel Gordon flauw.

Juni 2005. Antiquiteiten en andere zwarte gaten

Door de planken van het kamerluikje deed de ochtendzon al snel het stof dansen boven de witte piqué sprei. Liz zuchtte van genoegen. Naast haar werd Ralph wakker. Hij rekte zich uit, keek haar aan en wees met een bezitterige vinger op zijn buik.

Enkele minuten later, aan een stevig ontbijt van brioche, honing en kaas, vergat ze haar voornemens en vertelde hem alles. Wat ze hier had gedaan sinds haar komst, haar twijfels over haar onroerendgoedactiviteiten, de eerste stap op zoek naar haar moeder. En ook van de oude Marthe, de foto's, de brieven, de angst die ze voelde om verder te gaan.

Had hij zin om mee te gaan naar Marthe Castagnou? Ralphs antwoord deed vermoeden dat hij daar zijn hele leven op had zitten wachten. Ze stapten in Liz' Peugeootje en reden naar Grignan.

Vol hoop, die haar eenzaamheid nooit had toegelaten, klopte Liz vrolijk bij de oude dame aan, waarop er een luik werd geopend. Een gebruind mannetje van achter in de vijftig stak zijn hoofd naar buiten en bekeek hen somber.

'Wat wilt u?'

Een beetje van haar stuk begon Liz te stotteren.

'Ik … ik kwam voor Marthe … Ik had, eh …'

Hij liet haar haar zin niet afmaken.

'Marthe, die begraven we morgen om elf uur, op het oude

kerkhof, daarachter. Ze had al jaren geleden een plek daar gekocht.'

Liz voelde de hand van Ralph op haar rug. Ze meende dat hij
haar iets toefluisterde. Zonder na te denken liep ze naar de man,
die op het punt stond het luik weer dicht te doen.

'Wacht u even ... Marthe ... ik ... zij ... ik zou terugkomen
om de brieven te zien die ...'

De jonge vrouw hoorde hoe ze zielig stond te stotteren. Samen met de tranen voelde ze woede opwellen. Ze begon met
haar voet op de grond te tikken.

'Marthe had brieven die voor mij waren. Is het ...'

Haar gesprekspartner begon geërgerd te kijken. Terwijl hij
met zijn kin naar het klimmende steegje wees, links van het
huis, beet hij haar toe: 'Er is hier niks meer van haar. Een opko-
per uit Montélimar is vanochtend langsgekomen en heeft alles
meegenomen. Ik weet niet eens hoe hij heet. Mijn broer heeft
ervoor gezorgd, en die is net terug naar het noorden. Maar ik
moet u nu alleen laten. Vanmiddag komen er makelaars en ik
heb nog werk te doen.'

Zonder op een reactie te wachten sloeg hij het luik dicht.

Liz deed een stap naar achteren. Een donkere schaduw viel
over haar heen. Het laatste spoor dat naar haar moeder voerde was uitgewist. De huizen rondom begonnen om haar heen
te draaien. Ralphs handen rond haar middel leken een ton te
wegen. Ze had zin om te verdwijnen, daar ter plekke, zonder
verdere sporen na te laten. Waarom was het dan ook zo godvergeten belangrijk om die informatie over haar moeder te vinden?
Ze was volwassen, onafhankelijk, in het volle bezit van al haar
verstandelijke vermogens. Dus waarom? Op dat moment voelde
ze koele lippen op haar hals, bij de haargrens.

'Ik ben er voor je, vergeet dat niet ...'

Ze draaide zich naar hem om, begroef haar hoofd in zijn
nek en barstte in snikken uit. Ze zag niet hoe Stephen een paar
meter achter hen voorbijkwam en hen aanstaarde alvorens zijn
hoofd af te wenden.

Gelukkig had Ralph wat tijd over voordat hij naar Fontaine-bleau moest om aan zijn MBA-project te gaan werken: het was de tijd van examens en proefschriften en er zou niemand beschik-baar zijn, dat zou wel even duren. Een vreemd leven begon toen. Zacht, verguld in de warmte van de zomer die eraan kwam, rijk aan spoken die Liz 's nachts bezochten. Voor haar gevoel verliep de tijd tussen beginnend geluk en verdrongen verbittering, in ontkenning van verleden en toekomst. Totdat ze besloot het he-den maar weer eens op te pakken.

Die avond kwam Ralph thuis na een uitputtende middag ga-zon maaien en heg snoeien. Liz kwam hem tegemoet, omhelsde hem heftig en negeerde het stof en het gras dat aan zijn zwe-tende huid plakte.

'Het is voor elkaar! Het werkt!'

Lachend maakte hij zich los, veegde zijn voorhoofd af met zijn handrug.

'Wat werkt? De grasmaaier? Nou, die werkt hoor! Ik heb er twee uur op gezeten!'

Liz barstte op haar beurt in schaterlachen uit.

'Welnee idioot, internet! Eindelijk ... WorldGenWeb, de web-site voor internationale genealogie ... Al maandenlang zit ik hun databanken uit te pluizen ... En ik geloof dat ik nu wat heb!'

'Iets nieuws?'

'Ja. Het is me gelukt om in Australië het spoor van mijn moe-der te vinden, tot hier, tot Grignan. De documenten die ik uit de archieven had opgevraagd gaven eenvoudigweg aan dat mijn moeder en mijn grootmoeder uit de buurt van Parijs kwamen. Marthe had ook niet meer details, behalve een vage geschiede-nis over een gebombardeerde fabriek. Maar ik heb de sporen van Mathilde teruggevonden, en van een zekere Édouard Valet, ten zuidwesten van Parijs, in een stad die ... een rare naam ... o ja, Marnes-la-Coquette heet ... En ten slotte heb ik de naam van Mathilde teruggevonden in Boulogne-Billancourt ... waar de Engelsen inderdaad de Renaultfabrieken hebben gebombar-deerd ...'

De jonge vrouw wierp een blik op de grond.

'Eigenlijk ... vroeg ik me af of, eh ...'

'Of je daar zelf niet eens een kijkje moest gaan nemen?'

Ze knikte.

'Wat vind jij daarvan?'

Ralph glimlachte.

'Dat komt goed uit, want ik moet ook naar de omgeving van Parijs.'

Liz begon te stralen en vervolgens schaamde ze zich omdat ze dat vergeten was, zozeer werd ze door haar eigen problemen in beslag genomen.

'O ja, dat is waar ook ... voor Wharton!'

Hij lachte.

'De firma heeft voor mij een appartement in Fontainebleau gehuurd ... Moet ik nog een andere reden bedenken om jou alleen te laten op dit godvergeten platteland?'

'Tja ... maar is het nou echt wel een goed idee dat ik al die tijd bij jou kom wonen?'

'Ja, natuurlijk! Wie doet daar moeilijk over? Trouwens, wanneer wil je weg?'

'Over een dag of twee, dacht ik zo. Dan heb ik de tijd om hier het een en ander te regelen.'

Op dat moment tekenden zich twee bekende gestalten af tegen de ondergaande zon. Joseph en Bernard v ... die natuurlijk in vorm moest blijven in afwachting van het nieuwe truffelseizoen.

'Zo, tortelduifjes ...'

Liz trok een gezicht. Ze hield best van haar buurman, maar ze had echt geen zin om nu te worden gestoord, zeker niet door hem. Maar Joseph, die de kop van zijn varken krabde, bekeek de beide jongelui met een ondeugende blik.

'... wanneer maken gullie d'n eerste kleine?'

Hoogrood richtte Liz alle aandacht op haar sandalen, in een wanhopige poging om een ander gespreksonderwerp te vinden. Maar de oude boer was al op dreef.

'Het hangt er maar van af of gullie een meske of een jongen willen. Witte wel, dat hè'k oe uitgelegd, Lison. 't Is krek as met groente ... d'r is een maan die wast en een maan die afneemt ...'

Hij gaf Ralph een vette knipoog.

'... ge mut gewoon oewen snikkel d'r op 't goeie moment in steken. Maar daarna, mutte nie dokter Dubois gaan opzoeken ... zelfs voor keelpijn laat-ie de vrouwen zich al uitkleden ... dus ... Ja, allenig de gezusters Bêchues bezoekt-ie nie. Maar die ... dat huis van ze ... wel, meske ... ik zou d'r nie binnen durven ... Overal stro, honden, plastic zakken veur de ramen ... de dag dat ze de oude Lucienne dood in het veld hebben aangetroffen, is Marcelle helemaal gek geworden. Maar ik sta maar te lullen en het werk blijft maar liggen ... Wel, ik laat oe, tortels. En verget de maan nie, hè ...'

Na weer een knipoog verdween hij langs dezelfde weg als hij gekomen was, met Bernard v achter zich aan. Liz keek Ralph eens aan. De jongeman barstte in lachen uit.

In de dagen daarop waren ze voortdurend samen. Wat overkomt me? vroeg Liz zich af ... wel duizendmaal. Omdat een antwoord uitbleef, besloot ze zich er maar aan over te geven zonder alles te analyseren, hoe moeilijk dat haar ook leek.

Die avond maakten Ralph en zij een ommetje door Grignan. De wind uit de bergen kon de hitte onder de sterren maar nauwelijks afzwakken. Ouderwetse rozen klommen langs de muren van het dorp en de bedwelmende lucht ervan steeg op onder de maan. De jongelui gingen op de treden van de westelijke trap van het kasteel zitten en keken naar de lavendelvelden onder hen. Toen doken ze weer onder in middeleeuwse steegjes en liepen naar beneden, naar het stenen poortje, om in hun eigen tijd terug te keren en naar de boerderij te gaan.

De avond voor hun vertrek naar de omgeving van Parijs schrok Liz plotseling wakker met het gevoel te stikken. Ze ging rechtop zitten, moest even op adem komen en keek toen naar

Ralph, die naast haar lag te slapen. De trekken in zijn gezicht waren glad. Hij zag er heel jong uit.

Liz draaide zich naar het raam. Zachtjes strekte ze haar benen buiten het bed, deed de luiken open en stak haar hoofd naar buiten. Onder haar lag vredig de tuin, waaruit bijna geen krekelgesjirp meer opsteeg. De maan speelde verstoppertje achter wattige wolkjes. Ze trok het luik weer dicht, zette het stevig vast achter het verroeste ijzeren kereltje dat al generaties lang in de muur stak.

1954. Een oorlog zonder einde

Toen de reuzengolf over zijn vissersboot heen sloeg, kreeg Gordon amper de tijd om na te denken. Hij was al acht jaar thuis. En toch had hij het gevoel dat het pas sinds gisteren was.

Eenmaal gerepatrieerd uit Nieuw-Guinea, verzorgd en gedecoreerd, was hij naar een reserve-eenheid in het noorden van Queensland gestuurd. Daar had hij gehoord dat Peter dood was, neergemaaid door een Japans salvo. Toen volgde de algehele demobilisatie, net terwijl hij aan het trainen was en corvee had, voor wat volgens hem de honderdduizendste keer was. Met de eerste de beste trein was de jongeman naar huis gereden om zijn ouders, Mary en de baai weer op te zoeken. Langzaamaan was hij weer met zijn beide benen op de grond terechtgekomen, had een boot gekocht, was met Mary getrouwd, had een huis gebouwd. En toen was hun kind geboren: de kleine John.

En juist die dag, terwijl hij net de oorlog begon te vergeten en een toekomst voor zijn gezin begon te zien, rukte die golf hem weg. In een fractie van een seconde meende hij in de watermassa die op hem neerkwam de gedaanten van rennende mannen en vrouwen te ontwaren. Zij vluchtten voor een andere watermassa, veel groter nog. De hemel van toen betrok door wolken zo dicht dat ze de zon voorgoed leken te verduisteren. De droom kwam niet tot een eind. De jongeman werd tegen de hut van de boot geslagen. Hij brak zijn nek. Hij brak zijn benen. Zijn mond stroomde vol water. Maar dat was niet erg, hij was al dood.

De volgende ochtend, na de storm, was de zee spiegelglad. De visserskinderen hadden een uitstapje gepland naar de kreken ten noorden van de baai, om pil-pil te zoeken. Tom, de jongste zoon van een neef van Gordon, liet zich over het steile pad glijden dat naar de door het water gepolijste rotsen voerde. Plotseling schreeuwde hij: 'O nee! Kijk nou!'

De kleintjes renden dichterbij. Ze waren vertrouwd met de dood. Maar als het een Koo-ri betrof, dan werden ze er meestal op een heel andere manier mee geconfronteerd: afscheidsceremonieën die niets van doen hadden met de keiharde werkelijkheid van een toegetakeld lijk, waaruit de ziel is verdwenen. En toch, ondanks hun tranen, lukte het de kinderen het lichaam van Gordon boven op het klif te krijgen, als dwergen die het verminkte kadaver van een reus verslepen.

De oude Sarah zag hen, toen ze langzaam naar het dorp liepen. Ze gilde zo smartelijk dat degenen die in de buurt waren even dachten dat ze een heel leger kwade geesten had gezien. Toen ze begrepen wat er aan de hand was, renden ze naar de kleintjes toe en namen hun de vreselijke last af.

Voor het verstijfde lijk van Gordon stortte Mary in. Ze had een paar uur nodig om weer bij te komen. Daarop begon ze zonder ophouden te gillen en te huilen. Ze verdreef op die manier al haar leed, ontdeed zich van de wurggreep die haar omvatte en bereidde zich voor op het verdriet van de rouw.

De kleine John begreep er niets van. Hij was nog maar zeven en werd geobsedeerd door het idee dat binnenkort het zalmseizoen zou aanbreken, dat de mannen hun netten zouden uitzetten, dat die gouden en zilveren silhouetten al te zien waren in de stroming bij de monding van de baai.

Twee weken na de begrafenis van zijn vader bevond hij zich daar met andere kinderen. Hij bewonderde de snelle en doeltreffende bewegingen, sprong op van vreugde als hij het net zag dichtgaan boven de grote vissen. Hij schreeuwde bij het zien

van de mannen die de zalmen de ene na de andere doodknup-
pelden. Toen hij de vissers van Wreck de vallen van schors weer
zag terugplaatsen, begon hij te huilen. Over enkele uren, bij eb,
zouden de vissen bij elkaar worden gedreven en gevangen zijn,
net als zijn vader. Hij pakte het leren zakje dat nooit de hals van
Gordon had verlaten en kneep er uit alle macht in.

's Ochtends vroeg, toen bij de monding de eerste zalmen in
de netten lagen te spartelen, klopten een kleine blanke vrouw en
een Koo-ri in politie-uniform aan bij de hut van Mary's moeder.
De grootmoeder van de kleine was in de tuin, achter. John zat
zijn pap te eten. Hij stond op om open te doen. De vrouw kwam
binnen, keek om zich heen, zag de gestalte van de oude dame
door de hordeur heen. Ze wendde zich tot de politieagent. Deze
aarzelde duidelijk om binnen te komen.

'Kom op. Pak hem maar. Ik heb alle papieren.'

De man deed een stap naar voren, keek naar het joch, dat
zich naar hem toe draaide, met zijn mond vol pap. Hij deed nog
een stap, schraapte zijn keel.

'Eh … nou, kleintje, heb je zin in een ritje?'

Op dat moment kwam de grootmoeder van het kind binnen.
Onmiddellijk herkende zij de sociaal werkster van het district en
ze wierp zich op haar, met uitgestoken klauwen. Het vrouwtje
begon te gillen.

'In godsnaam! Doe je werk! Anders zal je kind ervoor boeten!' [20]

De Koo-ri-agent leek wakker te worden uit een kwade droom.
Met op elkaar geklemde kaken duwde hij de oude dame achteruit. Ze viel tegen de muur. De botsing tussen haar hoofd en de
wand veroorzaakte een dof geluid. Ze bleef op de grond liggen.

Mary kwam net terug van de buren en had het op een rennen
gezet zodra ze de auto voor het huis van haar moeder had zien
staan. Maar ze was niet snel genoeg geweest en zag nog net dat
haar zoon in het voertuig werd gesmeten. Heel lang probeerde
ze hem nog te volgen, of althans de sporen op de stoffige weg die
naar Nowra voerde. Ze schreeuwde de naam van de kleine, en

daarna die van haar man, voordat haar snikken haar de adem benamen. Ze rende zo nu en dan, struikelde veel. Ten slotte viel ze echt, en kon niet meer opstaan. Alleen uit haar tranen bleek dat ze nog leefde.

John werd voor een rechter gebracht. Op verzoek van de autoriteiten in Sydney besloot die hem naar Boomaderry te sturen, een kindertehuis in de buurt van Nowra. Iemand was inderdaad van mening geweest dat de jongen sinds het overlijden van de vader niet meer adequaat opgevoed werd. Oerwoud, zee, wind en visserij, daar werd je geen kerel van.

Eenmaal in Boomaderry vond John het vreemd, al die kinderen met een donkere huid. Hij bekeek ze eens, maar dacht niet dat het Koo-ri waren, zo verschillend waren ze van kleur. En bovendien was het koud, het uniform zat niet lekker op de huid, was te dun voor de winterwind, en hij miste de zee. Hij verlangde naar de spelletjes met zijn neefjes op het strand, en vooral naar zijn moeder. Elke avond viel hij huilend in slaap.

Mary ging met Charles, haar schoonvader, meer dan eens naar het kantoor van de sociale dienst om haar zoon op te eisen. Ze werd bedreigd met gevangenisstraf als ze stampij bleef maken. Het kind was een halfbloed: hij kwam dus onder voogdij van de staat. Mary schreef vervolgens lange brieven aan de federale autoriteiten. Die negeerden haar. Ze schreef aan haar zoon. Ze kreeg nooit antwoord.

In mei werd John naar een weeshuis gestuurd in het zuiden van de staat. Er moest plaatsgemaakt worden in Boomaderry, en gezien zijn huidskleur werd hij als adopteerbaar beschouwd. Het was daar echter de hel. Tussen sombere muren en boze blikken hield de jongen zich op de achtergrond, alsof hij bang was voor de hele wereld. En toen de potentiële adoptieouders de binnenplaats op kwamen, stelde hij zich braaf op in de rij, met de andere kinderen. Maar hij sprak nooit een woord. Tot drie keer toe werd hij meegenomen door een man en een vrouw. Tot drie keer toe brachten ze hem ook weer terug. Het was niet zozeer zijn huidskleur, die steeds donkerder werd, die hen dwarszat, als wel het feit dat hij aanhoudend depressief was en in de kamer bleef liggen die ze voor hem hadden klaargemaakt. Dan hielden ze zich voor dat hij bij hen nooit gelukkig zou zijn. Met veel tranen, spijt en aarzeling brachten ze het kind dan weer terug naar het weeshuis. Er waren zo veel kleine halfbloedjes om te adopteren. De gespecialiseerde instellingen konden het groeiende aantal kinderen dat uit hun gezin werd weggerukt niet de baas. Dus John bleef. Af en toe praatte hij met een oude lap die hij als vriendje gebruikte.

'We zijn hier maar zo niet weg, makker ... want ik word donkerder. Ik zou best mijn huid binnenstebuiten willen keren. Mama kan dat met konijnen. Ze snijdt ze open, trekt en dan draait ze ze binnenstebuiten.'

Ontgoocheld bekeek hij zijn lap.

'Maar ik weet niet zeker of dan de kleur van mijn ogen ook zou veranderen en ook niet die van mijn haren. Dat is jammer, want je kunt niet van donkere mensen houden. De moeder hier zegt: de huidskleur, daar kun je aan zien of iemand goed of kwaad is.'

De ogen van het joch begonnen niet te schitteren als de post werd rondgedeeld. Dagelijks zag hij de brieven van anderen, van die weinige bevoorrechten die, niemand wist precies waarom, wel van hun familie hoorden. Die brieven werden echter eerst geopend, gelezen en met zwart potlood gecensureerd, waardoor er soms nog maar een paar woorden te lezen waren. Maar John kreeg nooit iets. Ten slotte begon hij te geloven wat sommige vriendelijker opzichters hem vertelden, als ze zijn neus snoten.

'Je moeder is je vergeten, jochie. Vergeet haar ook maar.'

Ze dachten hem te helpen. Maar John begon zijn toekomst en ook zijn eigen volk te verachten. Hij werd agressief tegen de andere jongens die in de instelling gevangenzaten, ongeacht hun huidskleur.

In november werd hij naar het instituut Kinchela gestuurd, omdat hij niet meer adopteerbaar was. Kinchela was nog kouder en grijzer dan Boomaderry en eindeloos triest en vervelend. Voor John voelde het alsof hij in een put van eenzaamheid werd neergelaten. Soms dacht hij aan weglopen, ver, ver weg. Naar de zee, de zon, de zijnen. Maar als zijn moeder hem ooit zou gaan zoeken ... dan was het beter te blijven. Al werd je dan net als de rest geslagen.

'Je hebt je bed niet goed opgemaakt! Vijf slagen!'

'Je mag niet praten zonder toestemming! Tien slagen!'

Sommige kinderen vielen daarbij flauw. Vervolgens werden ze zo bang voor de stok of de zweep dat ze permanent onder de grond of in de muren leken te willen kruipen. John ook. Anderen gingen ten slotte zo'n haat koesteren dat ze probeerden ervandoor te gaan. Daarvoor kregen ze, als ze betrapt werden, honderd slagen en de isoleercel. Degenen die het hadden overleefd kwamen eruit in zo'n staat dat ze het niet gauw weer zouden proberen. En allen hoorden altijd dezelfde redenatie.

'Je mag niet proberen in contact te komen met je familie. Net als alle negers zijn jouw ouders, je broers, slecht, lui, vies en stom. Hun gewoonten zijn barbaars. Jij maakt voortaan deel uit van de beschaving. Doe haar eer aan en respecteer haar. Hoe je het ook wendt of keert, jouw soort zal verdwijnen. En dat is maar beter ook.'

De kinderen kregen zo weinig te eten dat veel van hen vaak het gevoel hadden dat hun hoofd tolde. En ze kregen al met al, als ze bij het instituut binnenkwamen, één paar klompschoenen, twee stuks ondergoed en een blouse. Die droegen ze zomer en winter, hoe hard ze ook groeiden en wat voor werk ze ook moesten doen.

Dus als het maar enigszins kon, dacht John aan zijn eigen paradijs, aan de baai met glinsterend water, aan de grote vissen van de wind. Ook droomde hij van beesten die hij nog nooit had gezien, waarnaast mensen maar dwergen waren. Maar als hij dan gillend wakker werd, omdat hij bang was voor het leven dat zijn eigen hersens hem lieten zien, werd hij geslagen.

Op een dag, het liep tegen Kerstmis, toen het al een hele poos geleden was dat de jongen zelfs maar naar de oppasser keek die onder het middageten de post uitdeelde, plofte er een brief naast zijn etensbak. John schrok. Met gebogen hoofd keek hij naar de envelop, zonder hem te durven aanraken. Dit moest een vergissing zijn: hij was vast voor zijn buurman. Maar die had net het wekelijkse bericht opengemaakt dat hij van een van zijn tantes kreeg. Toen greep de jongen met trillende hand de envelop en bekeek het adres dat erop stond. Het was inderdaad voor hem. Koortsachtig maakte hij de envelop open, die weer was dichtgeplakt door de administratie, en vouwde het velletje papier uit. Van de drie magere regels die geschreven waren, was die in het midden weggestreept. John dacht even dat het de dag van zijn leven was, tot hij begreep wat er stond.

Beste jongen, het spijt me je te moeten berichten dat je moeder dood is.
Ze ... Ze is nooit ...
Je grootmoeder.

En diezelfde dag, bij het licht van gestolen kaarsen, lukte het John te ontcijferen wat er was weggestreept.

Ze hield te veel van je. Ze is nooit over je vertrek heen gekomen.

's Nachts droomde de jongen dat een zeemeeuw met enorme vleugels neerdaalde aan de voet van zijn bed. John keek ernaar. De vogel vloog weg. John volgde hem met zijn blik, toen er plotseling een enorme golf voor hem oprees, alvorens zich te verspreiden in de veelkleurige staart van een regenboog. Hij wist wat dat betekende voor een Jerr-inga. Zijn moeder stond op het punt de weg te nemen naar het land van de voorvaderen, aan gene zijde van de tijd. Maar op dat moment doken er meeuwen op onder de regenboog, die probeerden de grote vogel de weg te versperren. De zeemeeuw ontweek ze, landde op een hoog klif boven de zee, en daar, in de opkomende zon, nam hij de gestalte aan van Mary.

Die ochtend, voor de eerste keer sinds heel lange tijd, werd John vredig wakker.

3

Juli 2005. Van illusie naar werkelijkheid

'Jazeker. Ik kan mij uw mail herinneren ... Maar "Valet" is een nogal gangbare naam. Weet u zeker dat het dezelfde is?'

Liz aarzelde.

De vorige avond was zij met Ralph naar Fontainebleau gegaan en had zich 'voorlopig' geïnstalleerd in zijn dienstwoning. En die ochtend, terwijl hij naar zijn afspraken ging, had zij het stuur ter hand genomen van de auto – de fameuze groene Rover – en had verrukt Marnes-la-Coquette, het prachtige bos van Fausses-Reposes en de stoeterij van Jarry met de bakstenen stallen, de oeroude bomen en die prachtige lanen ontdekt. Ze vermande zich en knikte.

'Jazeker! Ik heb alles nagetrokken!'

Heel even zag ze weer het gerimpelde gezicht van Marthe. Waarom voor de duivel was die oude dame zo snel gestorven? De grote, rood aangelopen vent die in een ruiterkostuum tegenover haar stond, leek absoluut niet gemakkelijk.

Hij bekeek haar opnieuw, schoof plotseling een stoel naar voren, de enige in het kleine kantoor waar geen papieren of tijdschriften op lagen.

'Nou, gaat u dan maar zitten! Als ik u niet heb geantwoord, dan is dat waarschijnlijk omdat ik u niks leuks te vertellen heb!'

Liz trok haar wenkbrauwen op.

'Als u daarmee bedoelt dat ze dood zijn, dat weet ik.'

De beheerder van de stoeterij lachte vreugdeloos en een beetje beschaamd.

'Nee ... Het gaat om iets anders. Het is namelijk zo, ik heb er zelf moeite mee om erachter te komen hoe het precies zit. Weet u, als ik de dagboeken mag geloven die mijn grootvader voor mij heeft bijgehouden, dan was degene die u voor uw voorouder aanziet wellicht geen betrouwbaar type. En nu ik er nog eens over nadenk, toen ik kind was, waren de mensen van de stoeterij zo langzamerhand de naam "Valet" gaan gebruiken om iemand mee aan te duiden voor wie je moest oppassen. Het was bijna een vaste uitdrukking geworden!'

Liz opende haar mond en sloot hem weer. En dan te bedenken dat ze sinds haar ontmoeting met Marthe dacht dat ze niet alleen haar verloren wortels zou terugvinden, maar ook een familie die het gebrek aan belangstelling van haar vader zou goedmaken, een familie die haar zou doen begrijpen dat ze iets anders was dan een kind dat eigenlijk niemand wilde. Ze stond op het punt om op te staan en er als de weerga vandoor te gaan toen hij zich naar haar toe boog en haar op de arm tikte.

'Hé! U laat me niet uitspreken ... Wat maakt het allemaal uit? U ziet eruit als een aardige meid! Ik ben ervan overtuigd dat u een minnaar hebt die u aanbidt en die dat allemaal geen snars kan schelen ...'

De gedachte aan Ralph was als een onverwachte teug zuurstof. Het lukte Liz weer om woorden te vinden.

'Wilt u mij er niet wat meer over vertellen? Wat had hij gedaan?'

De beheerder zuchtte een keer, schokschouderde.

'Wat hij gedaan had ... Daar zit 'm de kneep. Ik werk hier al vanaf mijn veertiende. Ik heb mijn vader opgevolgd als beheerder en dat komt omdat ik het heb verdiend, door mijn werk en mijn betrouwbaarheid. Mijn vader, en mijn grootvader voor hem, hebben die deugden altijd als fundamenteel beschouwd. Maar ik moet toegeven dat wat zij eerlijkheid noemden vooral neerkwam op blinde trouw aan de stoeterij en haar eigenaar. Maar goed, het is niet geheel uitgesloten dat uw grootvader zijn hand in de kas heeft gestoken. Desondanks schijnt het nooit helemaal bewezen te zijn. Hoe het ook zij, eind 1942 is Édouard Valet spoorloos verdwenen, waarschijnlijk om te ontsnappen aan de Arbeitseinsatz, zoals zo velen. De Arbeitseinsatz, u weet wel, die jongens naar Duitsland stuurde. Je kunt het dus iemand die geprobeerd heeft daaraan te ontkomen niet kwalijk nemen. Trouwens ...'

Hij wreef over zijn neus, alsof hij aarzelde verder te gaan.

'Ik was helemaal niet van plan u dat allemaal te vertellen, maar gezien uw aardige gezicht en uw verdriet ... Eigenlijk vraag ik me af of mijn grootvader hem niet nog wat anders verweet.' (Hij schraapte zijn keel.) 'Bijvoorbeeld dat hij een mooie vrouw had. In het dagboek staat slechts dat ze Mathilde heette, geloof ik, en dat ze een meisje had. In 1942 heeft mijn grootvader ook geschreven dat de moeder en het meisje na de verdwijning van Valet elders zijn gaan wonen. Maar ... wacht eens even ...'

Hij trok drie grote rode boeken van de lange plank die langs de muur liep. Hij legde ze voor zich, bladerde ze door, het ene na het andere, en bleef midden in het derde steken.

'Daar heb ik het. Kijk maar. Daardoor ben ik nattigheid gaan voelen. Vóór de oorlog, in 1938 ...'

Liz stond op en boog zich over zijn schouder. Een fijn schrift bedekte de bladzijde, als zeer dicht geweven stof.

1938, 15 april
De vrouw van Valet voor het eerst gezien. Die past helemaal niet bij hem. Een grote, uit de kluiten gewassen boerenmeid. Maar ze lijkt aardig en sterk. Heb besloten haar hier een poosje te laten werken. Ze heeft mooie borsten. Heb ik eens wat anders om naar te kijken. Op dit punt is er geen gerechtigheid. Als het aan mij lag ...

De beheerder begon wat gegeneerd te doen.

'Mijn ... eh ... mijn grootvader had zo zijn manier van spreken ... ook als hij schreef ... En wat het vreemdste is, hij heeft dit bewaard ...'

Hij sloeg de bladzijden van het dagboek om, haalde een envelop uit een zakje dat tegen de binnenkant van het omslag was geplakt, schudde de inhoud op het bureau en hield Liz een vergeeld, rechthoekig stukje papier voor.

'Kijkt u maar. Volgens mij zijn dat ze, net voor de oorlog.'

Liz greep het fotootje. Het was dezelfde brunette als op de foto van Marthe. Naast haar een jongeman van gemiddelde lengte. Blonde, met haarvet gekamde haren, een gepommadeerd snorretje, fijne, verzorgde trekken. Niet erg knap, maar elegant, hoewel een beetje irritant met zijn vlinderdasje en zijn antracietgrijze kostuum, zijn tweekleurige schoenen ...

'U mag het wel houden als u wilt ...'

De beheerder bekeek de jonge vrouw alsof hij probeerde erachter te komen wie ze werkelijk was en waar ze vandaan kwam. Hij leek opgelucht toen ze hem bedankte en afscheid nam.

Op trillende benen bereikte Liz de auto op de binnenplaats van de stoeterij. Ze ging erin zitten en legde haar handen op het stuur. Ze keek voor zich uit, zonder iets te zien. En dan te bedenken dat ze de vorige dag nog het gevoel had gehad dat het leven haar eindelijk toelachte.

Zonder de beheerder te zien die haar bezorgd van achter het raam van de administratie bekeek, begroef Liz haar gezicht in haar handen. Wat had ze eigenlijk gedacht? En wat moest ze Ralph nou vertellen? Want hij zou haar natuurlijk gaan vragen wat ze had gevonden ...

De weg terug was lang, heel lang. Ze reed steeds verkeerd, nog vaker dan op de heenweg. Ze was met maar één ding bezig. Hoe moest ze vertellen wat ze zelf niet eens kon accepteren?

Toen het pikdonker was, lukte het haar eindelijk de Rover twee straten van de dienstwoning te parkeren. Ze keek op haar horloge. Het was tien uur. Toen ze op het punt stond de sleutels van het appartement uit haar tas te vissen, ging de deur open. Ralph verscheen in de opening.

'Mijn god, Liz! Waar zat je? Ik zit al drie uur op je te wachten! Waar is je mobieltje? Dat staat de hele tijd uit! Ik stond op het punt om de ziekenhuizen en de politiebureaus in de buurt te gaan bellen!'

Hij trok haar in zijn armen en klemde haar zo stevig tegen zich aan dat ze bijna stikte. Ze barstte in snikken uit. Ze vertelde wat ze ontdekt had, haar wanhoop. De eeuwige prop kwam weer in haar keel.

'Maar schatje, ik snap niet ... Jouw grootouders waren arm ... je grootvader heeft misschien weleens wat geld achterovergedrukt ... je bent er niet eens zeker van, want als ik het goed begrepen heb, dan had de beheerder van de stoeterij destijds een oogje op je grootmoeder ... Die kan dat allemaal opgezet hebben ... Ik begrijp niet wat daar nou het probleem van is! Dat verandert toch niets aan wie jij bent ...'

Hij tilde haar kin op en kuste haar.

'En ook niet aan degene van wie ik hou.'

Midden in de nacht schrok Liz weer wakker, met op haar borst het hoofd van Ralph. Ze had moeite met ademhalen. Voorzichtig verlegde ze hem. Terwijl ze op haar elleboog in haar kussen leunde bekeek ze hem een hele poos. Hij had het gezegd. 'Van wie ik hou.' Pas bij het aanbreken van de dag sliep ze in ...

De volgende middag, toen ze in de tuinen van het kasteel van Fontainebleau wandelden, nam Ralph Liz bij de arm en trok haar naar zich toe.

'Moet je zien, hier is Lodewijk xv getrouwd met Marie Leczinska!'

'Met wie? En geloof je dat dat een goed voorteken is?'

Zonder ook maar te letten op de grootsheid van de locatie, stapten ze de poort door van de binnenplaats met de fontein, zwierven tussen de buxussen die prachtig gesnoeid waren, langs ongelooflijke waterpartijen. Plotseling pakte hij haar vast, tilde haar op en kuste haar.

'Tjonge! Wat een weg heb je in een paar dagen tijd afgelegd! En ik moet je wat vertellen ...'

Op dat moment dook er naast hen een groep kletsende Japanners op, waardoor Ralph zijn zin niet afmaakte. Wat had hij op het punt gestaan te zeggen?

'Vooruit, laten we naar binnen gaan. Anders zijn we morgen nooit op tijd voor je trein en voor mijn vliegtuig. Ik moet mijn koffer nog pakken.'

Ze schrok.

'Je vliegtuig?'

Hij kuchte.

'Heb ik je dat niet verteld? Ik moet even naar Wharton. Er moeten wat dingen geregeld worden daar. Zaken die helaas niet op afstand afgehandeld kunnen worden.'

Liz zweeg. De betovering was weg.

De avond viel over de koninklijke stad toen ze langs de gevel liepen van een helder verlicht herenhuis, tegenover de campus van INSEAD. Muziek ontsnapte door de deur die almaar open- en dichtging. Liz kon een uitroep niet onderdrukken.

'Het is daar nogal druk voor een hotel!'

Ralph glimlachte.

'Dat is niet zo gek: er is een bar binnen. En elke vrijdagavond van de week waarin de studenten van de MBA college hebben, organiseert de gerant van het hotel een avond voor ze. Omdat ze vaak van heel ver komen … Laten we erheen gaan!'

Hij sloeg zijn arm om haar schouders en duwde haar naar binnen, liet haar een gang volgen tot aan een grote, halfverlichte zaal, vol muziek en mensen. Allemaal of bijna allemaal spraken ze Engels. Ralph nam haar bij de hand en nam haar mee naar de dansende paartjes. Ze liet zich gaan, probeerde niet aan de volgende dag te denken, aan de trein die haar zou terugbrengen naar Montélimar, terwijl Ralph zou wegvliegen naar de Verenigde Staten.

1962. Ontsnapping naar het verleden

De 'ouwe', zoals de jongens hem noemden, had hen betrapt toen ze in het kippenhok eieren aan het jatten waren. Dat was de eerste keer – niet dat ze stalen, want dat was de enige manier om enigszins voldoende te eten, maar dat de ouwe hen op heterdaad betrapte. De eerste keer in vier jaar ...

Aanvankelijk dachten ze nog dat het met een sisser zou aflopen. Vier jaar zonder je te laten betrappen. Vier jaar jatten, om tegemoet te komen aan een vrijwel aanhoudend rommelen van je buik, om te overleven en niet uitgeput te raken door vervelend werk, dat nooit klaar was, en nooit beloond werd.

De ouwe sloeg hen regelmatig, maar meer voor de vorm dan om een andere reden, ongetwijfeld om hen eraan te herinneren dat hij de baas was en hen niet in de verleiding te brengen dat te vergeten. Daar bleven over het algemeen wat littekens van achter: een gespleten lip en een bloedend jukbeen, sporen van een hak op de kin, op de dijbenen, sporen van een zweep op de rug. Kwestie van gewoonte, hield John zich soms voor. In Boomaderry, en daarna in Kinchela, had hij erger gezien. En ondanks het werk was hij hier alles welbeschouwd vrijer. Hij was vaak buiten, in de zwoele lucht, tussen lage heuvels met wat gras, papegaaien die in waanzinnige wolken opvlogen, schapen die zorgeloos graasden, kangoeroes die tussen de eucalyptussen verdwenen, in de roze avondschemer.

Hij had nooit echt de dag betreurd waarop de directeur van Kinchela hem naar een boerderij had gestuurd, op drie dagreizen met de bus, om 'eindelijk eens nuttig werk te gaan doen'. Daar, in de stoomketel van dat conservenblik op wielen, had hij dat magere blonde joch ontmoet dat zijn celmaat zou worden in zijn nieuwe gevangenis. Samen hadden ze gelachen toen de chauffeur met een Iers accent waar de honden geen brood van lusten bevestigd had dat ze beter daar konden zitten dan in Zuid-Australië, bij die negers, om zich te laten vergiftigen door die smerige bommen die daar tot ontploffing werden gebracht. Samen hadden ze gehuiverd toen ze de boer zagen die hen bij de bushalte stond op te wachten, met zijn gemene smoel en zijn zwarte hond. En ze hadden een bondgenootschap gevormd. John de bruine, Jude de blonde.

Vreemd genoeg verschilde de levensloop van Jude nauwelijks van die van John. Aan het einde van de oorlog had de vader van Jude hem aangeboden aan een weeshuis in Londen. Hij wilde weer zijn brood kunnen verdienen toen hij terugkwam van het front, na de dood van de moeder van de kleine tijdens de Blitzkrieg. Maar hij was zijn zoon nooit meer komen ophalen. Want onder bescherming van regering en kerk werden duizenden kinderen, al dan niet wees, naar de diverse Britse koloniën gezonden. Jude was er zo een. Toen hij in Australië aankwam, hadden ze hem naar een weeshuis in Melbourne gestuurd, en van daar, onder het voorwendsel dat hij koppig was, naar Kinchela, voordat ook hij te werk werd gesteld.

Na vier jaar waren de beide jongens onafscheidelijk geworden, ondanks hun verschillen. Ze hadden allebei in elkaar de broer gevonden die ze graag hadden willen hebben.

En die dag gaf de ouwe hun allebei een broederlijk pak op hun donder. En ondanks hun jongemannenbouw, ondanks de kracht die ze meenden te hebben, kregen ze de een na de ander het gevoel dat ze van alle kanten werden aangevallen.

John had een bebloed gezicht, kon een kreet niet onderdrukken toen de boer hem een hak in de nek zette, zijn gezicht in het stof duwde en daarna in zijn zij ging staan schoppen. Hoestend tot zijn keel er zeer van deed, probeerde hij op te staan om niet als een ordinaire kakkerlak te worden doodgetrapt. Maar hij zag de voet van de ouwe niet komen. De pijn was zo hevig dat hij bijna niet kon ademhalen. Hij viel op zijn knieën, met zijn handen voor zijn geslachtsdelen. In elkaar gekrompen op de grond begon hij te kreunen. Plotseling ging er een huivering door hem heen, iemand stond tussen hem en de zon. De schaduw naderde.

John kroop nog meer in elkaar, deed zijn ogen dicht, wachtte op de volgende klap. Die kwam niet. Integendeel, de hand die op zijn schouder neerkwam was licht.

'Hé! Gaat het? Vooruit, kom mee!'

John keek op, had moeite zijn oogleden te openen. Zijn rechteroog was helemaal gezwollen, zat voor driekwart dicht. En het andere, daardoorheen zag hij alles als door een mist. Het was echter de stem van Jude. John fluisterde: 'Ben jij dat?' (Hij hoestte, spoog.) 'En de ouwe?'

Jude draaide zich om, maakte een vaag handgebaar in de richting van de achterdeur van het kippenhok.

'Die is daar. Laten we het erop houden dat ik hem een beetje in slaap heb gebracht.'

Hij stak zijn hand uit naar zijn vriend en hielp hem opstaan.

'Probeer overeind te komen. Het heeft geen zin om je ballen vast te houden. Die zullen er heus niet af vallen … Niet meteen tenminste.'

Hij lachte en werd toen weer ernstig.

'We moeten hier nu voorgoed vandaan, en ver ook. Ik zet jou tegen de muur en jij wacht op mij. Op dit moment …' (hij wendde zich naar de zon, die achter de heuvels zakte) '… zijn de anderen nog niet binnen, maar dat gaat gauw gebeuren. Ik ga een paard halen en we gaan ervandoor.'

John liet zich tegen het kippenhok zakken zonder te vragen hoe het met de ouwe stond. Hij veegde het bloed af dat langs zijn nek en zijn kin liep, betastte zijn gezicht, dat hem even misvormd als pijnlijk toescheen. Terwijl hij, telkens als hij zijn benen bewoog, de behoefte onderdrukte om te schreeuwen, hield hij zich voor dat hij uiteindelijk, als hij alle mensen die hem kwaad hadden gedaan sinds zijn prille jeugd moest vermoorden, voorlopig nog wel even bezig was.

Op dat moment maakten lichte voetstappen dat hij zich omdraaide. Jude kwam aanlopen met Nara, de favoriete merrie van de boer, een prachtige vos van amper drie.

'Ziezo! En nu verdwijnen we in noordelijke richting. Ze denken natuurlijk dat we naar Melbourne gaan, dus we doen er het beste aan om de andere kant op te gaan. Helemaal omdat ze tussen de bomen minder gemakkelijk onze sporen kunnen volgen. En dan kunnen, met een beetje geluk, over een paar dagen onze wegen zich scheiden ... jij gaat naar huis, naar je fameuze baai waar je de hele tijd over zit te lullen!'

Het duurde langer om John op het rijdier te krijgen dan om te verdwijnen in de ondergaande zon. De weg was moeilijker dan Jude had gedacht. Achter de jongeman klampte John zich met moeite vast, zijn hoofd knikkend tegen de rug van zijn vriend. Hij kreunde onophoudelijk en antwoordde al snel niet meer op de aansporingen van Jude. Toch wilde die ondanks alles doorgaan. Ze hadden hoe dan ook niet veel keus: de onmiddellijke dood voor John door de gevolgen van de kloppartij, of de uitgestelde dood voor allebei als ze gepakt werden.

Ze trokken vier dagen, rustten nauwelijks om water te drinken van de laatste regen uit holle rotsen, of om langzaam een stukje van het brood te eten dat Jude van de plank in de stal had gejat. John was in een soort koortsige lethargie weggezakt, die zijn vriend nogal zorgen baarde. Zodra Jude dan ook vond dat er genoeg afstand tussen hen en hun eventuele achtervolgers was geschapen, probeerde hij een schuilplaats te vinden.

Dat was niet gemakkelijk. De heuvels hadden plaatsgemaakt voor veel vlakker, droog terrein, dat in de brandende zon slechts de beperkte schaduw bood van magere, verschrompelde struikjes. Maar plotseling sloeg het weer om. De lichte wind begon het wolkje dat wellicht het begin van de zuidelijke herfst aankondigde voor zich uit te blazen. Aan de horizon verschenen weer enkele bomen. Toen ze er waren, stelde Jude vast dat een lange scheur, waarschijnlijk al heel oud, de grond tussen de wortels had geopend. Een schaduw deed onderaan een holte vermoeden. Daar zouden ze blijven. Dat was niet eens zo slecht.

De jongen steeg af. Hij had zich nauwelijks omgedraaid naar de merrie of hij kon nog net het lichaam van zijn vriend opvangen. Hijgend sleepte hij hem naar de schaduw die hij had gezien en zette hem tegen een boomwortel. Terwijl hij iets doorliep fronste hij zijn wenkbrauwen en hield zijn hand boven zijn ogen. Er was daar meer dan alleen een aardverzakking, er was gewoon een lange, grote grot, voorbij de smalle ingang. Jude hield zijn adem in. Dit was boven verwachting ... als er nu maar niemand woonde. Hij wierp een blik op John. Die bleef roerloos liggen.

Heel voorzichtig liep Jude de grot in. Het was tot nu toe de eerste grot die hij betrad. Zijn vriend had hem dikwijls een paar van de dromen verteld die hem achtervolgden, en een duister verhaal over een reuzenleeuw schoot hem te binnen. Hij begon zo voorzichtig mogelijk te ademen, alsof dat een eventueel monster ervan zou weerhouden hem te bespringen.

Maar het gezicht dat in het halfduister verscheen was heel knap en de stem die van de roze lippen kwam, heel zacht.

'Naar-ra yoa nii ...'

De jongen schrok zo dat hij met zijn hoofd tegen het rotsplafond stootte.

Het waren Gun-bai, de grootmoeder, en *Woon-gu-ya*, de kleindochter. Ze heetten Tjunkiya en Gracie. De een was zo oud en gerimpeld dat het moeilijk was je voor te stellen dat ze ooit nog eens jong was geweest. De ander zo fris en verleidelijk dat het onmogelijk leek dat ze op een dag ooit oud zou worden. Een paar weken eerder waren politieagenten hun kampement binnengevallen, enkele tientallen mijlen verderop naar het zuiden, om de kinderen mee te nemen die hun wat te licht van huid leken. Ze waren gevlucht, want Gracie behoorde tot degenen die hadden moeten vertrekken. De oude vrouw riskeerde gevangenschap. Ze was namelijk een Dharug-genezeres.

Voor de vluchtelingen was dat een buitengewoon gelukkig toeval. De oude vrouw liet John meteen voor de ingang van de grot neerleggen, kleedde hem uit, onderzocht hem, en wees met een grimas op zijn geslachtsdelen.

'Boom-be-ra ... gool-ga ... yum-bine ... yer-a-kee yer-a-kee.'

Jude wendde zich tot Gracie.

205

'Wat zegt ze?'

Het meisje aarzelde even, sprak toen: 'Zijn penis en zijn testikels … zijn lelijk toegetakeld. Daar heeft hij het meest last van.'

De oude vrouw begon droge kruiden en vette noten in een kleine holle steen fijn te wrijven, terwijl ze regelmatig in het mengsel spoog. Jude wendde walgend zijn ogen af, totdat hij de ironische blik van Gracie kruiste. Hij voelde hoe hij daarop bloosde tot in zijn haren en hij deed zijn best naar de handen van Tjunkiya te kijken, terwijl hij zijn wenkbrauwen fronste. Dat weerhield hem ervan een andere gezichtsuitdrukking te laten zien, die hem onmiddellijk te schande zou hebben gemaakt. Het deed hem ook een paar ogenblikken de buikkrampen vergeten die door hem heen schoten. Hij vergat ze volledig vanaf het moment dat de grootmoeder van Gracie de zalf op Johns geslachtsdelen begon aan te brengen. Zijn vriend, die tot dan toe buiten bewustzijn leek, begon te brullen. Gelukkig hield zijn geschreeuw na enkele minuten op.

Jude hield zijn hoofd tegen de rots achter zich en sloot zijn ogen. Hij kon niet meer. Hij stond op het punt weg te dommelen toen hij een lichte hand op zijn voorhoofd voelde. Heel even kreeg hij het gevoel jaren terug te zijn, voor de oorlog, in de tijd dat zijn moeder nog leefde. Hij viel in slaap.

Dag na dag raakte het leven in de grot beter georganiseerd. Tjunkiya en Gracie waren ongelooflijk handig in de ogen van Jude: ze konden water en voedsel vinden op plekken waar ogenschijnlijk niets anders was dan droge aarde, stenen en dorre bomen. Zo konden ze weken, maanden in leven blijven, rond dat groene verborgen kreekje tussen twee aardplooien.

Toen John genezen was, waren Jude en hij in staat de beide vrouwen te helpen, van hen te leren wat hun omgeving ze te bieden had … en autonoom te zijn. Ook ontdekten ze het genoegen van een leven te midden van wat allang verloren leek gegaan: een familie. Een familie waarin de beide jongens verliefd werden op hetzelfde meisje, maar toch een familie.

Aan het einde van de herfst trokken wolkenflarden door de stralende hemel, toen een vreemd geluid in de verlaten heuvels ten oosten van de grot opklonk. Aan de rand van wat hun 'tehuis' was geworden, ruimde John met behulp van Jude en Gracie de dode takken op die aan het einde van dit seizoen door de bliksem in brand gestoken zouden kunnen worden. De jongen sprong overeind. Dat geluid, dat had hij heel lang geleden voor het laatst gehoord.

Het blaffen kwam dichterbij, gevolgd door een ander geluid, nu goed hoorbaar, dat van motoren. Tjunkiya kwam de grot uit rennen, gebarend naar Gracie, en fluisterde haar iets in het oor. John boog zich voorover, maar hij kon er niets van volgen. Zijn kennis van de Dharug-woordenschat was beperkt, want Gracie fungeerde altijd als tolk. En voor niets ter wereld had hij het zonder haar willen stellen. Het meisje draaide zich om naar de beide jongens.

'We moeten weg. Rennen. Daarheen.'

Jude deed alsof hij naar de grot wilde. Gracie hield hem tegen, wees naar het oosten.

'Nee! Niet hier! De honden zouden ons vinden. Daarheen!'

Ze sprak nu op bevelende toon. Ze begonnen te rennen. Het terrein was vlak tot op enkele honderden meters van de grot. Maar vervolgens moesten ze een heuvel beklimmen. Ze bleven net lang genoeg staan om zich ervan te vergewissen dat Tjunkiya hen moeiteloos volgde. Al snel werd de helling steiler en moesten ze de pas inhouden. John wilde de oude vrouw op de schouders nemen. Ze schudde hevig haar hoofd, sprak een paar woorden die hij niet begreep. Gracie stond te blazen en te puffen.

'Ze zegt dat het heel goed met haar gaat en dat ze zich alleen kan redden.'

En zo liepen ze een eeuwigheid door. Toen zakte de zon achter de horizon. Gracie wees op een rotspartij, enkele honderden meters voor hen.

'Daar! Daar moeten we overheen.'

Jude, die achter John liep, protesteerde.

'Maar daar is niks. En ze komen dichterbij ... Luister dan, Gracie!'

Het meisje keek hen lang aan.

'Vertrouw mij nou maar. Vertrouw ons nou maar.'

Ze bereikten de rotspartij toen een geruis in hun oren klonk. John keek om zich heen.

'Het lijkt wel water.'

En nu begonnen ze pas echt goed te rennen, totdat Gracie plotseling stokstijf bleef staan. Jude en John liepen naar haar toe. Onder hen, meer dan tien meter lager, kolkte een stroom die gezwollen was door de regen die op de verre bergen was gevallen. Gefascineerd door het schouwspel duurde het even voordat de jongens het geblaf hoorden. De honden waren pal achter hen.

Ze draaiden zich om en zagen de omtrekken van een open vrachtwagen, twee jeeps en een graafmachine als donkere en dreigende schimmen afgetekend tegen de ondergaande zon. John begreep dat dit een van de mijnbedrijven was die in het hele gebied bodemonderzoek deden. Heel even koesterde hij de vluchtige hoop dat ze nog wel zouden kunnen ontsnappen, omdat ze niets met die lui te maken hadden. Maar er sprongen twee mannen uit de vrachtwagen, die de achterklep opendeden. Een kort bevel was in het rumoer te horen. Een derde man kwam luidkeels roepend uit een van de jeeps rennen.

'Zijn jullie getikt? Geen honden!'

Maar het was al te laat. Een donkere schaduw vloog over de grond. Er waren vijf pikzwarte waakhonden, wier grote poten de grond leken weg te schuiven.

Tjunkiya begon razendsnel met Gracie te praten. John, wiens hart in zijn borst tekeerging, bekeek hen zonder er iets van te begrijpen. Hij begreep er nog minder van toen Gracie hevig haar hoofd schudde, haar grootmoeder bij de schouders pakte en haar tegen zich aan trok. Tranen stroomden over haar wangen. Maar de oude vrouw duwde haar kleindochter weg en begon weer op haar in te praten, op een uitdrukkelijke manier, die John nog nooit had gehoord. Een paar keer herhaalde ze dezelfde zinsnede, en toen klopte ze lichtjes met de vingers van haar rechterhand tegen Gracies hoofd, bracht het puntje van haar vingers naar haar mond, en legde ze uiteindelijk op het voorhoofd van het meisje. Gracie slikte een keer en fluisterde toen: 'We moeten springen.'

Jude wilde protesteren. Maar hij zag de honden naderen, het zou niet lang meer duren of ze hadden hen bereikt. Er was geen alternatief. Hij riep Gracie toe: 'Ik ga als eerste. Jij komt achter me aan. Dan Tjunkiya, dan John. We vangen jullie beneden op.'

Gracie aarzelde een tiende seconde, knikte toen. Jude draaide zich naar John om.

'Tot zo, ouwe!'

Hij sprong.

John bekeek met enige schrik de zuil schuim die zijn vriend in het woeste water veroorzaakte. En hij voelde een duw in zijn rug.

De wind van de val sloeg hem in het gezicht en tegen het lijf. Dat duurde maar een seconde en in die tijd hoorde hij iemand in het lawaai schreeuwen. Hij besefte dat hij dat zelf was, tot het moment dat hij het oppervlak van het water raakte. Want dat drong zijn mond, zijn neusvleugels en zijn oren binnen. Een paar keer dacht hij de hemel te zien. Maar het woeste kolken trok hem voortdurend naar de bodem. Zijn rechterbeen klapte tegen iets massiefs aan. Hij schreeuwde, kreeg water in zijn mond. De stroom voerde hem naar de oever.

Hij voelde grond, werd bijna weer meegesleept, maar het lukte hem om overeind te komen. Hoestend en spugend hees hij zich naar de vaste wal door zich op te trekken aan takken van gombomen die dwars over de stroom lagen. Eindelijk kon hij op zijn buik op het grind gaan liggen en op adem komen. Achter hem klonk geschreeuw.

John keek op. Waar waren de anderen? Gracie? Jude? Tjunkiya? Boven hem vormden de rotsen een zwarte, dreigende massa in de lucht. Hij kwam overeind, wreef over zijn been, liet zijn blik over de vooruitstekende rots glijden waar hij vanaf gesprongen was. En toen zag hij haar. Meer dan honderd meter stroomopwaarts zag hij hoe de magere gestalte van Tjunkiya de armen ophief, als in een uitdagend gebaar. Zelfs op die afstand kon John de honden horen.

Ze hadden haar in het nauw gedreven. Ze waren woedend. Tjunkiya sloot de ogen, vuisten en gezicht trots naar de hemel geheven, haar lichaam recht, de benen enigszins uit elkaar, goed op de grond geplant. Ze sloot haar geest af voor het woeste blaffen dat haar omgaf. Ze sloot haar geest af voor het hoongelach van de twee kerels die dichterbij kwamen, achter hun waakhonden, en die regelmatig hun smerige speeksel uitspogen. Ze sloot haar geest af voor het gieren van de motoren, voor het knarsen van de banden. Ze sloot haar geest af voor de aanwezigheid van de graafmachine, die de paden van de voorouders zou kruisen, op zoek naar uranium of lood.

En op dat moment zag en hoorde ze de Ya-kurr, de buidelleeuw die de geesten van de voorouders voor haar hadden opgeroepen, opdat zij haar weg naar hen zou vinden. Ver van die wereld die niet meer de hare was en die ze ook niet meer wilde. Wat waren hondenbekken vergeleken met zijn snijtanden, lang als het lemmet van een kapmes? Wat waren hun klauwen vergeleken met de klauwen die zich kromden aan het uiteinde van zijn poten? De kreet die ze slaakte klonk door het hele dal, klonk boven het gebulder van de stroom uit, onderbrak het gehuil van de honden. Even deinsden ze terug, totdat ze begrepen dat ze geen gevaar liepen.

Een kort bevel zette ze ertoe aan zich op haar te storten. Ze schreeuwde niet. Ook niet toen de eerste hond haar een stuk uit haar magere biceps reet, die ze instinctief voor haar gezicht hield, en ook niet toen de tweede zijn tanden in haar holle buik zette. De derde greep haar keel tussen zijn kaken, schudde, trok, schudde weer. Tjunkiya's bloed stroomde over de kale rots en keerde weer terug naar de aarde. Haar hart klopte niet meer. Haar geest vertrok. Precies zoals ze gewenst had.

John had gezien hoe de oude vrouw viel, hoe de honden zich op haar stortten. Hij sloot zijn ogen in de veronderstelling dat hij een van die vreselijke dromen droomde, van het soort dat hem iets wilde leren. Maar wat? Dat leed en dood nooit zouden ophouden, altijd maar door zouden gaan? Hij kon dat niet begrijpen. Hij kon zich er slechts tegen verzetten. Stille snikken deden zijn borst schudden. Hij voelde een hand op zijn schouder en draaide zich om.

Jude. Gracie. Het meisje had haar ogen open, droog, haar kaken op elkaar. Ze keek naar de hoge, uitstekende rots. Ze richtte haar blik weer op John.

'Laten we gaan. Laten we naar jou thuis gaan, naar je baai.'

Juli 2005. Vilder en andere slagers

Met haar handen om het stuur geklemd remde Liz plotseling op het grindpad dat naar haar huis leidde: een enorme zwarte plastic zak lag op de binnenplaats, pal voor de auto.

Liz smeet het portier open en ving een walgelijke lucht op. Ze zette de motor af, bedekte haar neus en haar mond met haar hand. In een poging zo voorzichtig mogelijk te ademen liep ze ernaartoe. De lucht werd steeds sterker. Een donkere, zoemende wolk verhief zich van het plastic, wervelde enkele seconden voor haar gezicht. Ze raakte in paniek, begon met haar armen rond haar hoofd te slaan, keek toen naar de grond. Andere vliegen, enorme, met een lichtende groene glans, kwamen onder het glanzende folie tevoorschijn. De jonge vrouw pakte het met haar vingertoppen en trok eraan. Het zwarte plastic was veel zwaarder dan ze had verwacht, maar scheurde desondanks ver genoeg om een deel van een kadaver te onthullen.

Liz voelde haar maag samenkrimpen en rende terug naar haar

auto. Het was een koe, opgezwollen alsof er lucht in de buik en de hals was geblazen. Een enorme tong, zwartpaarsig, hing tussen de kaken. Het vlees was op meerdere plaatsen aangevreten. Donker, kleverig spul lekte uit de achterhand. De ogen waren nog slechts donkere gaten, waar weer andere vliegen druk in de weer waren. De zoemende beesten keerden onmiddellijk terug, verspreidden zich boven de bloot gekomen delen van het dier en zochten zorgvuldig verschillende landingsterreinen uit. Kotsmisselijk stond Liz op het punt haar Peugeootje weer aan de praat te krijgen, toen een plotselinge vloek haar deed schrikken.

'Verdomme! As da gin schand is!'

Met hartkloppingen draaide Liz zich met een ruk om. Joseph … zonder zijn varken. En ondanks de schrik was ze zo blij hem te zien dat ze zich moest inhouden om hem niet om de hals te vliegen. Hij schoof zijn pet een eind naar achteren op zijn kale kop, om zijn schedel te kunnen krabben. Met zijn andere hand wees hij op de koe.

'Drie dagen! Al drie dagen leit ze daar, die … in de blakende zon! Ge meugt blij wezen da'k d'r bij wier om diën aafse zak van Desforge ut te kaffere! Anders hattie da kadaver hier ok nog open en bloot ligge late …'k Mut d'r nie an denke wadde dan gevonden had! Ik het hum verplich het af te dekken en d'rveur te zorge dat de vilder zou komme!'

Verbijsterd begon Liz te stotteren.

'Maar … wat … wie …'

Joseph schokschouderde met een fatalistisch gebaar.

'Ach, enen adder! D'r zitte d'r zoveul hier. En die veers … die ouwe, die witte wel dazze de nek nie in het hoge gras mutte steke. Maar deze was te vreetgraag. Ge zie wat of het gevolg is: helemaal opgeblazen … en stinke dazze doet ok nog! Maar maak oe geen zorge, Lison … de vilder komp vanavond. En de zoon van Desforge, die het gezwore dattie z'n beeste nie meer over oewen grond zal late lope. Ik heb hum gezeed dattie hartstikke getikt was!'

Opgelucht dat het hier alleen maar een ongegeneerde pachter betrof, kon de jonge vrouw zich niet inhouden en pakte haar buurman bij de arm.

'Ach, Joseph! Wat zou ik zonder jou moeten?'

De oude man glimlachte verrukt.

'Nou ... ik denk dadde dan wel in de penarie zou zitte! Goed. 'k Mot d'r weer vandeur! Anders gaat d'n Margriete zich onge-rust make! En agge wat hebben mut, meid, ge kent de weg naar huis. En wat die koei aangaat ... maak oe maar geen zorge. Van d'n avond is ze vort!'

En inderdaad, 's middags kwam er een vrachtwagen, met een lange aanhanger en een kleine kraan erop, de oprit op rijden. Hij werd achteruit voor het dier gezet. Een piepklein ventje, ma-ger als een lat, in een vlekkeloos gestreken overall, sprong uit de cabine, keek even naar de koe, zonder haar aan te raken en zon-der de lap weg te halen die nog voor de helft over haar heen lag. Toen klom hij weer in de vrachtwagen en begon met de kraan te spelen. De ijzeren klauwen zakten langzaam naar de vaars, klemden zich rond het kadaver en grepen tegelijk het grote stuk zwart plastic mee. De grijper begon geleidelijk te stijgen.

Liz kwam op dat moment naar buiten om een paar vijgen in de boomgaard te gaan plukken en bleef bewonderend staan toekijken. Het kadaver werd ongemerkt opgetild, bewegingloos in de lucht hangend. Maar plotseling leek iets zich los te maken uit de rug van de koe, op het punt waar het plastic niet helemaal was weggeschoven. De jonge vrouw keek nog eens. In het zon-licht zag ze niet goed wat het was. Ze deed nog een stap dichter-bij. Het ding raakte wat verder los. Liz schreeuwde.

Wat op het punt stond uit de grijper te vallen was geen stuk van de vaars. Lange blonde haren hingen aan een levenloos hoofd. Ze schudden in hetzelfde ritme als de armen en de be-nen, die bedekt waren met zwarte sporen. En de vliegen zoem-den, op de plek waar een buik had moeten zitten.

Liz' kreet had de bewegingen van de vilder aan de hefbomen meteen doen ophouden. De mechanische grijper, die plotseling in volle vaart werd stilgelegd, begon gevaarlijk te slingeren. Het kadaver van de koe was zwaar genoeg om tussen de stalen klauwen te blijven zitten. Maar het andere niet, dat gleed bijna sierlijk naar beneden, alvorens ruw op de grond te ploffen.

'Godtegodtegod! Wat krijgen we nou?'

De vilder was uit zijn machine gesprongen. Naast een versteende Liz bekeek hij heel even het aangetaste lijk op de uitgedroogde grond. Het lag daar als een ontwrichte pop, die schaamteloos blootstond aan de blikken onder haar gescheurde en met bloed bevlekte jurk. Het gezicht ging schuil achter de blonde haren vol droog gras. De buik was opengesneden tot aan de vagina en leeggehaald. De benen waren opgetrokken in een positie die alleen na de dood zou mogen bestaan.

De vliegen die even de kluts kwijt waren door de val van een deel van hun voorraadkast, namen hun plaats weer in. Enkele minuten later huilden in de verte sirenes.

1967. Een luguber deuntje

John schrok wakker. Hij bleef liggen met zijn blik op het plafond van de hut gericht. Zouden ze ooit verdwijnen, die vreselijke nachtmerries die hem steeds verder terugvoerden? Hij probeerde zijn ademhaling onder controle te krijgen, veegde zijn voorhoofd af, draaide zijn hoofd om. Gracie sliep vredig, plat op haar buik, zoals altijd. Haar lieve gezicht was naar hem toe gekeerd, zoals altijd … nou ja, bijna. Zoals om de andere week, want de andere week was voor Jude.

John glimlachte. Alleen hier in zijn baai konden ze zo leven: twee mannen, een blanke en een halfbloed, die dezelfde vrouw beminden, ook een halfbloed. Een vrouw die ze hun liefde op gelijkwaardige en rustige wijze teruggaf. De jongeman tilde even zijn hoofd op. Achter in het vertrek bewoog het bedje bijna onmerkbaar.

En bovendien hadden ze een kind gemaakt … met z'n drieën,

of bijna. Gezien hun respectieve huidskleur was het momenteel nog heel moeilijk om te bepalen wie de vader van de kleine was. En misschien zou dat ook wel onmogelijk blijven. Gracies huid was bijna blank, haar kroesharen zwart en haar ogen groen. Jude had een blonde krullenkop, een lichtbruine huid en blauwe irissen. John had een koffiekleurige huid, steil haar en hazelnootbruine ogen.

Hij stond op het punt om in lachen uit te barsten. Probeer daar maar eens uit te komen! En dan te bedenken dat hij er nog maar amper een paar jaar geleden wat voor over had gehad om over een groot stuk puimsteen te beschikken en zich daarmee de pens te wrijven tot de kleur eraf was ... Terwijl hij nu juist stiekem hoopte dat de kleine die naast hen sliep op een dag net zo bruin zou worden, zodat hij, al was het maar voor heel even, zou kunnen denken dat hij, John, de vader was ... en dan het liefst in een land waarin het mogelijk leek weer te leven.

Sinds enige tijd schreven de kranten veel over manifestaties, vredesmarsen, het einde van een racistische wetgeving, het afschaffen van die vreselijke assimilatiepolitiek, hulpmaatregelen voor Aboriginals, integratie. Ze hadden het zelfs over het begin van onderhandelingen over het opzetten van een zeereservaat in de baai, dat dan beheerd zou moeten worden in samenwerking met de Aboriginals ...

De jongeman draaide zich naar Gracie om, kwam even in de verleiding haar wakker te maken, om zijn hoofd tussen haar borsten te drukken, om dat gedeelte van zichzelf dat de grootmoeder van de jonge vrouw destijds had helpen genezen, tussen haar dijen te duwen ... Maar de gedachte aan Tjunkiya bekoelde meteen zijn verlangen. Haar vreselijke einde deed onveranderlijk haat in Johns hart opwellen. Misschien nog wel meer dan die mishandeling waaraan hij sinds zijn jeugd blootgesteld was geweest. Met een woedende vuist veegde hij de tranen weg die onder zijn oogleden parelden en hij hield zichzelf voor dat hij moest gaan slapen. Bij het krieken van de dag zouden Jude en hij vertrekken om een paar dagen te gaan vissen, op de smaragdgroene wateren van hun paradijs.

Hij sluimerde weer in, toen er plotseling een enorm gekraak klonk. Hij duwde zich overeind op een elleboog en knipperde met zijn ogen. Het licht van de dageraad stroomde het vertrek binnen door de ingetrapte deur. Drie sombere gestalten tekenden zich af in de deuropening. Het kind begon te brullen. Gracie was ook overeind gekomen, met uitpuilende ogen, een hand voor haar geopende mond, terwijl ze met de andere het laken voor haar borst trok.

John sprong overeind en stortte zich op het bed van zijn zoon. De man die zich over de kleine heen boog, stootte hem met zijn elleboog in het gezicht. Er klonk gekraak. John klapte dubbel. Terwijl de man zich omdraaide naar het bed van het kind, raakte de knie van een ander John tegen zijn kin. Hij kwam languit op de aangestampte lemen vloer terecht, in een mist van bloed en pijn. En toen begon het trappen te regenen, terwijl Gracie zich uit de armen van een grote vent in politie-uniform probeerde te worstelen en het kleintje zich vastklemde aan de tralies van zijn bed terwijl het om zijn moeder stond te roepen.

Dit kon niet. Dit was toch allemaal voorbij. Ze hadden het in de kranten geschreven: de instituten werden gesloten. Ze zeiden overal: 'De Aboriginals worden gelijkwaardige Australische burgers.' En toch bleven de trappen Johns ribben, de botten van zijn armen, van zijn gezicht kneuzen. In een laatste poging eraan te ontkomen rolde de jonge Koo-ri in elkaar. En toen, in een flits, zag hij twee dingen: het onaangedane gezicht van de vent die hem methodisch probeerde te vermoorden en daarachter een bekende gedaante: Jude. In zijn lange onderbroek, met zijn blonde haren in de wind, een oud geweer in de aanslag.

Jude schoot eenmaal in de lucht, herlaadde. De regen van trappen tegen John stopte, hij kon zijn hoofd omdraaien. Het deed vreselijk pijn, maar het was minder erg dan de paniek die bezit van hem had genomen toen hij de kleine hoorde huilen. In het stof dat in de ochtendlijke zonnestralen zweefde, hadden de wetsdienaren zich stomverbaasd omgedraaid.

Johns beul wilde zijn revolver pakken. Maar Jude schoot weer, tweemaal. Met de opkomende zon in de rug zag hij precies waar hij moest mikken. De eerste kogel trof de agent in zijn kruis. Hij begon te krijsen als een lachvogel die zijn nest niet meer terug kan vinden. Toen viel hij op zijn knieën op de grond, met zijn handen op zijn broek, die met een schrikbarende snelheid zwart werd van het bloed. Toen hij kreunend opkeek, drong de tweede kogel zijn voorhoofd binnen. Hij leek nauwelijks verrast. Zijn kreten verstomden nog voordat de purperen vloeistof begon te stromen uit het perfect ronde gaatje in zijn schedel en wat ooit zijn hersens waren geweest.

Degene die het kind had gepakt hield het als een scherm voor zijn lichaam, op het moment dat Jude hem op de korrel nam. Tranen stroomden over zijn bolle wangen. Gemeen lachend tilde de tweede agent het gezicht van de kleine met een tik op en trok hem aan de haren naar achteren.

'Je gaat toch niet op dat joch schieten, hè!'

Jude had de loop van zijn geweer opgeheven, mikte op het hoofd van zijn tegenstander, nog geen centimeter boven dat van het kind. In het halfduister van de hut begon Gracie vreselijk te schreeuwen, haar handen geboeid aan de spijlen van het bed. John probeerde iets te zeggen. Nee, Jude. Niet doen. Niet proberen. Niet met die spuit. Het is ons kind, ons kleintje, dat van Gracie, van jou, van mij. Alsjeblieft. Jude.

Verscheidene schoten klonken, vrijwel tegelijk. De eerste kogel drong de neus van de politieagent binnen. Hij versplinterde het kraakbeen net boven het linkerneusgat en kwam boven in de nek weer naar buiten. De tweede, derde, vierde en vijfde kogel waren afkomstig uit een ander wapen: een revolver, en wel van de man die Gracie had geboeid.

Jude keek naar zijn borst, verbaasd. Heel even leek hij in de ogen van zijn vriend te groeien. Maar het bloed stroomde al over zijn onderbroek. Hij liet het geweer vallen, viel op zijn knieën, spoog iets zwarts uit en zakte toen in het stof.

Nog diezelfde avond werd het kind vanwege slechte behandeling in een weeshuis geplaatst, kandidaat voor adoptie. John werd naar de gevangenis van Nowra gestuurd, in afwachting van zijn overplaatsing naar elders, na zijn vonnis.

Drie dagen later wierp Gracie zich van het klif, tegenover de kreek van de oude wijze man. Het was dezelfde plek waar twee Jerr-inga-kinderen vroeger, toen alles nog goed was, het eerste schip van de bezetters hadden gezien.

4

Juli 2005. Van runderachtigen tot vliesvleugeligen

Het duurde ruim twee uur voordat de binnenplaats vrij was van voertuigen, uniformen, Joseph en zijn varken. Maar toen eenmaal het laatste stofwolkje was neergeslagen, voelde de jonge vrouw een grote last van haar schouders glijden. Had ze zich al niet veel eerder zorgen moeten maken? Had ze niet al haar spullen in een koffer moeten pakken en dit vervloekte oord moeten ontvluchten? Nou, Liz wist niet waarom, maar ze had het nu eenmaal niet gedaan. Ze vroeg zich af of ze niet volslagen ongevoelig aan het worden was. Er was een meisje dood, wreed vermoord. Een meisje dat ze kende, al had ze haar maar één keer gezien. En het eerste dat bij Liz opkwam was dat ze een tijdlang om de plek heen zou lopen, lang genoeg om de onweersregens alle sporen uit te laten wissen. Maar ze ging niet vluchten, zoals ze dat al eens eerder had gedaan.

Ze had zich vastberaden voorgenomen om in het vervolg zelf haar weg te bepalen. Om dat besluit kracht bij te zetten, en omdat het zien van de natuur, zo vredig en ongevoelig voor alle wreedheden, haar troostte, sprong Liz over het houten hek dat de boomgaard omgaf en liep vastberaden op de vijg af. De vruchten waren rijp, prachtig blauwpaars, met ronde wangen die een onweerstaanbaar verlangen opriepen om erin te bijten. Dat verlangen beheerste Liz inderdaad enkele uren eerder. Maar op dit moment dacht ze dat ze nooit meer honger zou hebben. Toch was ze niet van plan af te wijken van haar nieuwe gedragslijn.

Dus met haar mandje in de hand stak Liz welbewust een

hand uit naar de dichtstbijzijnde vrucht en trok aan het steeltje. De vijg viel zwaar en warm in haar handpalm … een halve seconde voordat een harig, niet nader geïdentificeerd beest ook van de partij bleek, en een hevige pijn de kop opstak. Ze liet de vrucht vallen en daarmee ook de hoornaar die zich te goed had zitten doen aan het vruchtvlees en haar zojuist had gestoken. Een gemene rode blaar verscheen in haar hand, terwijl het brandende gevoel zich verspreidde tot in haar pols. Een duivels gezoem begon in haar oren te klinken. Ze keek nog eens naar de vijgenboom en zag het nest, verborgen achter de grote bladeren. Het was grijsachtig, bestond uit lagen, van een soort pap, en het was niet groter dan een Australische rugbybal. En het leek te trillen.

Liz kreeg geen tijd iets anders te zien dan de eerste vliesvleugeligen die woest uit hun burcht kwamen. Ze liet haar mandje vallen, rende naar de openslaande deuren van haar werkkamer en sloot ze achter zich. Net op tijd, want de hoornaars stootten tegen de ruit in een indrukwekkend eskadron, voordat ze weer in de verte vertrokken. Om vervolgens weer terug te keren.

Bevend over haar hele lijf liet Liz zich in haar bureaustoel vallen en keek naar haar hand. De steek zwol niet meer, maar deed vreselijk zeer. Ze klemde de kaken op elkaar, nog steeds met de blik op de vliegende gemeneriken die enkele meters van haar vandaan rondzweefden, en bladerde in de Gouden Gids op internet. Ze moest zo snel mogelijk de naam vinden van een beroepsmoordenaar.

De nacht viel toen er een bestelwagen de binnenplaats op reed. De man die eruit stapte droeg een soort vulkanologenpak, met bijbehorende kap onder de linkerarm en een zware brandblusser aan de rechter. Met een verlegen glimlach volgde hij de jonge vrouw tot aan het hek van de tuin.

'Maakt u zich geen zorgen hoor, mevrouwtje, ik ga uw leven redden! Dat is trouwens mijn vak!'

Hij begon te lachen en verlichtte het halfduister met zijn ongelooflijk witte tanden.

'Maakt u zich niet druk, een beetje humor is nodig als je altijd maar aan het doden bent! Nou ja, alle gekheid op een stokje. Dit is het goede moment: ze zullen zo meteen allemaal in het nest zitten en dan kan ik ze effe helpen ... En dan te bedenken dat ik de redder zal zijn van de vrouw van de andere kant van de wereld, u maakt me beroemd! Want iedereen hier heeft zo langzamerhand wel over u gehoord ...'

Liz keek hem met grote ogen aan.

'Hoe dat zo?'

De moordenaar met de witte tanden richtte zijn blik op haar. 'Nou, om te beginnen de notaris. Die komt uit de buurt en u hebt een boerderij gekocht die al een hele tijd te koop stond en waar nogal wat mensen op zaten te azen. Vervolgens de bakkersvrouw, de kruidenierster, de vrouw van het postkantoor ... en die zijn allemaal dol op u geworden, want u luisterde naar hun geklets en u kocht een heleboel dingen in Grignan in plaats van steeds naar Montélimar te gaan. De dame van de kangoeroes die de middenstand doet draaien ... En vervolgens de loodgieter, de metselaar, en ga zo maar door. En u hebt niet moeilijk gedaan over uitstel en offertes. En bovendien, als kroon op het werk, hebt u ook Joseph nog eens ingepalmd, onze favoriete immigrant, die een hele meute kinderen heeft verwekt bij een dochter uit de streek en die meer kletst dan een bus eksters op promotietour! Iedereen is gek op hen, zij zijn gek op u ... dus iedereen is gek op u. Zelfs degenen die u nog nooit hebben gezien.'

De man begon weer te lachen. In de verte was het gezoem van de hoornaars bijna verstomd.

'Er zijn er misschien een paar die u niet zien zitten ... maar, zoals men zegt: uitzonderingen bevestigen de regel!'

Liz fronste eens, dacht aan de lijken die bij haar waren gevonden ... terwijl iedereen gek op haar was.

'En ... wie zouden dat dan zijn?'

Hij trok een pruillip.

'Hmm ... wilt u dat echt weten? Ach, die vrouwen ook! U moet daar gewoon niet te veel aandacht aan schenken. Onontwikkelde minkukels en kale kapsoneslijders, zoals Mireille zou zeggen. Mireille is mijn vrouw. Maar goed, om terug te komen op de minkukels en de kapsoneslijders: er is er één met bekrompen ideeën ... en voor iemand die kranten verkoopt is dat vervelend. En dan is er een die met een lege kassa zit, want zijn boetiek gaat zo langzamerhand op de fles. Maar maakt u zich geen zorgen, met al die pannen die al op uw hoofd zijn gevallen sinds u hier bent, moet u wel geboren zijn onder een heel goed gesternte! Maar goed, ik moet naar de beesten. Ze zullen allemaal in het nest zitten nu.'

Hij zette zijn kap op, zwaaide met zijn gifspuit en liep enigszins waggelend naar de achterkant van de tuin. Met haar hand in een handdoek vol ijsklontjes trok Liz zich terug achter de openslaande deuren van haar werkkamer. Goed gesternte misschien, maar toch ...

Vanuit haar observatiepost zag ze in het maanlicht een paar keer een mooie sproeinevel. Een wit poeder bedekte al snel het nest ... en de boom. De jonge vrouw haalde opgelucht adem. Haar vijgen moest ze nu maar op de markt gaan halen. Een gelegenheid om zich nog geliefder te maken? Of juist meer minachting op te wekken? Maar waarom? En van wie? Ze kreeg geen tijd voor nog meer vragen. De verdelger van de vliesvleugeligen kwam terug uit de tuin. Hij hield haar zijn rekening voor en verdween.

'Het is nog niet helemaal voorbij ... maar Mireille wacht op me!'

Nadat ze de deur achter zich op slot had gedraaid, liet Liz zich op de bank in de woonkamer vallen. Wat een dag! Op dat moment begon haar maag te knorren en gaf haar mobieltje met een pieptoon aan dat er een berichtje voor haar was. Het leven eiste van alle kanten zijn rechten op. Koortsachtig sprong ze op het ding af.

'Liz, met Stephen. Ik moet je spreken. Ik kom je morgen opzoeken, tenzij je voor die tijd naar de boetiek komt. Nou ... tot gauw.'

Tegelijk verbaasd en teleurgesteld wiste Liz de boodschap en schokschouderde. Een paar weken geleden had ze weliswaar vriendschap gesloten met die Engelsman, maar sinds die tijd had ze hem eigenlijk nooit meer gezien. En bovendien had ze nu echt honger. Ze deed de deur van het vriesvakje open en fronste haar wenkbrauwen: een dikke laag ijs bedekte de drie plastic bakjes.

Net toen het haar desondanks lukte er een biefstuk uit te halen, klonk de snerpende bel van de oude bakelieten telefoon in de woonkamer. Zuchtend nam Liz op.

'Lison! Joseph hier!'

De stem klonk zeer gejaagd. 'Met al diën trammelant met de kleine Marie en die smerissen overal en m'n kiepe die me momenteel zorgen baren ben'k helemaal vergete het oe te vertelle! Terwijl gullie d'r niet ware, gij en oewe minnaar, is d'r 'n groot onweer gewest, waardeur d'n helen avond de stroom was utgevallen! Ik wit nie of ge nog spul in de diepvries had … maar agge wat te eten mut, kom dan naar ons! Vorige week he'k met Bernard een hoop truffels gevonde. Hij was die dag zelfs zo in vorm dattie ok nog een lijk het opgegrave.'

Liz huiverde.

'Een lijk?'

Josephs lach klonk door de hoorn.

'Jazeker. Een dooie. Een vent die niet meer leefde, ge wit wel. Aan d'n andere kant van Grignan. Hij lag in de zon, z'n kop los en een groot gat in zijn buik. De gendarmen zeeën da z'n nek gebroke was en dazze z'n binnenste d'r ut gehaald hadden. As een konijn, kunde nagaan! Ge meugt toch wel zegge datter rare dinge gebeure de leste tijd. Die vent bij oe in de put, die kleine Marie … en nou deze weer … Maar 'k zal oe nie langer lastigvalle! Allee … welteruste, meid!'

Liz had amper het oude toestel teruggezet of het muzikale deuntje van haar mobieltje klonk. Nu ze geen tijd kreeg om de woorden van Joseph te overdenken, voelde ze dat ze zenuwachtig werd. Zouden ze haar nou nooit met rust laten, dat hele zootje?

'Liz?'

Haar ergernis sloeg om in blijdschap.

'Ralph? Waar zit je?'

Hij begon te lachen.

'In de States natuurlijk! Was je dat vergeten? Heen en weer naar Wharton … Ik ben drie uur geleden geland. Morgen zie ik de leiders van het project. Dan moeten we twee of drie belangrijke dingen doorpraten … en dan kom ik weer terug.'

Liz was verbaasd.

'Blijf je niet langer?'

'Het is hier om te stikken … Oké, het is hier wel dé place to be. Maar weet je, ik mis te veel.' (Hij dempte zijn stem.) 'Jouw geur, je huid, je borsten …' (Plotseling begon hij te lachen.) 'De courgetteschotels, het veld achter het huis dat gespit moet worden, dat vreselijke orgaanvlees met truffels van Joseph … en dat tochtje dat we nog moeten maken, om de walvissen in de Middellandse Zee te zien!'

Amper een uur later viel Liz in slaap. En toch werd ze plotseling midden in de nacht zwetend wakker. Had ze een nachtmerrie gehad? Als dat zo was, dan kon ze die zich niet herinneren. Had ze iets gehoord? Ze spitste de oren. De wind in de eiken, een paar nachtelijke krekels en een knaagdier, waarvan de pootjes krasten over de dakpannen. De jonge vrouw klopte haar kussen op met haar vuisten en ging weer liggen … om plotseling overeind te schieten. Er was iemand in huis, ze wist het zeker. Ze geloofde niet in spoken. Zonder aarzelen pakte ze de zaklamp die tegenwoordig in de la van haar nachtkastje lag en verliet de kamer om het huis te inspecteren.

Toen ze zich weer op de matras liet vallen, was ze moe, maar ze had geen zin meer om te slapen. Haar bezorgdheid was omgeslagen in angst, onverklaarbaar, onverklaard. Maar allesoverheersend.

1969-2004. Gestolen kind

Een mooi jongetje met een lichte huid stond een beetje achter de rest. Terwijl hij regelmatig zijn neus afveegde met zijn mouw, bekeek hij hen. Was dat de reden dat hij hun aandacht trok? Enkele minuten eerder hadden ze besloten niet te letten op de huidskleur van de kleintjes en ook niet op hun afkomst.

En toch liepen de man en de vrouw die zaterdagmiddag, in het lage zaaltje waar de wezen regelmatig bij elkaar werden gebracht, tussen het grote aantal jongens en potentiële adoptie-ouders door, op dat jongetje af. De vrouw boog zich naar hem over, alsof ze hem herkende te midden van al dat geroezemoes en glimlachte tegen hem. Erg knap was ze niet, veel te mager, met een hoekig gezicht onder grijzende haren. Maar ze rook lekker, ze leek aardig ondanks haar trieste ogen. Het kind fronste zijn wenkbrauwen toen hij haar bekeek, zo serieus dat het indruk maakte. De vrouw draaide zich om. Achter haar glimlachte de man, die streng leek, even. Vervolgens knikte hij goedkeurend.

Zonder een traan, maar ook zonder een woord of een glimlach, vertrok het jongetje samen met hen, in een grote auto die bijna geruisloos reed en waarvan de beige leren stoelen ongelooflijk zacht waren. Ze reden drie uur, voordat ze voor een enorm huis stilstonden, aan zee, in de buurt van Sydney. Daar stapte het kind langzaam uit de auto, onder de indruk van alle blikken die op hem rustten. Want al het huispersoneel stond klaar om hem te ontvangen.

De maand daarop ging hij naar school. Aanvankelijk, en zonder precies te weten waarom, was hij voortdurend bang dat de andere kinderen, allemaal blank, hem zouden gaan pesten. Maar een ochtend, met gymnastiek, zag hij zichzelf in de spiegel, naast hen. Ook zijn huid was blank, zijn haren, zijn ogen, zijn trekken westers. Meteen voelde hij zich enorm opgelucht. Er kwam echter al snel een Aziatisch jongetje in de klas, dat het slachtoffer werd van talloze pesterijen. En hoewel hij er niet aan deelnam, voelde het jongetje zich toch schuldig.

Hij trok zich daardoor in zichzelf terug, werd steeds minder gemakkelijk aanspreekbaar, vertrouwde niemand meer, terwijl hij het gevoel had nergens vandaan te komen, niets of niemand te zijn. Zo erg dat hij er 's avonds in bed van moest huilen.

Enkele jaren later aanvaardde de adoptievader van de jongen een post in Boston, in het Massachusetts van zijn voorouders. Gezamenlijk gingen ze terug naar de Verenigde Staten. Het kind en de ouders vormden al snel een normaal gezin. Uiterlijk.

Toen hij zestien was en op de middelbare school zat, begon de puber plotseling te dromen. Die dromen werden bevolkt door mensen die hij niet kende, met een donkere huid, maar anders dan die van de Afro-Amerikanen die hij om zich heen zag, mensen die dingen deden waarvan hij de betekenis niet begreep, maar die heel belangrijk leken. In die dromen voelde hij de wind over zijn huid strijken, en hij zag zichzelf als een gek door een donker bos rennen dat hij niet kende. Dan zag hij de zee, onder de opkomende zon. En altijd werd hij zwetend wakker.

Op een ochtend riep zijn adoptiemoeder hem. Ze liet hem tegenover zich aan haar bureau plaatsnemen en zei dat hij moest weten waar hij vandaan kwam.

'Jij bent niet onze zoon, lieve jongen, niet echt in elk geval ...'

Zich bewust van het mogelijke gewicht van haar woorden, hief ze meteen haar handen op in een ontkennend gebaar.

'O natuurlijk, je zult altijd onze zoon zijn! Wij houden meer van je dan van wie ook! Maar wat ik wilde zeggen is dat wij niet je biologische ouders zijn, wij hebben je niet ... verwekt ...'

Ze leek wat gegeneerd toen ze dat zei.

'Jouw biologische ouders zijn dood. Het waren hele goede mensen ... Australische Aboriginals, voorzover ik weet.'

De jongen moest er plotseling nogal verward uitgezien hebben, want ze haastte zich eraan toe te voegen: 'Maar volgens mij zijn er nog wel neven of tantes en ooms in leven. Als je wilt kunnen we proberen je dossier terug te vinden. En als we er meer over weten zullen we proberen iemand van de familie te laten overkomen.'

Plotseling werd de jongen bang mensen van zijn echte familie te ontmoeten, bang dat ze niet zouden kunnen beantwoorden aan zijn nieuwe hoop, bang zijn adoptieouders te zullen gaan minachten. Hij zei haar dat dat niet hoefde. Later, in de badkamer, bekeek hij zichzelf van alle kanten, om sporen te vinden van die afkomst die hij had verworpen. Vergeefs.

En toch, op een ochtend, leegde hij de portefeuille van zijn vader en stapte op een trein naar New York. Maar daar arresteerde de politie hem, in hal B van Kennedy Airport. De tiener belandde een nacht in de cel. De volgende dag kwamen zijn ouders hem halen, verschrikkelijk stil. De jongen voelde alle schuld van de wereld op zijn schouders terechtkomen. Evenals een enorme zin om te vluchten, om het niet te hoeven uitleggen, steeds maar opnieuw.

Vanaf die dag voelde hij zich eenzamer dan ooit, behalve de dagen die volgden op een nacht vol dromen. Dan had hij het gevoel bij een groep te horen. Hij wist alleen niet welke.

Het jaar daarop probeerde hij drugs. Op een dag trof zijn moeder hem bewusteloos in zijn kamer aan. Zijn ouders stuurden hem naar een afkickcentrum. Daar, op een ochtend, in de rij voor het ontbijt, stond hij achter een groepje jonge Afro-Amerikanen die het over blanken hadden. Toen ze zich naar hem omdraaiden, voelde de jongen zich plotseling vreselijk gegeneerd en hij had het gevoel dat ze zijn lichte ogen en zijn goede kleding bekeken. Bij de gedachte dat zijn biologische familie hem weleens net zo zou kunnen bekijken en hem zou verwijten niet één van hen te zijn raakte hij erg van streek. Toen hij het centrum verliet besloot hij te zijn wat hij leek: blank.

Hij ging studeren aan een prestigieuze universiteit, behaalde zijn diploma cum laude, was ervan overtuigd dat hij niet meer zo nodig hoefde te weten bij wie of wat hij hoorde en waar hij precies vandaan kwam. Hij vond een baan, vrij goed betaald.

En toen, op een dag, in een vliegtuig, vond hij een krant die schreef over Australië en de Olympische Spelen in Sydney. Hij las een artikel over de Aboriginalkinderen die uit hun gezin waren ontvoerd. Hij las een inzet waarin melding werd gemaakt van het bestaan van de vereniging Link-Up, die slachtoffers hielp hun familie terug te vinden en te lokaliseren. Hij nam er contact mee op.

Een hele poos hoorde hij niets. En toen, op een dag, kreeg hij een grote envelop. Koortsachtig opende hij hem. Het magere dossier dat hij erin aantrof, vermeldde slechts de Koo-ri-afstamming van zijn moeder en haar overlijden in 1967. De mannelijke gezichten die zijn dromen bevolkten vervleesden niet tot een vader, een oom of een grootvader. Geen enkel ander familielid was teruggevonden. Hij had geen brieven, geen foto's. Slechts een meer dan laconiek administratief briefje. Hij had gedacht zijn geluk te zullen vinden tussen twee stukjes karton, maar die omhulden slechts leegte.

In een poging meer te weten te komen besloot hij terug te keren naar het punt waarheen de blauw geüniformeerde mannen hem, nadat ze hem bij zijn ouders hadden weggehaald, hadden gebracht: een instituut bij een stadje dat Nowra heette. Hij vroeg een uitzending aan naar Sydney voor een paar maanden.

Toen hij uit het vliegtuig stapte, verraste de droge en warme lucht hem. En toen hij om zich heen keek, zag hij dat de luchthaven onafzienbaar was, hypermodern, zeer schoon, zeer westers. Geen enkel bijzonder gevoel kwam bij hem op. Hij was tegelijk teleur- en gerustgesteld. Hij nam zijn intrek in het Carlton Crest Hotel, in Thomas Street. De kamer was groot en elegant. Een grote glazen wand bood uitzicht op de stad en Darling Harbour. Hij liet zich een groot kantoor toewijzen bij de Australische afdeling van het bedrijf waarvoor hij werkte. Hij verleidde de assistente van de plaatselijke baas, schuimde alle Japanse restaurants van de stad af en meed Redfern, de wijk van de Aboriginals, als de pest.

En eindelijk, op een dag, toen hij wist dat hij de vrijdag daarop het vliegtuig naar de States terug zou nemen, besloot hij met de trein naar Nowra te gaan. Eenmaal ter plekke nam hij de bus naar het oude kinderinstituut van Boomaderry. Maar daar, achter een alledaagse gevel die schuilging door bloeiende acacia, was nu slechts nog een echt weeshuis.

Hij zette zijn zonnebril op zijn neus, hief zijn kin op en besloot zijn geluk te beproeven. Achter de traliedeur verborg zich een grote vierkante binnenplaats met vier grijze muren eromheen. Meer dan honderd ramen keken erop uit. Alles zag er heel schoon en heel triest uit. Hij legde in het kort de reden van zijn bezoek uit aan de receptioniste, die haar telefoon pakte en enkele woorden sprak. Hij vroeg zich af of hij niet onmiddellijk rechtsomkeert moest maken en of dit allemaal de moeite wel waard was. Maar een krom oud vrouwtje, met een bruine huid, gedroogd in de zon, kwam hem halen. Op haar borst droeg ze een kleine badge. Onopvallend was daarop te lezen: Minnie. Wat raar, had die vrouw geen achternaam? Hij kreeg geen gelegenheid om het haar te vragen, want ze nam hem mee naar een donker kantoortje waaruit ze zich discreet terugtrok, sloffend op haar versleten pantoffels.

Het vertrek rook naar goedkoop parfum en boenwas. Achter een grote glanzende tafel zat een leeftijdloze vrouw met een gekreukt beige mantelpakje, kunstig in de war gebrachte haren en een zuinig mondje. De directrice van de instelling. Ze bekeek hem van top tot teen.

'Meneer? Mij is verteld dat u uw echte familie zocht. Dat u een …'

Ze leek verrast.

'Neem me niet kwalijk, maar u ziet er niet uit als een … nou ja …'

Ze werd rood. Hij was gekleed op de manier waarop hij altijd naar een zakelijke bespreking ging, waarbij hij niet alleen indruk moest maken met een dossier en zijn competentie, maar ook nog met zijn uiterlijk. Een antracietgrijs pak van wol en zijde, wit overhemd, open kraag, Westons aan de voeten, Breitling aan de pols. Hij was groot en gespierd. Zijn gezicht was wilskrachtig. Zijn haren waren kort geknipt maar niet té. Hij keek spottend. En hij was blank, heel erg blank. Hij glimlachte.

'Dat weet ik. Maar ik zoek ze toch.'

'Maar u hebt toch al een beroep gedaan op Link-Up, geloof ik ...'

'Ze hebben mij inderdaad iets doen toekomen, maar daar heb ik niet genoeg aan. Ik dacht zo bij mezelf dat u er waarschijnlijk meer van zou weten.'

De vrouw zette een stuurs gezicht op.

'Nou, dan vergist u zich. We zijn momenteel verplicht om alles door te geven. En als we niet meer aan Link-Up hebben gegeven, dan betekent dat dat we ook niet meer hebben. Als u een halfbl...'

Ze hield zich in bij dat woord en verkleurde nu van rood naar karmozijn. Hij bekeek haar. Glimlachen deed hij niet. Een halfbloed. Een halfbloed zonder familie, zonder wortels, zonder herinnering.

Juli 2005. De schaduw der geschiedenis

Voorzichtig depte Liz de bult die door de hoornaarsteek in haar hand ontstond met Synthol. De zwelling begon nu te slinken, maar de pijn bleef.

De nacht was verschrikkelijk geweest, vol levendige nachtmerries.

Voor haar sluimerde de boomgaard al in de zonneschijn, alle schepsels ertoe aanzettend zich zo veel mogelijk terug te trekken. Toen er een gedaante langs de openslaande deuren van haar werkkamer liep, schrok Liz zo erg dat de fles haar uit de handen glipte, om klokkend op de plankenvloer leeg te lopen. Ze sprong op en schoot in haar korte broek. Aan de andere kant van het raam stond de jonge tijdschriftenverkoper met het paardenstaartje verlegen te lachen en te doen alsof hij op het raam wilde tikken. Met een prop in haar keel deed Liz toch voor hem open. De woorden van de hoornaarverdelger klonken nog door haar hoofd. Onontwikkeld. Minkukels. Kapsoneslijders. Wat nog meer? Maar de jongeman kwam binnen en stak zijn hand uit.

'Goedemiddag ... Ik ...'

Liz bekeek hem van top tot teen. Hij zag er helemaal niet uit als iemand die zijn buurman kwam vermoorden. Eerder als een verlegen jongeman, ze kon hem op geen enkele manier in verband brengen met die hooghartige verkoper uit de tijdschriftenwinkel. Het verhaal van zijn avontuurtje met de kleine Marie was ongetwijfeld uit de duim gezogen. Liz wees hem een stoel. Die greep hij alsof het een reddingsboei was.

'Het spijt me dat ik u zo kom lastigvallen, maar ...'

Hij schraapte zijn keel.

'Het is een beetje moeilijk uit te leggen. Nou ja. Ik ben momenteel verkoper bij ...'

Liz liet hem niet uitpraten.

'Ja, ik weet het, ik ken u.'

Hij bloosde vreselijk, in een golf die eerst zijn hals bestreek voordat hij zich genadeloos verspreidde over zijn wangen en voorhoofd.

'Ja ... Maar eh ... nou ja ... normaal gesproken verkoop ik geen tijdschriften. Ik ... eh ... ik was tot afgelopen mei, student in eh ...'

Liz' ongeduld was even groot als haar opluchting. De drang om hem zijn eh's uit de keel te rukken bekroop haar. Alsof hij dat voelde, haalde de jongeman een keer diep adem.

'Ik heet Vincent en ik ben net afgestudeerd aan de politieacademie in Saint-Cyr-au-Mont-d'Or, in de buurt van Lyon. Eh ... ik kon mij dit jaar geen vakantie veroorloven. En aangezien ik groot liefhebber ben van stripverhalen, ben ik in afwachting van mijn aanstelling tot commissaris ingegaan op een advertentie en zo ben ik hier beland.'

Hij bekeek haar plotseling met enige achterdocht.

'U weet wel ... stripverhalen, eh ... *comics* ...'

Liz begon te schaterlachen. Ze voelde zich beter. De bewonderende blikken van haar gesprekspartner stelden haar veel meer op haar gemak dan de mooiste complimenten.

'Dat had ik al begrepen! Dank u wel!'

De jongeman bloosde er des te fraaier door.

'Nou ja, hoe dan ook, daar kwam ik niet met u over praten.'

Liz trok haar wenkbrauwen op.

'O? Waarover dan wel?'

'Nou ja … Die Engelsman die dat kledingboetiekje heeft …'

'Stephen?'

'Ja. Stephen. Ik wilde eigenlijk weten of hij u niet gevraagd had dingen voor hem te vervoeren.'

Liz sperde verbaasd haar ogen open.

'Dingen voor hem vervoeren?'

'Ja. Ervan uitgaand dat u van tijd tot tijd teruggaat naar Australië … of ergens anders heen.'

'Nee, nooit. Althans …'

Ze dacht even na.

'Stephen … Hij praat veel en soms raak ik de draad kwijt van wat hij vertelt. Ik zie hem niet zo vaak, maar … Ik dacht dat u pas aan het eind van de zomer bij de politie ging werken …'

De jongeman zette een serieus gezicht op, dat Liz meteen alle zin ontnam om hem een beetje te plagen.

'Ja, maar ik word niet pas smeris als ik in functie treed. Dat is een roeping die je hebt of niet … vooral als je merkt dat er dingen gebeuren die niet door de beugel kunnen, en dat het mooiste meisje uit de buurt misschien gevaar loopt … Maar ik wil u niet langer lastigvallen. Als u zegt dat hij u niets gevraagd heeft …'

Liz' bezoeker liep achteruit weer door de openslaande deuren, wierp nog een laatste aanbiddende blik op haar, toen de claxon van een auto klonk. Liz ging ook naar buiten en liep om het huis heen. Bij de voordeur lichtte de postbode zijn pet.

'Goeiemorgen dame! Ik heb een zwaar stuk voor u. Het heeft er een poosje over gedaan, dat kun je wel zeggen! Ik vraag me weleens af of mensen wel weten wat ze doen als ze een poststuk adresseren. Moet u dit zien! Geen postcode, dus eerst is het naar Grignon gegaan, aan de Côte d'Or, en toen naar Grignon in de Savoie ... en nu is het hier, in Grignan!

Hij veegde zijn voorhoofd af met zijn mouw en hield Liz een grote beige envelop voor, vol stempels en doorhalingen. Zonder er iets van te begrijpen pakte de jonge vrouw hem aan. In de buurt van de oude vijver stapte Vincent op zijn fiets, maakte een kort handgebaar alvorens te verdwijnen over de weg, al snel gevolgd door de wagen van de post.

Liz woog de verkreukelde envelop even op haar hand, keek naar het handschrift dat op de voorkant stond. Gekrabbel inderdaad. Ze schokschouderde. Ongetwijfeld een uitvoerige offerte voor het schoonmaken van de put. Weer terug in haar werkkamer maakte ze het pakket onmiddellijk open en haalde er een pak bladen uit dat met een hard geworden elastiekje aan elkaar zat. Vervolgens gleed er een wit kaartje uit.

Grignan, 1 juni 2005

Geachte mejuffrouw Liz,
Ik heb de laatste brieven die de kleine Agnès (uw beminde moeder) mij had gestuurd teruggevonden. Ik zal mijn zoon vragen ze te posten. Ik zou ze u met alle plezier gebracht hebben, maar ik voel me de laatste dagen niet zo lekker. Ik hoop binnenkort het genoegen te hebben u terug te zien.
Met vriendelijke groet, Marthe Castagnou
PS: Ik hoop dat u zult vinden wat u zoekt.

Liz had moeite met het lezen van de laatste zin, zo bibberig werd het handschrift. En toch nam een tomeloze vreugde bezit van haar. De oude dame had niet vergeten dat zij de onmisbare schakel was naar het verleden van de jonge vrouw.

Bevend legde Liz de vier velletjes plat op haar bureau.

Beste Marthe,

Hoe is het me je? Weet je, ik stel me voor hoezeer jij vol on-geduld zit te wachten op nieuws van ons, vooral nu, aan het eind van het jaar.

Hier zal het natuurlijk binnenkort ook Kerstmis zijn ... maar het is een heel andere Kerst dan de jaren hiervoor. We wonen momenteel op een kamer in een familiepension in Sydney, naast de kade waar de boten aanmeren die de baai overste-ken. De kamer kijkt uit op een achtertuin, maar we hoeven de trap van het huis maar af te dalen en we staan aan zee. Zie je het voor je? De zee ... met meeuwen en albatrossen die onze spoken meenemen naar een plek ver van hier ...

Natuurlijk, daar hangt een prijskaartje aan, maar eergiste-ren, in de Morning Telegraph, heb ik een advertentie gezien. Ik zou er graag op afgegaan zijn, maar helaas schijn ik nog te jong te zijn voor dat soort werk ... en hoe moet ik ze dan vertellen dat ik me op sommige momenten oneindig oud voel? Ik moest me er dus bij neerleggen mama te laten gaan.

Nou Marthe, geloof het of niet, maar mama heeft haar eerste echte baan, met een contract en een salaris, zonder tussen-komst van de een of andere man of minnaar. Ze is zelfs secre-taresse geworden bij een departement van de staat New South Wales! Ze werkt onder een man wiens titel of functie ze niet goed heeft begrepen. Ze heeft alleen gezegd dat hij Irving heet, en dat hij heel aardig is. Hij geeft haar dossiers die ze moet opbergen, namen die ze moet uitzoeken en selecteren. Mama heeft uitgelegd dat het haar bevalt omdat ze bij Irving keuzes moet maken die niet over haar en mij gaan, en die ze dus kan maken zonder al te veel na te denken ... Ze loopt nu niet het gevaar zich te vergissen.

Liz trok haar wenkbrauwen op. Voor welk departement had haar grootmoeder dan gewerkt? Wonend in Sydney ook nog, op een locatie die niet heel ver af moest hebben gelegen van haar oude appartement in Darling Street ... Ze liet het volgende vel bovenop glijden en beet zenuwachtig op haar onderlip.

5 februari 1963

Beste Marthe,
Hoe is het met je? En de kinderen? En Grignan? Marthe ...
wil je me vergeven? Hoe heb ik je zo lang kunnen laten wach-
ten? Het zal niet meer gebeuren, dat beloof ik. Hoe dan ook,
aan wie anders dan aan jou zou ik dit alles kunnen vertellen?
Mama is nog altijd mama, onverantwoordelijk, geen kennis
of ervaring. Vriendinnen? Behalve Jeanne, in een andere we-
reld, een andere tijd, heb ik die nooit echt gehad. Jij bent de
enige ...
Is dat geen vreselijke vaststelling op mijn leeftijd? Ja, want ik
ben eenendertig, ik heb niet veel, behalve de voorbije jaren en
bittere herinneringen. Soms bekijk ik mezelf in een spiegel,
zonder me illusies te maken. Ik ben groot en blond, ik geloof
niet dat ik knap ben. Mama had vroeger een heel andere uit-
straling dan ik. Zij straalde hoop uit, dat je het leven moet
beetpakken, ook al is dat leven niet aardig voor je.
Ik, ik pak niets meer beet. Ik ben stenotypiste op een schoenen-
fabriek. Mijn hersens verschrompelen omdat ze alleen maar
hoeven te denken aan het aantal doorslagen dat tussen de vel-
len moet. Met mama samen woon ik in een huis zonder ziel
in een willekeurige buitenwijk. Soms ga ik uit met een collega
of een buurman. Dan eten we een ijsje en gaan we naar de
bioscoop. Hij kust me. Ik laat hem zijn hand onder mijn rok
steken. Choqueert je dat? Toe nou, Marthe, na alles wat wij
hebben meegemaakt! Ik ben geen maagd meer, want vorig
jaar heb ik besloten dat het tijd werd. Marthe ... Waar zijn
mijn dromen? Waar is die huivering die lichaam en geest be-
dwelmt?

Mama werkt nog altijd op hetzelfde departement, en ondanks alles, met haar achtenveertig jaar, is ze nog verliefd geworden op een rechtertje van vijfendertig. Hij heet Jack.

De jonge vrouw schrok zich rot. Nee, dat had ze niet verkeerd gelezen. Jack … En haar grootmoeder …

Hij is een beetje dik, hij heeft zwart haar en is nogal grof. Maar ik moet toegeven dat hij charmant is.
Gisteren werd mama een leidinggevende functie aangeboden. Het gaat om een instituut voor halfbloedkinderen, ten zuiden van Sydney. Mama wilde ons huis verkopen en verhuizen. Ze vroeg me ontslag te nemen tenzij ik hier alleen wil blijven. Ach Marthe, is het verkeerd als je niet van je moeder houdt? Is het verkeerd om haar infantiel, stom, ordinair te vinden? En haar desondanks niet in de steek te kunnen laten?
Beste Marthe, antwoord me alsjeblieft.

Liz masseerde haar slapen met haar vingertoppen. Ze voelde hoe een pijnlijke balk zich achter haar ogen begon te vormen. Helemaal omdat het volgende vel geschreven was na haar geboorte. Ze legde haar handen plat op haar bureau om het beven tegen te gaan.

14 maart 1967

Beste Marthe,
Ik hoop dat je het nog steeds goed maakt, en je familie ook. Ik stel me jullie voor met jullie kinderen. Vijf, mijn god! Ik ben bang dat ik jullie wat dat betreft nooit zal kunnen evenaren! Hier verandert bijna niets. Ik werk nu vier jaar met mama op het instituut voor kinderen in Boomaderry, in de buurt van Nowra. Er waren geen andere mogelijkheden voor mij in dit godvergeten gat dat vol negers zit. Zelfs Minnie, die ik af en toe weleens mijn vriendin noem, is een halfbloed. Ze is

*bruin, ze is mat van kleur, heeft ogen als gloeiende kooltjes,
een beetje een platte neus en een heel lenig lijf, net als haar
Aboriginalvoorouders (dat is de term die je voortaan lijkt te
moeten gebruiken voor de negers hier). Ze is opgegroeid in het
instituut en tegenwoordig werkt ze er.*

*Ik doe wat mama in Sydney deed. Ik selecteer, ik klasseer, ik
selecteer. Tenslotte weten wij toch beter dan de negers wat goed
voor hen is. Gisteren heb ik een reçu getekend voor een jochie
dat twee vaders en een moeder had. Je moet nu snel handelen
als je er nog een paar wilt redden uit de handen van hun ont-
aarde ouders, want de regering begint de assimilatiepolitiek
op de helling te zetten. Volgens sommigen is er kritiek vanuit
het buitenland. Weten ze wel waarover ze het hebben?*

Liz slikte. Ze kon haar ogen niet geloven. Sinds 1997 en een
explosief rapport waarin alles aan het licht was gekomen, kon
de meerderheid van de Australiërs niet negeren wat voortaan
omschreven en beschouwd werd als een culturele volkenmoord.
Het ontvoeren van halfbloedkinderen, het definitieve doorsnij-
den van de band met hun familie, om ze te 'verwestersen'. In
naam van wat een 'blank Australië' zou moeten worden. En
haar moeder was daarbij betrokken geweest.

*Sinds een paar maanden neem ik alle beslissingen omdat
mama is opgenomen in het ziekenhuis. Ze heeft kennelijk iets
aan de lever. Ze heeft echt te veel gedronken. Ze verborg de
drank in de schuur waar we het hout opslaan. Dus ik geef
leiding en Minnie zorgt voor de kleine Liz.*

De handen van de laatstgenoemde klauwden zich bijna in het
bureau. Ze was er zo op gespitst haar eigen voornaam te zien in
de bekentenissen van haar moeder, dat ze dacht dat haar hart
zou stilstaan.

237

O ja, dat is waar ook! Dat zou ik bijna vergeten! Hoe kan
dat nou? Beste Marthe ... Je zult je ogen niet geloven: ik ben
getrouwd en ik heb een aanbiddelijk bruin dochtertje met
krulhaar. Een schat van een kind. Ze is mijn waar geworden
droom.

Toen de eerste schok voorbij was, bleef Liz' blik een paar minuten aan die zinsnede geplakt. 'Mijn waar geworden droom'.
Toen voelde ze hoe haar handen trilden en tranen in haar ogen
opwelden. Zonder dat ze echter wist wat waarom ze verdrietig
was, zonder dat ze durfde toe te geven dat ondanks alle schaamte vreugde haar overspoelde. Haar moeder had van haar gehouden en van haar het middelpunt van het universum gemaakt.
Ondanks alles.

Ze is de dochter van Jack. Weet je nog wel, die vriend van
moeder? Een laatste ruzie met moeder heeft dat hoofdstuk af-
gesloten. We leven nu, hoe gek dat ook klinkt, met z'n vieren
onder één dak. Momenteel met z'n drieën, want mama ligt
in het ziekenhuis. Ik moet daar trouwens nu echt naartoe. Ik
omhels je, beste Marthe, een miljoen keer. Tot heel gauw.

Liz streek met haar mouw over haar gezicht. Nu kwam de laatste brief. Onherroepelijk.

5 december 1969

Beste Marthe,
Ik hoop dat jullie het allemaal goed maken.
Ik heb slecht nieuws: mama is gisteren in het ziekenhuis
overleden. Ze lag er voor de vijfde maal, na drie leveropera-
ties, vijf ontgiftingskuren en drie terugvallen. En toch zei-
den de artsen nog dat ze er voor Kerstmis uit zou komen.
Ze begrijpen er dus niets van en stellen autopsie voor om
de precieze doodsoorzaak vast te stellen. Ik krijg er de ril-

lingen van, helemaal omdat ik haar daarginds op haar bed heb zien liggen. In tegenstelling tot wat er in romans staat, heeft de dood haar niet haar jeugd teruggebracht, eerder het tegendeel. Het lijkt alsof een orkaan van leed haar heeft gevloerd en afgemaakt, en niets anders heeft achtergelaten op haar gezicht en haar lijf dan de voortekenen van de op handen zijnde aftakeling.

Ik voel geen enkel verdriet, alleen een grote leegte. In elk geval gaan we verhuizen, Jack, Liz en ik. Het instituut sluit de deuren over enkele dagen. De regering stopt de assimilatiepolitiek. De kinderen die er nog zitten zullen ik weet niet waar geplaatst worden, Minnie huilt al weken. Liz ook, zo klein als ze is. Want haar enige vrienden zijn momenteel de kleine halfbloeden van het instituut, ook al zegt Jack onophoudelijk dat zijn dochter niet met negers mag omgaan.

Dus wij keren terug op onze schreden. Morgen neem ik de trein naar Sydney. We moeten nog een huis gaan zoeken dat goed genoeg is voor de kleine Liz. Beste Marthe, ik hoop …

En daar werd de zin afgebroken. Het volgende blad ontbrak. Dat moest Marthe kwijtgeraakt zijn. Zwijgend voor zich uit starend haalde Liz haar handen door haar haren, liet zich achteroverzakken, tegen de rugleuning. Buiten viel het rustgevende, indigo gordijn van de nacht.

Juli 2005. Ontweien en andere slachtpartijen

Plotseling stond Liz op, alsof de stoel onder haar achterwerk begon te branden. In haar hand hield ze de brieven die al die jaren waren doorgekomen, die brieven waarop zij zo had gerekend. Ze vloekte in stilte. De vreugde was verdwenen. Schaamte en verdriet hadden de overhand gekregen, samen met woede. Ook zij had recht op een leven, op een minimum aan toekomst, een minimum aan affectie. En als dat moest zonder wortels, dan zou ze het wel zonder doen. Een fractie van een seconde zag ze dat ze eindelijk in staat zou zijn de mouwen op te stropen en haar eigen fundament te gaan leggen, en dat dat kwam omdat ze had begrepen dat ook zij bemind was, meer dan alles ter wereld, zoals alle kinderen bemind moeten worden. Vanaf dat moment voelde ze zich in staat om de hele rest naar de duivel te wensen.

Ze opende de tuindeuren van de werkkamer en rende de donkere boomgaard in. Daar, tegen de muur die haar terrein scheidde van dat van Joseph en Marguérite, lag een grote hoop droog blad, takken en diverse plantenresten. Liz verfrommelde de vellen een voor een en gooide ze op de hoop. Toen stak ze haar hand in de zak van haar korte broek en klemde haar kaken op elkaar. Ze had lucifers vergeten.

Op dat moment klonk er een fluisterende stem, schor en gebroken in de warme avondwind.

'Dat is gevaarlijk ... met die droogte ...'

Volslagen in paniek draaide Liz zich om.

'Wat? Wie is daar?'

De stem was even beladen met schaduw als de vallende duisternis. De jonge vrouw schreeuwde.

'Wie is daar!'

Alleen de krekels antwoordden haar. De nacht werd donkerder: zelfs de sterren werden aan het oog onttrokken door de wolken en er stond amper wind. Dit keer brulde Liz, met schorre stem: 'Ralph? Ben jij dat? Zeg eens wat, alsjeblieft!'

Plotseling schrok ze van ritselend gras. Ze draaide zich om. Hij stond tegen haar aan. Zijn lijf, dat zich meestal naar haar voegde, was versteend. Ze deinsde terug, kwam adem tekort.

'Ralph ...'

Maar de man die zijn handen om haar hals had geslagen was niet degene die ze kende. Hij fluisterde: 'Dacht je nou echt dat ik je ertussenuit zou laten knijpen met mijn dope, trut? Waar zie je me voor aan?'

De klap kwam van een onverwachte kant. Een oorvijg, zo

hard dat ze ervan wankelde, tegen het muurtje viel en haar hoofd stootte. Stephens handen trokken haar overeind, drukten haar tegen de nog warme stenen. Hij gromde.

'Het was hartstikke goeie. Twintigduizend euro de kilo. Er lagen vier pakjes in die klotemuur. Ik heb net gekeken. Ze zijn er niet meer.'

Hij wees op een gat in het bouwsel, waar twee grote ongelijke stenen waren weggehaald. Daarop greep hij haar weer bij de nek.

'Wat heb je ermee gedaan, trut! Wat heb je ermee gedaan?'

Liz kreunde. De enorme vingers van de Engelsman kwamen bijna onder aan haar nek bij elkaar. Een tweede klap raakte haar, de andere wang. De jonge vrouw voelde dat haar kaak kraakte en greep zich aan de vijg vast. De stem werd harder.

'Zeg op, teef! Vertel waar je het hebt weggestopt!'

Een derde klap raakte Liz toen ze de boom losliet. Daardoor vloog ze weer tegen het muurtje aan. Dit keer kreeg ze geen tijd meer om haar handen uit te steken. Haar voorhoofd spleet open tegen de scherpe stenen. Ze zakte in elkaar, hoorde nog amper het woedende geschreeuw van haar aanvaller.

'Word wakker, verdomme! Zo kom je niet van me af!'

Hij greep haar vast alsof ze een zandzak was, smeet haar op de buik voor zich, ging op haar benen zitten en maakte zijn broek los. Half onbewust dacht Liz aan de brief van Agnès … *hij heeft mama over de grond gesleept, is op haar gaan zitten, heeft haar rok opgetrokken … Het was weerzinwekkend … Mama lag roerloos …* Ze voelde woede in zich opstijgen. Nee. Genoeg tragische herhalingen. Genoeg.

Op het moment dat ze alles op alles wilde zetten in een poging de stier die haar kleren verscheurde van zich af te duwen, hoorde ze een kreet van pijn. Toen voelde ze het lijf van de man omvallen, van zich af. Ze tilde haar hoofd uit het stof en zag een andere gedaante, die de Engelsman stond te schoppen. Maar die sprong overeind en gaf een vuiststoot in de duisternis.

Het lukte Liz om op handen en knieën te gaan zitten. Haar

armen trilden zo dat ze even vreesde weer op haar buik op de grond te zullen vallen. Daar vormden zich donkere stroompjes waar het bloed uit haar neus en haar voorhoofd was gelopen. Ze had moeite met ademhalen, ze zag slechts schaduwen, maar wilde maar één ding: opstaan.

Tot er plotseling een schot klonk en toen een explosie. De jonge vrouw viel weer in het stof.

Hoeveel tijd was er verstreken? Twee seconden? Twee weken? Liz voelde dat ze werd opgetild. Ze kreeg het warm, tegen een borst, tussen twee armen. Waar was ze? Bij wie was ze? Het geloei van een sirene naderde. Dat hield pas op toen de ambulance de binnenplaats op reed. Twee andere sirenes meldden zich. Hun ritme was langzamer. Stemmen klonken, gehaast, dringend. Een ervan vroeg iets.

'Dus?'

Het antwoord was kort en onherroepelijk.

'Hij heeft ons verteld wat er is gebeurd ... maar glipte tussen onze vingers door. We houden hem niet in leven.'

Liz had plotseling de indruk dat iets haar wilde dwingen de ogen te openen. Een herinnering, een gezicht, gevoelens. Ze kon het niet, met geen mogelijkheid. Achter haar pijnlijke rug voelde ze de grove stof van de kussens. Ze schrok toen een hand een doek vol ijs op haar voorhoofd legde. De kou deed haar wél met de oogleden knipperen. Ze wilde haar arm optillen om het straaltje water weg te vegen dat over haar gezicht liep. Een kreet ontsnapte haar. Het voelde alsof haar schouder loskwam.

Er kwam een gezicht in haar blikveld. Een bril, een paardenstaart. Liz staakte haar beweging en kwam overeind. Ze hoorde een stem afschuwelijk kwaken, besefte toen dat het de hare was.

'U ... maar u bent ... de politiecommissaris ... Vincent ... toch?'

Hij glimlachte.

'Ja, klopt. Hoe voelt u zich?'

Liz antwoordde niet. Wat deed dat ertoe? Ze ging overeind zitten, waardoor de doek met ijs viel.

'Waar is hij? Is hij … ?'

De jongeman aarzelde een moment, aan zijn blik te zien. Liz voelde een prop opkomen. Zonder na te denken ging ze staan, wankelde even. Vincent wilde haar bij de arm pakken. Ze duwde hem weg, liep zo snel naar de gang als haar benen haar toestonden.

De voordeur stond open. Mannen in politie-uniform kwamen en gingen. Andere, in burger, doorzochten de vertrekken. Ze leken niet te merken dat Liz zich een weg tussen hen door baande. Overigens zag Liz ook de vragende blikken niet die ze de jonge commissaris toewierpen. Toen ze eenmaal op het terras voor het huis stond, viel haar het zachte maanlicht op, dat een contrast vormde met dat van de flitsende zwaailichten. Ze daalde de trap af, zette haar voet op het grind van het pad.

Aan het eind daarvan stond de ambulance, naast de oude stenen fontein, op volkomen willekeurige wijze tussen twee politiewagens geparkeerd. Witte jassen redderden rond een brancard die op de grond stond. Maar hun bewegingen vertraagden.

Het briesje was fris. Een geur van warme aarde gemengd met wilde munt steeg op. Tussen het gepraat van enkele nieuwsgierigen, de oproepen van radio's en het geronk van motoren, kon je het geruis van de hulsteiken bijna niet horen.

Liz bad in stilte. God, alstublieft. Alstublieft.

Strompelend naderde ze de ambulance, veegde zonder na te denken haar neus aan de rug van haar hand af. Sensatiezoekers draaiden zich naar haar toe. Gefluister klonk in haar oren.

'O jee, o jee! Die is er niet best aan toe!'

'Nou ja, ze is er altijd nog beter aan toe dan hij!'

'Is-ie al dood?'

'Zo goed als, het scheelt niet veel. Een gat in zijn kop … die leeft niet lang meer.'

'En die andere? Waar is die gebleven?'

'Die is ervandoor, geloof ik … maar …'

'Godtegodtegod! Kunde oew klep weer niet houwen, kloot-zak?'

Liz schrok op en zag meteen het goeiige gezicht van Joseph, eindeloos medelevend, en de brancard waarover een man met een witte jas nu een lang laken trok. Ze wilde gillen, maar haar keel zat dicht. Ze wilde rennen, struikelde. De oude man probeerde haar bij de arm te pakken. Ze rukte zich los. De witte jassen waren niet op haar komst voorbereid. Ze kregen de tijd niet om haar te verhinderen zich tussen hen in te wurmen, zich over de brancard te buigen en het laken weg te rukken.

Het gezicht van de dode was een donkere massa, vormeloos, waaruit fragmenten van spierweefsel hingen, waarschijnlijk ooit wangen en neus. De ogen waren nog slechts zwarte bollen die uit de kassen waren genomen en neergelegd op plekken waar ze niet hadden moeten zitten. Liz hield haar hand voor haar mond. Godallemachtig. Volkomen geboeid door dit gruwelijke schouwspel had de jonge vrouw enige seconden nodig om de vorm van de sterke kaak te onderscheiden, evenals het dichte, lichtbruine haar en de stierennek. Met slappe armen stiet ze een vreemd soort gekreun uit. Daarop voelde ze hoe alle kracht uit haar wegliep, net op het moment dat Joseph achter haar kwam staan.

De terugkeer naar de woonkamer vond op dezelfde wijze plaats als de eerste keer, maar nu in de armen van de oude man. Toen hij haar op de bank legde, stamelde ze:

'Ralph …'

Joseph fluisterde en keek om zich heen.

'As ik goed naar mijn kiepe gelusterd hè, dan het diën Ralph van oe diën Engelsman een flink pak op z'n donder gegeve. Die vuillak hie een soort van pistool getrokken … ge wit wel, krek as op de televiesje. Hij het op Ralph geschoten en hij het hum gemist. Toen binne ze slaags geraak en toen is dat ding weer afgegaan, maar dan in de smoel van die Engelsman, gelukkig! Ralph het oe hier neergeleit en toen is-t-ie d'r vandeur gegaan! Maar hij het oe …'

Josephs woorden eindigden in een vreemde hoestbui, even nep als de plotselinge glimlach die op zijn gezicht verscheen.

'Eh, Vincent, gaat 't 'n bietje?'

Liz duwde zich overeind uit de kussens. De jongeman met het paardenstaartje pakte een stoel en ging naast de bank zitten. Hij zag er gespannen uit, had kringen onder zijn ogen, maar glimlachte.

'Het gaat goed hoor, Joseph, dank je wel ... Altijd aanwezig op het juiste moment en op de juiste plek, hè? Ik kom je morgen nog opzoeken voor eh ... je weet wel ... maar ga nu eerst maar naar bed. Marguérite zit op je te wachten.'

Liz' buurman begon te brommen.

'Ik zie dat ze mijn persoon hier nie langer nodig hebben ... wel, een goeienavond saam dan maar!'

Hij boog zich naar Liz over, trok zijn mond in een komische grimas en gaf haar een vette knipoog.

'Best meid, ik laat oe allenig. Margriete en ik, we zitten klaar wanneer ge maar wilt, hè ...'

Toen ze hem zag verdwijnen, voelde Liz weer een prop in haar keel komen. Vincent wachtte tot de deur dichtging en wendde zich toen tot haar. Hij nam haar bij de hand.

'Om u eens en voor al gerust te stellen ... ja, hij leeft. Wellicht gewond, want we hebben wat bloed bij de deur van de woonkamer gevonden. Maar dat zal niet ernstig zijn, gezien de snelheid waarmee hij ervandoor is gegaan toen hij ons hoorde komen ... nadat hij u hier had neergelegd en ons had gewaarschuwd. Hoe vreemd het ook lijkt, hier laat hij het bij, die vriend van u. Ik stel me zo voor dat hij daar zijn redenen voor heeft. Maar ik had hem liever hier gehouden, we hebben hem eigenlijk niks te verwijten, behalve dan dat hij u het leven gered heeft en dat hij zich verdedigd heeft tegen een drugshandelaar, tevens moordenaar ...'

Allerlei gedachten raakten met elkaar slaags in Liz' hoofd.

'Drugs? ... Moordenaar?'

De jongeman leunde tegen de rugleuning van de sofa.

'Ja. Herinnert u zich nog wat ik u zopas heb verteld?'

Hij keek eens op zijn horloge.

'Nou ja ... dat was alweer gisteren, maar goed. Ja ... ik wilde weten of Stephen u gevraagd had om iets voor hem te vervoeren ... Dat iets dat waren pakjes heroïne die hij van het ene land naar het andere liet gaan, over het algemeen vanuit Afghanistan via republieken in Midden-Azië ... en dat alles onder de dekmantel van zijn boetiek in Grignan. Verondersteld wordt dat hij deel uitmaakt van een van de 'babykartels', die in de plaats zijn gekomen van de grote drugsbaronnen, maar zeker weten doen we het niet. Nog voordat u uw boerderij had gekocht, gebruikte hij die als ontmoetingspunt, als hotel voor de drugskoeriers, de smokkelaars dus. U hebt natuurlijk weleens gehoord van die mensen die bolletjesslikkers heten. Ze slikken tot een anderhalve kilo heroïne door en komen langs de douane voor rekening van de handelaar. Die lui aarzelen geen seconde: ze komen uit Azië en Afrika en onderweg verdienen ze tussen de duizend en de zevenduizend euro, meer dan wanneer ze twee of drie jaar thuis werken. En in ons geval diende de boerderij ook als geheime opslag voor de troep van Stephen, in afwachting van wederverkoop. Dat betekent dus dat u in een wespennest bent beland. Maar daar hadden we gisteravond pas echt het bewijs van, dankzij uw vriend ... en Joseph en zijn Bernard!'

Liz' ogen puilden uit en ze dacht nog eens aan de 'spoken' van Joseph.

'Joseph ... en Bernard?'

Vincent begon te lachen.

'Jazeker! Ik weet niet of ik er nou zo blij mee ben dat ik mij bij mijn eerste onderzoek heb laten verslaan door iemand anders ... erger nog, door een varken! Maar ik moet me erbij neerleggen. Uw geliefde buurman heeft de neiging zijn neus overal in te steken. Dat is bekend ... en het is nog veel erger als hij met Bernard op stap gaat, op truffeljacht, zoals hij zegt. Je ziet ze overal samen: dat varken met zijn snuit op de grond en Joseph met zijn neus op de rug van het varken. Gisterochtend zijn ze een beetje gaan 'trainen' in het veld dat net achter uw boomgaard begint ... en Bernard ging als een gek tekeer toen hij bij het muurtje stond. Joseph is erop afgegaan en volgens hem zou het varken op zijn achterpoten zijn gaan staan om stenen weg te duwen. Joseph wilde protesteren, maar toen zag hij dat de stenen in kwestie uit de muur kwamen. Hij heeft ze weggehaald en toen vielen er witte pakjes naar beneden. En aangezien de beste man absoluut niet stom is en vrijwel alle televisieseries volgt ... is hij mij zijn vondst komen laten zien.'

De jongeman zuchtte eens.

'Hij was de enige die van meet af aan vermoedde dat ik niet echt krantenverkoper was. Bovendien had hij een reportage gezien ... kunt u nagaan, op televisie ... over de politieacademie van Saint-Cyr en daarin had hij mijn gezicht gezien. Want ja, zoals hij me vervolgens zei, een commissaris in spe met een paardenstaart, dat is, nou ja. Onze brave Joseph heeft het verkeerde vak gekozen. Helemaal omdat hij en zijn varken ook al dat lijk van een Nederlander aan de andere kant van het dorp hebben gevonden ...'

Liz kon zich er niet van weerhouden hem hier te onderbreken.

'Ja, dat heeft hij mij verteld. Maar ik had nooit gedacht dat ...'

Ze beet op haar lip.

'O, maar dat is niks bijzonders, ik geloof dat hij de helft van het dorp op de hoogte heeft gebracht. Dat was zo erg nog niet, want uiteindelijk heeft dat een beetje de voornemens van onze Stephen op de lange baan geschoven. Die vent vermoordde immers ook een groot deel van zijn koeriers ... In elk geval minstens drie. De eerste is eind vorig jaar in de Rhône gevonden, net na de opening van de boetiek. Wij dachten dat het gewoon om een pechvogel ging. De heroïne zat in condooms. En die vent had porties doorgeslikt ter grootte van een flinke druif, had het vliegtuig genomen, was door de douane gekomen, en stond op het punt hier een laxeermiddel te nemen om zijn la-

ding te 'lossen'. Ongetwijfeld zijn er een paar zakjes kapotge-
gaan en heeft de heroïne een acute hersenbloeding veroorzaakt.
Dat bleek althans uit de autopsie. En Stephen heeft natuurlijk
een mes moeten gebruiken om zijn 'goederen' terug te krijgen.
De rest laat ik aan uw verbeelding over. Het probleem is dat
hij daardoor op een idee is gekomen. Zijn koeriers betaalde
hij slecht, in vergelijking met wat hij vervolgens opstreek door
de heroïne te verkopen. Maar het was hem nog te veel. Hij bedacht dat als hij nou zijn investering zou kunnen terugkrijgen,
hij weer opnieuw kon beginnen. De volgende koerier sneed hij
dus de keel af met een tuinschaar. Vervolgens heeft hij het spul
weer 'teruggepakt'... en u hebt de ... stoffelijke resten in uw
gierput aangetroffen.'

Liz voelde hoe haar benen weer slap werden. Gelukkig zat ze
op de bank.

'Allemachtig ... ik snap het ... Maar ... u had het over minstens drie?'

Vincent trok zijn wenkbrauwen op.

'Ja. De derde was dus die Nederlander van Joseph. Nou ja ...
gevonden door Joseph. Een gebroken rug, een vrijwel onmiddellijke dood. Stephen heeft aan bodybuilding gedaan. Maar
dat was voor hem geen kwestie van stoerdoenerij. Ook hier was
het niets anders dan een bezuiniging op personeel. Delen was
niet zijn sterkste punt ... evenmin als filantropie.'

Vincent werd weer serieus, zelfs wat verdrietig.

'En als ik heb gezegd minstens drie dan is dat omdat die
vuilak ook de kleine Marie heeft vermoord. Die spoot al een
paar jaar toen Stephen hier aankwam. Het duurde niet lang of
hij had haar in het vizier en werd haar leverancier. En toen ze
geen geld meer had, stelde ze voor hem anderszins te betalen.
Door het heen en weer lopen tussen de boetiek en de boerderij
van hem over te nemen en tussendoor zijn bed voor te verwar-
men. Ze is zwanger geworden. Desondanks bleef ze snuiven en
spuiten. Het moest er een keer van komen dat ze op een dag
een overdosis zou nemen. Tenzij iemand anders de spuit heeft

gehanteerd ... want Stephen wist dat ze zwanger van hem was. Marie had aan haar vader, de ouwe Gaston, verteld dat ze in verwachting was, maar zonder te zeggen van wie. En de Engelsman wilde vooral niet dat hun relatie aan het licht zou komen, dus hij moest het bewijs laten verdwijnen, met andere woorden die foetus met zijn DNA, want dat is een stukje erfgoed van de moeder ... en de vader.'

Liz voelde hoe een huivering door haar heen trok. Maar de jonge commissaris deed alsof hij dat niet merkte.

'Stephen heeft waarschijnlijk gemeend dat hij de snijtechniek wel onder de knie had. Hij deed het in wat hij allang beschouwde als zijn hoofdkwartier, met andere woorden uw boerderij, tijdens uw afwezigheid. Helaas bent u vroeger thuisgekomen dan voorzien en u hebt hem niet de tijd gelaten het lijk van dat kind in te pakken en mee te nemen. Dus heeft hij het verstopt waar het kon: onder het plastic dat al over de koe heen lag. Waarschijnlijk was het zijn bedoeling het dan wat later te laten verdwijnen. Maar toen kwam Joseph in het verhaal, die als de weerga de vilder belde om u te ontlasten. En ineens was daar de patholoog-anatoom die het kind heeft onderzocht. Die ging zich dingen afvragen bij het zien van bepaalde kentekenen op het lichaam en hij heeft een bloedproef genomen en die voor analyse naar een laboratorium gestuurd. En de resultaten bevestigden wat hij al dacht: de kleine Marie was zwanger geweest en bovendien droeg haar bloed sporen van celvrij DNA van de vrucht[21]. En het feit dat het een jongen was maakte het des te gemakkelijker ... die bezat dus dat beroemde Y-chromosoom dat je niet bij vrouwen vindt. Vergelijkende DNA-analyses zullen ons ongetwijfeld in staat stellen dat allemaal te verifiëren. Uiteindelijk was Stephen toch niet zo slim als hij dacht.'

Liz voelde zich ten prooi aan een eindeloze triestheid. Al die verspilling. Ze liet zich tegen de rugleuning van de bank vallen en zag de jonge commissaris opstaan. Een enorme vermoeidheid daalde over haar neer en wiste in één keer, althans tijdelijk, de gebeurtenissen en de ondervragingen van de laatste dagen en maanden uit. Ze wilde nog maar één ding: slapen en vergeten.

Ze hoorde nog vaag Vincents stem. Hij zei iets als 'wat de rest betreft: dat zien we later wel'. Ze voelde dat hij een plaid over haar benen trok en zakte weg.

EPILOOG

Juli 2005. Van Jung tot sociobiologie

De zon rees boven de lavendelvelden rond de heuvel van Grignan en het kasteel van de briefschrijvers. Tussen de hulsteiken en de olijven, lichtjaren van elk feestgedruis vandaan, zat Liz op de treden van de stenen fontein en keek naar de oude zonnewijzer die de ochtendstralen opving. Het was nog zo vroeg. En voor haar zo laat. De binnenplaats van de boerderij droeg de sporen van de nacht: platgetrapt gras, grind met bandensporen van politiewagens, de terreinwagen van Stephen ... de Rover van Ralph. En die zwartige vlekken ...

Ze probeerde zich niet het ergste voor te stellen, toen ze schrok van een stem.

'Ach, meske toch ...'t Begrut me da'k nie eerder kommen kost ... maar 'k zee bij mijn eigen, ik zee die leit nog te pitten. Na zunn'n nacht!'

Liz ging met haar handen over haar wangen en trok een gezicht. Ze was de diverse blauwe plekken vergeten, die haar lijf en haar gezicht overdekten. Joseph ging naast haar zitten, keek haar vanuit zijn ooghoeken aan, terwijl zijn varken zich de rug ging schuren tegen de achterzijde van de fontein.

'Nou ... gaat 't wel wa beter? Margriete zee ge mutter wa lapjes rauw vlees gaan brengen, maar ik zee da de dokter oe denkelijk wel van die nieuwerwetse zalf zal hebben gegeven.'

De oude man keek Liz eens onderzoekend aan, openlijk dit keer.

'Maar Lison! Dat ha'k vannacht nie gezien ... Hij het d'r

nie naast geslagen, diën viezerik … Maar …' (begin van een glimlach) '… die Ralph van oe net zomin! Da zoude nie gedocht hebbe agge n'm zag, zo keurig en zo goed gekleed … een echte stadse meneer … maar die het wel wa in z'n mars!'

Toen hij Liz' lippen zag trillen, zette hij grote ogen op.

'Nee maar, meske toch … Da spijt me nou …'k zij toch ok enen ouwen ploert! Ik kwam just om oe een hart onder de riem te steken, en nou doe'k krek 't tegenovergestelde! En bovendien, ik hettem gezien hoor, diën Ralph van oe vlak veurdat-ie wegging en …'

De jonge vrouw schrok en greep haar buurman bij de mouw.

'Je hebt hem gezien! Maar waarom heb je dat dan niet meteen gezegd, Joseph. Hoe was het met hem? Was hij gewond? Heeft hij iets gezegd! Jezus, Joseph …'

Vaardig maakte de oude man zich los en hij vermande zich.

'Nou ja … dat wou'k krek zegge! Wa wilde ge nou, ik kom nie ut de stad, ik … Ik leef nie as een raket zoas gullie. 'k Het de tijd nodig! En om op oe vraag te antwoorden …'

Hij schraapte zijn keel.

''t Gong eerder goed met hum, met diën Ralph van oe. Hij had allenig een blauwe boon deur z'n bovenarm gekregen, maar die was t'r ok weer utgekommen. En ik hè hum een zakdoek geleend zodattie een verband kon leggen … nog een geluk da'k geen Kleenex gebruk! Welnee. Hij was veural ongerust veur oe, daggij helemaal in de prak wier. Maar 'k hè hum gezeid dattie zich daar geen zeurge om hoefde te maken … ik was d'r bij. En hij had de smerissen en de eerste hulp al gebeld … Dus uiteindelijk is-ie vertrokke. Hij het me allenig gezeid da'k nie must vergitte oe te zeggen dagge naar oe iemeel moest kijke en …'

Liz fronste haar wenkbrauwen.

'Mijn … o, Joseph!'

Ze viel haar verbaasde gesprekspartner om de hals.

'Dank je wel, Joseph! O! Dank je wel!'

Ze draaide zich om en rende naar huis, draaide zich nog eens half om, om te roepen: 'Tot zo, Joseph!'

Gelukkig was het nog niet druk op de server van haar internetaanbieder; daar was het te vroeg voor. In de tijd dat haar e-mailprogramma opstartte had ze maar drie nagels kunnen afkluiven.

Liz, liefste,

Allereerst hoop ik dat het goed met je gaat en dat Joseph – en de smerissen! – voor je hebben gezorgd.

Als ik je zo heb moeten achterlaten dan komt dat ... Nou ja, ik ben bang dat je nu enkele minuten lectuur voor de boeg hebt, want die uitleg is niet zo één, twee, drie gegeven ... Wij, ik bedoel daarmee jij en ik, zijn verstrikt geraakt in een rare geschiedenis.

Waar moet ik beginnen? Wellicht bij vorig jaar, toen ik door de firma was uitgezonden naar Australië (ja, ik weet het, ik heb je daar niets over verteld, maar je zult begrijpen waarom), en daar op bezoek ben gegaan bij een 'instituut' aan de oostkust, ten zuiden van Sydney. In dat instituut zijn tussen 1950 en 1969 halfbloedkinderen opgesloten. Het ging om kinderen die vervolgens 'gestolen kinderen' werden genoemd ... Ik denk dat ik je niet hoef te vertellen waar het hier om ging: iedereen in Australië weet momenteel min of meer wat er is gebeurd. Ik heb daar zelf opgesloten gezeten, en ik ben teruggegaan om uit te zoeken of wat mijn adoptieouders hadden verteld waar was.

Liz' blik was nog steeds op het scherm gericht, maar ze voelde hoe haar kaak verslapte. Ralph, een gestolen kind? Hou op zeg! Met zijn dure pakken en zijn uiterlijk van golden boy?

Ik ben er met lege handen van teruggekomen en wilde maar één ding: zo snel mogelijk weg. Helaas liep ik, toen ik bij het kantoor van de firma kwam, tegen de plaatselijke baas van Accenture op, die mij meetroonde naar een investeringsbeurs. Ik kon moeilijk weigeren, ook al was ik een zenuwwrak ... dus kwamen we in de haven terecht, in een van die hallen van het congrescentrum. Daar waren zoals gewoonlijk de groot- en kleinhandel en airconditioning aanwezig, en er heerste een kolereherrie. En daar stond ik dan, met een glas champagne in de hand ... en toen kwam die vent op me af.

Iedereen stonk min of meer naar alcohol. Hij eerder meer dan min, maar dan vermengd met een lucht van urine en vuil. Zijn donkere ogen waren bloeddoorlopen en zijn haren waren zo vies dat ze rechtop op zijn kop stonden. Dat gold ook voor zijn baard, maar dan de andere kant uit. Hij leek op Groucho Marx na de explosie van een tiental klapsigaren. Boven zijn vodden droeg hij een oude militaire pet. Heel even kreeg ik zijn lucht in mijn neus ... en zijn nagels in mijn gezichtsveld. Want hij legde zijn vinger op de kraag van mijn hemd en sprak: 'Jij bent mijn zoon, ik moet je spreken.'

Je kunt je voorstellen wat voor schok dat was, Liz.

Hij, mijn vader? Een vieze, stinkende Aboriginal? Ik, die van plan was rustig terug te gaan naar Boston, naar mijn 'superwereld'. En daar valt me mijn oude heer op mijn dak.

Ik heb hem dus bij de arm genomen en ben met hem vertrokken. Samen hebben we uiteindelijk een zo donkere kroeg gevonden dat een orang-oetan zich er nog incognito had kunnen bedrinken. En daar heeft hij me verteld ... Hij heette John en hij stamde af van een lange lijn van Jerr-inga ...

Liz las wat Ralph wist van de geschiedenis van zijn stam. Buiten werd het almaar warmer. Toch kreeg zij het steeds kouder.

Zo, nu ken je mijn verste verleden, tot mijn ontvoering, voorzover dat allemaal waar is. Maar nu komt het moeilijkste.

Op een dag is John uit de gevangenis ontsnapt. Ik weet niet hoe, dat heeft hij me niet willen vertellen. Hij heeft me alleen maar gezegd dat hij maar aan één ding dacht: zijn zoon terugvinden. Hij is meegelift met een goederentrein naar het zuiden. Eenmaal in Nowra, is hij naar het instituut gelopen waarvan hij wist dat zijn zoon er was geplaatst. Daar is hij op de loer gaan liggen. Totdat hij erachter was wie wat deed, op welk tijdstip, en wat de gewoonten waren. Op een avond heeft hij een jonge Aboriginal aangesproken die in de keuken te werk was gesteld. Hij heeft hem meegenomen om wat te drinken en hem zijn verhaal verteld. Ze bleken allebei van dezelfde stam. Het joch heeft John geholpen. Hij heeft dossiers voor hem achterovergedrukt. En zo heeft John alles ontdekt. Enfin … vooral wie hem had laten ontvoeren, onder welk voorwendsel en op welke datum. En hetzelfde voor zijn zoon, en diens adoptie.

Met de blik aan het scherm gekluisterd bleef de jonge vrouw stil zitten.

De vrouw die tot de ontvoering van John had bevolen toen hij nog kind was, heette Mathilde Valet. Ze had gewerkt bij het bureau voor Aboriginalzaken in Sydney, onder een zekere Irving Greens. Vervolgens had ze de leiding gekregen over het instituut van Boomaderry in de buurt van Nowra. En toen John haar had opgespoord lag ze in het ziekenhuis.

Dus is hij naar het ziekenhuis gegaan. Daar was het vrij gemakkelijk volgens zijn zeggen. Hij kwam binnen via de eerste hulp, deed alsof hij gewond was. Hij heeft zich in een washok laten opsluiten tot het eind van de dag. 's Nachts waren er alleen de nachtverpleegsters en is hij tot haar kamer doorgedrongen. Daar heeft hij de vrouw bekeken, voordat hij zijn ogen sloot en alle geesten van de voorouders te hulp riep. Hij wilde ze laten begrijpen dat wat hij deed was om de toekomstige Jerr-inga te beschermen. Hij heeft me verteld dat hij vervolgens naar buiten is gegaan en twee dagen later hoorde dat ze dood was.

Liz, ik herhaal je slechts wat John me verteld heeft. Ik heb hem een paar keer gevraagd of hij er zeker van was dat hij haar niet wat gegeven had, of dat hij iets had losgemaakt. Telkens schudde hij zijn hoofd.

Vervolgens heeft hij besloten de rest van de 'vervloekte lijn' aan te pakken, zoals hij het noemde. Want het blijkt dat wie achttien jaar later de ontvoering van zijn zoon op haar geweten had, niemand minder was dan Agnès Valet, de dochter van degene die zijn ontvoering had bevolen. En als de dromen van die beide vrouwen even sterk waren als die van de Jerr-inga, dan moesten die ook de richting van hun leven bepalen. John ging dus terug naar huize Valet.

Na een paar dagen wachten zag hij de bewuste Agnès Valet rennend naar buiten komen. Ze nam de bus. Hij volgde haar. De bus stopte bij het station.

Daar nam ze de trein naar Sydney, dook weg in een tijdschrift. John ging aan de andere kant van het compartiment zitten en heeft haar van een afstand bekeken. En opnieuw volgens wat hij me verteld heeft, is hij hetzelfde begonnen te doen wat hij ook met de moeder heeft gedaan … hij heeft geesten opgeroepen.

Eenmaal in Sydney is hij uit de trein gerend en voor het station gaan staan. Uiteindelijk kwam zij op haar beurt naar buiten. Naar verluidt had ze dat tijdschrift nog bij zich. Dat moest haar boeien, want ze bleef erin lezen.

Liz sloot even haar ogen, alsof dat haar kon verhinderen het tafereel voor zich te zien. Toen dwong ze zich door te lezen.

Ze stak de straat over zonder uit te kijken. Er kwam een vrachtwagen aanrijden. Die kon niet meer remmen …

Weet je, Liz, ik weet niet wat ik daarvan moet denken, behalve dan dat hij me de waarheid zei, in elk geval zijn waarheid. En bovendien stemt het overeen met de laatste brieven van jouw moeder.

Liz schrok zich rot. Hoe kon hij …

Ja, dat weet ik. Ik heb ze op je bureau zien liggen. Onder het woordenboek … Laten we verdergaan …

John heeft mij vervolgens de jaren die daarop volgden beschreven. Hij bleef op straat leven, in de vuiligheid en in de ellende. In Sydney … En op een dag, om het warm te hebben, heeft hij zich toegedekt met een bladzijde van de Sydney Morning Herald … en daar zag hij een naam in een kop. De mijne, Winthrop. Of liever gezegd de naam die mijn adoptieouders mij hebben gegeven en die in het dossier stond dat hij in handen had gekregen. Hij is voor de firma gaan staan. Hij heeft me zien gaan en komen. Hij is me gevolgd ... maar durfde me nooit aan te spreken. En op een dag, toen hij ietsje meer dronken was dan gewoonlijk, en ietsje minder geremd, is hij het congrescentrum binnengegaan, naar die bijeenkomst van de beschaafde wereld.

En daar heeft hij me dat verhaal verteld. Ik kon natuurlijk wel allerlei smoezen bedenken, maar ik kon niet meer ontkennen dat ik Aboriginalbloed had, dat ik deel uitmaakte van de stam van de Jerr-inga, en dat ik ontvoerd was.

Als klap op de vuurpijl, net toen ik van plan was ertussenuit te knijpen om daar eens goed over na te denken, vroeg John mij uit te roeien wat er nog bestond van die vervloekte nagedachtenis, die van de vervolgers. Daarop is hij vertrokken, nog voordat ik een kik kon geven. Ik wilde achter hem aan rennen. Maar op straat was hij als het ware opeens verdampt.

De volgende dag, toen ik van mijn werk kwam, was ik van plan het eerste het beste vliegtuig naar de Verenigde Staten te nemen. Er stond een menigte op straat. Normaal doe ik dat nooit, maar die keer ben ik erop afgegaan. Er probeerde iemand mond-op-mondbeademing toe te passen op een zwerver die op het asfalt lag. Uiteindelijk hield hij op en zei dat hij de pijp uitging. Ik wist het nog voordat ik keek. Hij was het. Hij was er niet meer.

Daarna ... ben ik niet meteen teruggegaan naar de States. Ik heb jou gezocht. Ik meende dat hij mij ten minste een deel van de waarheid had verteld. Ik ben gaan kijken waar jouw kantoor was in Sydney. Je appartement ... Ik ben binnen geweest. Ik heb wat mails gelezen die je had uitgeprint, vooral over dat huis dat je in Frankrijk wilde kopen. Ik ben je gevolgd in de auto. Ik heb je ook bespioneerd vanuit de tuin. Ik stond bij het raam. Toen kwam er een man.

Vervolgens heb ik het aanbod aangenomen waardoor ik aan dat MBA-project kon gaan werken. Dus ben ik je gevolgd naar Frankrijk. In Parijs heb ik iemand betaald om op je in te rijden ... Maar ik ben aanwezig gebleven om het te verifiëren. En ik kon het niet laten gebeuren. De enige keer dat ik verder ben gegaan, heb jij het gemerkt, en je hebt de gasfles dichtgedraaid. En toen was daar natuurlijk gisteravond, toen die volslagen gek jou besprong, terwijl ik je daar al uren zat te bespieden, me afvragend wat ik nu moest doen, hoe ik hieruit kon komen.

Want je moet begrijpen ... de laatste maanden, tussen dag en nacht, kwam ik van de ene wereld in de andere. 's Nachts droomde ik. Ik was daarginds, bij de mensen die ik niet kende, ik zag onbekende bomen, bizarre beesten. Bij hen deed ik en wist ik dingen die ik nog nooit geleerd had. Dan werd ik wakker, en dan zei ik tegen mezelf dat ik moest doen wat John me had gevraagd. Ik was niet meer één enkel mens. Aan de ene kant was er de ik die alles wilde stopzetten en zijn vorig leven hervinden, modern en westers, en aan de andere kant was er degene die zijn oorsprong wilde terugvinden en bezeten werd door een gewelddadige woede. Diegene dacht dat jouw dood alles zou oplossen, dat dan die beruchte vervloekte nagedachtenis niet meer zou terugkeren. En toch, zodra ik vlak bij jou was, ebde die woede weg ... om in eenzame momenten des te krachtiger terug te komen.

Liz, mijn liefste, vind je dit geen scenario voor een B-film?

Het moest gewoon zo zijn dat ik stapelgek zou worden op degene die ik uit de weg moest ruimen ... terwijl ik mezelf aanvankelijk alleen maar had voorgehouden dat ik haar ging naaien, zoals de blanken vroeger de mijnen hebben genaaid. Alvorens ze af te maken, wat ik dan ook met jou zou doen. Met jou.

Ik wist niet meer wie wie verried, wie wat verried. Totdat ik die doorgedraaide idioot een poging zag doen jou te vermoorden.

Liz voelde hoe een hevige rilling over haar rug liep. Ze klemde haar kaken op elkaar.

Het ergste is dat ik me nu afvraag of ik het niet verkeerd begrepen heb toen John het had over het 'vernietigen van die vervloekte nagedachtenis'. Vóór die hele geschiedenis had ik er nooit echt over nagedacht wat die nagedachtenis inhield, waartoe die je brengen kon. Voor mij waren het gewoon opgestapelde ervaringen. Maar sinds die tijd, door wat er gebeurd is, heb ik het een beetje zitten bestuderen. In bepaalde antropologische artikelen heb ik dingen gevonden over de geest-kinderen die zich zouden reïncarneren in baby's, met de kennis van overledenen. Daarna heb ik Jung gelezen, die zegt dat de inhoud van dromen zich niet beperkt tot de individuele ervaring, maar ook terug te vinden is in beelden en symbolen die van generatie op generatie worden doorgegeven ...

En toch denk ik dat het in werkelijkheid nog veel ingewikkelder ligt. Want mijn dromen waren niet gewoon beelden of symbolen. Ze gingen over dingen die ik niet kon weten zonder ze te hebben geleerd of te hebben ervaren. Ik wist plotseling hoe je een bepaald dier moest vangen, afhankelijk van de tijd van het jaar. Met andere woorden, ik bezat een kennis die uit verworvenheden had moeten voortvloeien, en die niet aangeboren of afhankelijk was van een of ander genenpakket.

Daarna heb ik een beetje gegrasduind in de wetenschap (of pseudowetenschap, dat weet ik niet) die sociobiologie heet en die ervan uitgaat dat het sociaal gedrag wortelt in de biologie. Ik weet het, dat kan ook dienen als rechtvaardiging voor seksisme, racisme en eugenetica. Maar niet alleen. In elk geval zeggen de sociobiologen dat wortels van gedrag aanwezig zijn in het biologisch erfgoed, met andere woorden in het dna oftewel de genen. Er zijn er zelfs die ervan overtuigd zijn dat alle menselijke activiteiten in een of andere vorm geconditioneerd zijn door ons genetisch erfgoed. Ik moet toegeven dat dat wel erg ver gaat ...

Maar weet je, ik zou elke enigszins coherente verklaring hebben geslikt om eruit te komen ... Ik was in een stadium beland waarin ik daadwerkelijk geloofde dat John wenste dat ik mij ontdeed van een kwaad dat door de generaties heen trok. En de enige manier daartoe was te moorden ...

Nu begrijp ik dat ik me volslagen vergist heb. Ik moet tegelijkertijd veel te zeer geobsedeerd zijn geweest door dat verhaal, veel te rationeel, veel te westers, om de werkelijke betekenis van zijn vraag te begrijpen. Dat ben ik ongetwijfeld nog steeds. Op straat, naast Johns stoffelijk overschot, heb ik dat leren zakje opgeraapt dat hij altijd bij zich had. En ik heb het opengemaakt. Er zat slechts stof in. Sinds die tijd haal ik dat ding, of ik wil of niet, regelmatig tevoorschijn. Wat mij in paniek brengt, is de gedachte dat het miljarden dingen bevat ... die altijd buiten mijn bereik zullen blijven.

Toch, zelfs als ik mezelf voorhoud dat mijn familie bestaat uit mensen met wie ik verbonden ben door een gemeenschappelijk verleden, gedeelde emoties, vertrouwen en wederzijdse steun, veel meer dan enkele liters bloedlichaampjes ... weet ik dat ik nu die baai moet gaan zien waarover John mij verteld heeft en waar ik geboren ben. Misschien zelfs de bergen waarover zijn grootmoeder hem altijd de kop gek zat te zeuren. Ik moet nu onder ogen gaan zien wat ik ben en wat ik ben geweest. En dan kom ik terug.

In de tussentijd hoop ik dat jij me zult vergeven wat je te verduren hebt gehad, terwijl je er helemaal niets aan kon doen. Ik weet het, dat zal niet zonder pijn gaan. En ook niet zonder twijfels ... Maar alsjeblieft, Liz, over enkele maanden, als ik terugkom, sluit dan niet de deur voor me. Want anders trap ik hem waarschijnlijk in. Je moet weten dat alleen al als ik aan je denk, al is het maar een halve seconde, ik ernaar verlang je te zien, je móét zien, en dat verlangen stijgt op van mijn buik naar mijn hart ...

Ralph

Liz keek eventjes naar haar computer, voordat ze luidruchtig haar neus snoot in de doek die eigenlijk klaarlag om het scherm schoon te houden. Pas daarna stond ze op om een papieren zakdoekje te gaan halen uit het pakje dat klem lag op de plank, tussen twee woordenboeken. Pas toen merkte ze het wezentje op dat over de muur liep, boven de boeken. Het hagedisje bleef staan, draaide het kopje naar haar toe. Toen bewoog hij zijn snuit van links naar rechts, alsof hij de kwaliteit van de lucht testte.

Zonder hem uit het oog te verliezen ging Liz weer zitten. Als zij dan per se een teken zocht, zou ze dat ongetwijfeld vinden. Dat beestje was niets, niets anders dan het verschijnen van de werkelijkheid. En haar werkelijkheid was gelegen in het feit dat zij de dochter van Jack was, de dochter van Agnès, de klein-dochter van Mathilde. Daar hielp geen lieve moeder aan, daar moest ze mee in het reine zien te komen. En Ralph was de zoon, de kleinzoon en de achterkleinzoon van degenen die de haren hadden helpen vervolgen. Ook hij moest ermee in het reine zien te komen. Als ze elkaar zouden terugzien, zou dat vreemd ge-noeg gemakkelijker zijn door de herinnering aan wat hij had geprobeerd. Leed om leed ... Dat zou het evenwicht herstellen. En vervolgens zouden ze dan misschien beseffen dat ze zich veel lekkerder zouden voelen als ze ophielden zichzelf tot martelaar te verklaren, als ze de gebeurtenissen die hadden plaatsgevonden voordat ze elkaar leerden kennen zouden accepteren en vervol-gens ter zijde schuiven.

Met haar ogen de bewegingen van de hagedis volgend pro-beerde Liz zich haar minnaar voor te stellen in die beroemde baai. Dat was moeilijk. Je had de Ralph van Wharton, modern en elegant, die van Accenture, pragmatisch en nuchter ... en degene die bij zijn ouders was weggehaald. Zouden zijn dromen overeenkomen met de een of andere werkelijkheid? Zou hij een en dezelfde persoon kunnen zijn?

Het hagedisje schokte nog een keer met zijn snuit en verdween toen even snel als het was verschenen.

Liz stond op het punt haar computer uit te zetten toen een bekend geknor haar deed opkijken. Bernard v kwijlde, met zijn snuit tegen de openslaande deur, zorgvuldig op de tegels. Naast hem Joseph, met de pet onder de arm, die een verlegen gebaar maakte naar de jonge vrouw. Ze haastte zich de deur te openen. De oude man kuchte eens.

'Wel, meiske. Maak oew eige maar geen zorge. Diën Ralph, die zee nog dattie 't een en ander most regelen bij zijn 'oor-sprong'... Het is geen foute, die kerel ... Dat regelt-ie wel ... en hij komp terug. Hij wit ok best dat alleen een halvegare denken kan dagge de klok terug kent draaie?. Dus ik zeg oe ... maak oew eige geen zorge!'

Enkele dieren uit de Australische megafauna

(zie de Woordenlijst op p. 265)

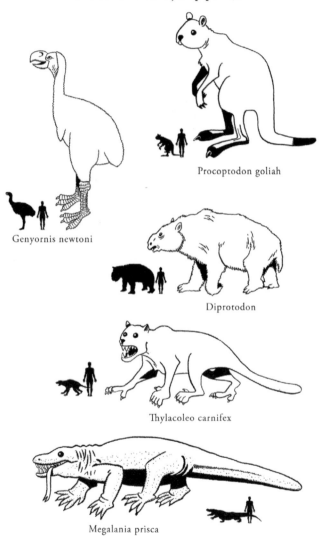

Procoptodon goliah

Genyornis newtoni

Diprotodon

Thylacoleo carnifex

Megalania prisca

Stamboom van de Jerr-inga

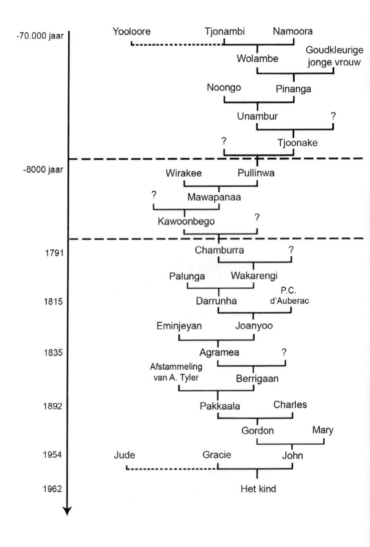

-70.000 jaar	Yooloore Tjonambi Namoora
	Wolambe Goudkleurige jonge vrouw
	Noongo Pinanga
	Unambur ?
	? Tjoonake
-8000 jaar	Wirakee Pullinwa
	? Mawapanaa
	Kawoonbego ?
1791	Chamburra ?
	Palunga Wakarengi
1815	Darrunha P.C. d'Auberac
	Eminjeyan Joanyoo
1835	Agramea ?
	Afstammeling van A. Tyler Berrigaan
1892	Pakkaala Charles
	Gordon Mary
1954	Jude Gracie John
1962	Het kind

Woordenlijst

Banksia: *Proteacee*, ruim 70 soorten. Struiken of boompjes met groenblijvend loof, die 15 meter hoog kunnen worden. De bloeiwijze kan 15 centimeter lang en 10 breed zijn.

Boa van de Stille Oceaan: Van de soort *candoia*. Ze komen voor op heel Nieuw-Guinea, op de Solomoneilanden, de Fiji-eilanden, de Samoa-eilanden enzovoort. Variëren in omvang, kleur en gedrag.

Bun-yip: *Diprotodon*. Uitgestorven.

Gomboom: Volksnaam voor de eucalyptus.

Ka-ga-raii: *Procoptodon goliah* (reuzenkangoeroe). Uitgestorven.

Ka-nu-ko: *Palorchestes azael* (buideltapir). Uitgestorven.

Ko-la: *Phascolarctos stirtoni* (reuzenkoala). Uitgestorven.

Koo-ka-boo: zie Lachvogel.

Lachvogel: *Dacelo leachii* (blauwvleugelige lachvogel). Australische vogel.

Lampenpoetser: *Callistemon* en *Melaleuca*. De bloeiwijze bestaat uit bloemen met lange meeldraden, vandaar de naam.

Mo-ga-raii: *Simosthenurus occidentalis* (middelgrote kangoeroe). Uitgestorven.

Nin-boo: *Zygomaturus trilobus*.

Pi-ra-poo: *Ornithorhynchus* (vogelbekdier).

Tib-in-po: *Genyornis newtoni* (reuzenloopvogel). Uitgestorven.

Ti-ra-kaa: *Megalania prisca* (reuzenvaraan). Uitgestorven.

Woo-ra-wàn: *Ekaltadeta ima* (muskuskangoeroerat van Riversleigh). Uitgestorven.

Wo-rii-kul: *Canis lupus dingo* (dingo). Hondensoort, wit, is met Indonesische vissers meegekomen.

Wo-ro-ko: *Didelphidae* (buidelrat). Familie van vijfenzestig soorten buideldieren.

Wurgvijg: Ontkiemt uit een zaadje dat door de wind op de takken van een boom wordt gedeponeerd. Vervolgens laat hij wortels neer tot op de grond, groeit en omgeeft ten slotte de hele stam van de gastheer, die sterft en vergaat, waardoor in het midden van de vijg een grote holte overblijft. Op de Samoa-eilanden groeien twee inheemse wurgvijgen (of banyans): *ficus prolixa* en *ficus obliqua*.

Ya-kurr: *Thylacoleo carnifex* (buidelleeuw). Uitgestorven.

Yu-kaï: *Thylacinus cynocephalus* (Tasmaanse tijger). Buidelwolf, vrij kort na de invoer van de dingo's uitgestorven.

Zilvereik: *Proteacee*, enkele tientallen soorten. Boom, bijenplant, groenblijvend met uiteenlopende bloeiwijzen. Kan 20 meter hoog worden.

Enige uitleg

Deze roman, gebaseerd op historische en wetenschappelijke feiten, is een gefingeerd werk en kan dus geenszins sommige ingewikkelde zaken verklaren, zoals het Aboriginaldenken, of bepaalde kwesties, zoals de evolutie van de beschaving.

Daarom kan de lezer die verder wil gaan dan de enkele aanvullende noten hierna:

- enerzijds, en onder andere, een beroep doen op het werk van onderzoekers als William E.H. Stanner, Barbara Glowczewski-Barker (antropologen) of Luca Cavalli-Sforza (geneticus);

- anderzijds zelf de verhalen van de droomtijd ontdekken, van generatie op generatie doorgegeven en verteld door hun traditionele 'bewakers' op de website van het Australian Museum, die trouwens tevens interessant is om andere redenen unten (zie de Bibliografie op p. [sref2]).

De mens op het Australische vasteland

De datum waarop er mensen in Australië zijn aangekomen blijft in nevelen gehuld. Er is ongetwijfeld sprake geweest van een min of meer aanhoudende immigratie.

Uit pollenonderzoek begin jaren tachtig door doctor Gurdip Singh van de Australian National University, blijkt dat het ontginnen door brandcultuur al zo'n 120.000 jaar geleden gebruikelijk was in wat tegenwoordig New South Wales heet. Het schijnt dus dat destijds al menselijke bevolking aanwezig was op het vasteland.

Tegen het midden van de jaren negentig zijn er andere onderzoeken gedaan in Jinmium, in de Northern Territory. Deze stelden vast dat zich daar zo'n 115.000 jaar geleden al mensen bevonden.

In 1974 is een prehistorisch skelet gevonden in het westen van New South Wales, bij het Mungomeer. Enkele jaren later zijn uit deze beenderen DNA-sequenties geïsoleerd. Enerzijds kennen de daaruit voortvloeiende analyses deze mens een genetische lijn toe die veel ouder en heel anders is dan die van de menselijke bevolking die momenteel op de planeet woont. Anderzijds lijkt het skelet van die 'mens van Mungo' enorm op andere gebeenten, die in China zijn aangetroffen.

Op basis van die gegevens beweert het team van doctor Alan Thorne van de Australian National University dus dat de eerste volkeren die op het Australische vasteland zijn aangekomen, via de Filippijnen en Timor, uit China afkomstig waren, tijdens de laatste ijstijd, toen het zeeniveau veel lager was dan nu en het Australische vasteland verbonden was met Nieuw-Guinea. Die voorouders zouden hebben behoord tot het type homo sapiens, aangeduid met de bijnaam 'gracilis', en zouden de koeriers zijn geweest van genen die in de loop der tijd verdwenen zijn. De mens van Mungo zou een afstammeling van die gracilis zijn. Alvorens uit te sterven zouden de laatsten zich hebben vermengd met een andere homo sapiens: 'robustus', afkomstig van Java. De afstammelingen van de gracilis en robustus zouden de Aboriginals van Australië zijn. Conclusie: 'moderne' mensen zouden in Australië hebben geleefd voor de komst van de homo sapiens als drager van een gemeenschappelijk DNA van de gehele planeet.

Het bestaan van die Mungomens, die minstens 60.000 jaar oud was, pleit voor een multiregionale theorie: de moderne mens zou zich *gelijktijdig* hebben ontwikkeld in Afrika, in Europa en in Azië, als een unieke soort, en wel vanuit een gemeenschappelijke voorvader, de homo erectus, afkomstig uit Afrika, welk continent hij dan ruim 1,5 miljoen jaar geleden zou hebben verlaten. Die visie staat haaks op de theorie die *Out of Africa* wordt genoemd, volgens welke de homo erectus wel degelijk in Afrika is geëvolueerd, maar zijn moderne afstammeling, de meer recente voorvader van de huidige mens, alléén op dat continent zou zijn verschenen en het ongeveer 120.000 jaar geleden zou hebben verlaten om zich over de wereld te verspreiden.

Hoe het ook zij, de aanwezigheid van de mens op het Australische vasteland is vrijwel zeker vanaf een tijdstip tussen de 60.000 en 68.000 jaar geleden. Voor veel onderzoekers staat vast dat minstens 50.000 jaar geleden Aboriginalvolkeren hebben geleefd in de Northern Territory (Kakadu), in het zuidoosten van Australië (Mungomeer) en 5000 jaar later in Zuid-Australië.

20.000 jaar voor het begin van onze jaartelling hebben die volkeren zich gevestigd op vele plaatsen in het land, zowel in het binnenland (dat ongetwijfeld destijds minder droog was) als aan de kust en tot op Tasmanië.

Nadat de gletsjers begonnen te smelten, 18.000 jaar geleden, begint het zeeniveau te stijgen, terwijl het klimaat van Australië 13.000 tot 10.000 jaar geleden vrijwel identiek werd aan wat het tegenwoordig is. In dezelfde tijd vormen de eilanden in de Straat Torres zich, ten noordoosten van het continent, terwijl de landbrug die tot dan toe bestond tussen Australië en Nieuw-Guinea overstroomd raakt, waardoor het continent geïsoleerd wordt.

Vanaf die tijd, en millennia lang, lijken de bewoners van Australië (die zich vooral in het noorden bevonden) regelmatig contact te hebben gehad met enkele volkeren uit het huidige Indonesië, Nieuw-Guinea en de naburige eilanden.

In 1606 verkent een westerse zeevaarder (een Hollander) met uitstekende documentatie de westkust van Kaap York.

Daarna volgen andere expedities (waaronder die van Abel Tasman in 1642), tot de komst van de Engelsman James Cook in 1769 in Nieuw-Zeeland en vervolgens in 1770 in het zuidoosten van Australië, enige tijd voordat hij Botany Bay bereikt, meer in het noorden. Daar verklaart Cook, ondanks de aanwezigheid van autochtone bevolking, het continent tot *terra nullius*, onbewoond land, en daarmee eigendom van de koning van Engeland.

In 1788 gaan de eerste westerlingen aan land: kolonisten, criminelen en soldaten. In die context worden degenen die vanaf dat moment Aboriginals worden genoemd als wezens uit een ander tijdperk beschouwd, ongeletterd en zonder de minste sociale organisatie. Als ze al niet afgeslacht worden, worden ze wel verplaatst, gehergroepeerd of gedecimeerd door pokken en pest, alcohol en honger. De gevangen kinderen worden tewerkgesteld.

In die tijd worden geweld en ziekte in samenhang met de kolonisatie gezien als een natuurlijk proces van survival of the fittest.[22] De Aboriginalcultuur wordt afgeschilderd als broos, tegenover de kracht van de Europese levenswijze. Het uitsterven van autochtone bevolkingsgroepen is voor de kolonisten dus slechts een kwestie van tijd.

Bij de komst van de Engelsen naar het continent telde de autochtone bevolking 250.000 à 300.000 zielen. Aan het begin van de twintigste eeuw zijn er nog maar 67.000 over. Toch zijn de contacten tussen Europeanen en Aboriginals frequenter. En het aantal halfbloeden stijgt ... De afstand die de beschaving pretendeert te scheppen tussen het verleden en het heden lijkt in gevaar te worden gebracht door die culturele en biologische mengeling. Personen van gemengde afkomst moeten dus aan het ouderlijk gezag onttrokken worden en opgevoed in de niet-Aboriginalsamenleving. Daartoe wordt aanvankelijk getracht seksuele betrekkingen tussen blanken en zwarten te regelen door de bewegingsvrijheid en de relaties van de Aboriginals aan banden te leggen. Vervolgens wordt een poging gedaan 'de komende generaties te redden'[23]. Zij moeten 'de zuiverheid van het blanke ras beschermen tegen de ernstige sociale gevaren die op de loer liggen als een gedegenereerd ras in de nabijheid woont, onder behoeftige omstandigheden'[24]. De kleur moet uit geest en lichaam, de halfbloed moet vergeten waar hij vandaan komt, hij moet zo veel mogelijk verwesterd worden. De staat wordt dus legaal voogd van alle kinderen van Aboriginalafkomst. Zij worden ontvoerd en naar instituten gestuurd, of door blanke families geadopteerd. Contact met hun eigen familie en met andere Aboriginals is verboden. Het Westen brengt hun min-achting voor het Aboriginalerfgoed bij. Ze moeten zich vooral niet vermenigvuldigen. Het 'probleem' moet verdwijnen, met de 'complete verdwijning van het zwarte ras'[25]. Dit wordt 'as-similatie' genoemd.

In 1901 wordt de Australische Federatie uitgeroepen. In de grondwet wordt iedere Aboriginal, Aziaat of Indiër alle burger-rechten, stemrecht en de militaire dienstplicht ontzegd. Het-zelfde jaar verbiedt het parlement alle niet-Europese immigra-tie. Officieel is dat de politiek van 'blank Australië', die zo ver doorwerkte dat nog na de Tweede Wereldoorlog de Aboriginal-cultuur en -leefwijze gepresenteerd worden als in wezen onvol-maakt, vies en gedegenereerd, 'duizenden afgetakelde en gede-primeerde personen die zich in het vuil liggen te wentelen'[26]. De autoriteiten hebben alle volmachten om razzia's te houden in de gemeenschappen, en kinderen te ontvoeren die lichter van huid zijn. 'Zolang de inboorlingen leven op zo'n manier dat ze stin-ken, is voor hen geen hoop. Wij moeten hun hygiëne verbeteren om hen acceptabel te maken.'[27] De 'Aboriginaliteit' wordt om-schreven als een 'primitieve sociale orde' gebaseerd op 'rituele moord, kindermoord, ceremoniële vrouwenruil, polygamie'[28]. Verdwijning is synoniem met beschaving en vooruitgang ... voor het welzijn van de Australische autochtonen zelf. 'Al was ontvoering van kinderen uit hun ouderlijke macht een tragisch trauma voor de betrokkenen, het werd gedaan met de bedoeling om het leven van de kinderen "te verbeteren". Zonder kwaad-willige opzet.'[29]

Maar toch, eind jaren vijftig begint het nationaal park van Kakadu in het uiterste noorden in toenemende mate gebruik te maken van plaatselijke Aboriginalgidsen, die een voorvaderlijke en gedetailleerde kennis bezitten van dit buitengewone gebied. In 1966 tekent Australië de internationale overeenkomst voor opheffing van alle vormen van rassendiscriminatie. In 1969 kent de regering de Aboriginals eindelijk stemrecht toe. En de Fe-deratie houdt op zich te beschouwen als legale voogd van alle inboorlingen van Australië, kinderen en volwassenen.

Bovendien dringt in die periode het besef door dat de natuurlijke historie van Australië zo buitengewoon is, zowel qua specificiteit als qua diversiteit en ouderdom, dat het biologisch milieu van het continent in 200 jaar meer verandering heeft ondergaan ... dan in de 20.000 jaar daarvoor. En het houdt niet op, helemaal niet omdat, net als de natuurlijke omgeving, de autochtone bevolkingsgroepen op grote schaal zijn ontwricht. Onderzoekers beginnen nu de nauwe relaties te ontdekken tussen de Aboriginalbevolking en haar leefomgeving en de kennis die zij ervan heeft. Maar de kolonisatie en de ontvoerde generaties hebben de traditionele kennis van flora en fauna, de interactie van de stammen, hun ontwikkeling parallel aan hun omgeving, aanzienlijk beschadigd. De Euro-Australiër beseft opeens dat er grenzen zijn aan wat de natuurlijke en culturele omgeving kan verdragen – de prijs van de ontwikkeling.

In 1972 verklaart premier Gough Whitlam: 'Wij allemaal, Australiërs, verlagen ons als wij de Aboriginals hun legitieme plaats binnen deze natie weigeren.'[30] In 1974 erkent het rapport-Woodward de band van Australische volkeren met hun grond: 'De Aboriginals het recht ontnemen mijnbouw op hun grond te verhinderen, betekent de realiteit van hun recht op die grond ontkennen.'[31] In 1975 wordt de federale wet op de rassendiscriminatie aangenomen.

En dan laat de regering-Fraser uiteindelijk in de Northern Territory de wet op Aboriginalgrondeigendom aannemen, de Northern Territory Aboriginal Land Rights Act. Die wet geeft de Aboriginals het onvervreemdbare recht op alle reservaten, die 13 procent van het hele grondgebied beslaan. Zij kunnen zodoende nationaal terrein opeisen ... als het hun tenminste lukt om aan te tonen dat zij er de traditionele eigenaars van zijn, dat wil zeggen dat die gronden hun zijn overgeleverd door hun ouders. In 1979 is het nationaal park Kakadu zo aan zijn oorspronkelijke eigenaars teruggegeven. Daar, evenals in het park van het Groot Barrièrerif, zijn de Aboriginalvolkeren momenteel de grootste leveranciers van ecologische kennis.

In 1987 komen de Verenigde Naties met duurzame ontwikkeling. Dat wil zeggen 'die voorziet in de behoefte van de huidige generaties zonder de behoefte van de toekomstige generaties op de tocht te zetten'[32]. In Australië wordt beseft, al leeft het concept in talloze mythen over de hele wereld, dat het beschouwen van de aarde als een heilige plaats, als een register van kosmologie, waar elke plek een verhaal heeft dat zich daar heeft afgespeeld, uniek is voor de Australische Aboriginals. 'Droomtijd' is de term die gebruikt wordt om te omschrijven wat in feite een caleidoscoop van kennis, geloofsopvattingen en gebruiken is, die met elkaar samenhangen en bijzonder verfijnd zijn. Daardoor raakt iedere persoon verbonden met zijn grond, in een intieme persoonlijke vereenzelviging, en leert een filosofie die de mensheid en de natuur als een geheel ziet.

In 1991 benoemt de federale regering van Paul Keating een verzoeningscomité met de Aboriginalbevolking. Het comité heeft tot taak een document op te stellen van 'nationale verzoening'[33], om een 'beter begrip en wederzijdse waardering'[34] tussen de Aboriginal- en de niet-Aboriginalbevolking te bewerkstelligen. Desondanks blijft de officiële leer van Australië deze: het continent is altijd onbewoond gebied geweest, dat de eerste pioniers zich rechtens hebben toegeëigend.

Maar in 1992 herschrijft het federale hooggerechtshof de geschiedenis en velt een sensationeel vonnis met het arrest-Mabo, dat inhoudt dat Eddie Mabo de grond van zijn voorouders terugkrijgt. Dat is de eerste toepassing van de Native Title Right Act, de wet van aangeboren, tribaal eigendomsrecht.

Hetzelfde jaar wordt in Rio de Janeiro de wereldtop gehouden. Talloze staten verplichten zich tot wat een gemeenschappelijke politiek van milieubescherming lijkt. Op dat moment erkent het park van het Groot Barrièrerif in Australië dat het de Aboriginalbevolking moet betrekken bij het totale beheerbeleid. In 1993 zet het nationale Aboriginalagentschap een banenprogramma voor autochtone bevolkingsgroepen op voor het beheren van natuurlijke en culturele bronnen. De bedoeling is om de Aboriginals een gelegenheid te bieden hun waardigheid terug te winnen, door het herstel van culturele banden met de grond, de aarde en de zee, en tegelijkertijd gebruik te maken van hun kennis en hun manier om de biodiversiteit te beheren. Desondanks wordt de eerste bewoners van het continent nog steeds het beheer over bepaalde gebieden geweigerd, met name in zee. En veel van hen lijken ook hun traditionele ecologische kennis te hebben verloren ...

Daarop onthult in mei 1996 de tentoonstelling *Between two worlds* een van de meest duistere hoofdstukken uit de Australische geschiedenis: hoe tussen 1880 en 1970 tienduizenden Aboriginalkinderen met geweld ontvoerd zijn uit de ouderlijke macht in het kader van de assimilatiepolitiek, '*bleaching*' – 'bleken' – geheten. In 1997 staat in het rapport *Bringing Them Home* tot in detail wat er gebeurd is en dat fungeert als een bom in de Australische samenleving. Een samenleving waarin trouwens altijd een Ku-Klux-Klan bestond en waar na het einde van de Zuid-Afrikaanse apartheid talloze Afrikaners naartoe emigreerden om dienst te nemen bij de politie ... wat de relatie met de Aboriginals zeer zeker niet ten goede is gekomen.

En hoe zit het tegenwoordig? Natuurlijk zijn niet alle gronden 'teruggegeven', helemaal niet omdat de grond in Australië rijk is aan diverse mineralen en er gigantische gebieden in handen zijn van internationale groepen. Parallel daaraan blijft de situatie rampzalig voor een groot deel van de ongeveer 460.000 personen die in 2001 werden geclassificeerd als Aboriginals (of eilandbewoners in de Straat Torres), en die dus beantwoordden aan de regeringsdefinitie van Aboriginaliteit, gebaseerd op veronderstelde patri- of matrilineaire banden en op biologische afkomst, waarin bloed een bijzonder tweeslachtige rol speelt.

Toch zijn er plekken waar de situatie zich gunstiger lijkt te ontwikkelen. Dat is het geval met de Jervisbaai, ongeveer 200 kilometer ten zuiden van Sydney. Na heel veel gesteggel bezitten de afstammelingen van de oorspronkelijke bevolking, die daar al ruim 20.000 jaar aanwezig zijn, momenteel 90 procent van het grondgebied rond de baai, met name het nationaal park Booderee, dat zij gezamenlijk met de regering beheren. Sommige geleerden hebben er zelfs een vreemd feit kunnen vaststellen: ondanks de assimilatie waarvan zij het slachtoffer zijn geweest, hebben de ontvoerde Aboriginals, en soms zelfs hun kinderen, toegang tot een deel van die zo bijzondere mythologie die de droomtijd is, evenals tot de kennis die daarbij hoort. Tot vandaag de dag is de kennis van de wetten van cultuuroverdracht nog maar heel gering, maar er lijkt nog geen sluitende verklaring voor dit verschijnsel gegeven te zijn ...

De Australische megafauna

Ongeveer 200 miljoen jaar geleden splijt het enige continent, Pangea, in twee continentale massa's uiteen: Laurazië en Gondwana, waarbij het laatste het merendeel omvat van de gebieden die tegenwoordig op het zuidelijk halfrond liggen: Antarctica, Zuid-Amerika, Afrika, Madagaskar, India, Australië, Nieuw-Guinea, Nieuw-Zeeland en Nieuw-Caledonië.

40 miljoen jaar later splijt Gondwana, waardoor allereerst Afrika en Zuid-Amerika worden gescheiden. 60 miljoen jaar geleden raken Australië en Nieuw-Zeeland op drift, maken zich los uit Antarctica en laten de oceaan 100 kilometer het land binnendringen, ten zuiden van het continent zoals het er tegenwoordig uitziet.

Dan begint zich zo'n 25 miljoen jaar geleden op die plek een dikke laag kalk af te zetten ... terwijl Australië een lange reis naar het noorden aanvangt, waardoor de gronden een grote hoeveelheid diersoorten meevoeren, van vogels tot buidelleeuwen, via insecten, schildpadden, hagedissen en slangen, vleermuizen, maar ook buidelratten, koala's, vogelbekdieren, kangoeroes, diprotodons ...

Ongeveer 10 miljoen jaar geleden koelt het continent af en

wordt droger. Talrijke planten- en diersoorten verdwijnen, terwijl andere de overhand krijgen: buideldieren die lijken op de tegenwoordige wombats, reuzenvogels, springende kangoeroes – die niet alleen meer lopen, enzovoort.

5 miljoen jaar later, als de continenten min of meer hun huidige positie hebben ingenomen, verschijnen dieren als zeekrokodillen en wallaby's, terwijl andere evolueren naar reuzenvormen. Ongeveer 2 miljoen jaar geleden trekt de zee zich terug en laat in het zuiden van Australië stilstaand water achter, dat langzaam de kalk oplost die daar in de loop van de millennia is neergeslagen, waardoor de grotten van Naracoorte ontstaan.

Ruim 500.000 jaar worden die grotten, waarvan er één een opening naar boven heeft, een val voor dieren. Er vormt zich werkelijk een bedding van fossielen.

100.000 jaar geleden, tijdens een nieuwe ijstijd, daalt het zeeniveau, waardoor tijdelijke 'bruggen' ontstaan tussen het Australische vasteland en Nieuw-Guinea of Tasmanië. De dieren worden ook steeds groter. Die megafauna kent enorme kangoeroes of diprotodons, maar ook soorten als de reuzenvaraan, *megalania prisca*. In de loop van de millennia verdwijnt deze megafauna echter.

Tegenwoordig reconstrueren paleontologen aan de hand van de fossielen van Naracoorte, maar ook die van Riversleigh, Bluff Downs, Murgon en Lightning Ridge, de skeletten van talloze dieren van de vroegere megafauna, en leiden daar hun morfologie en leefwijze uit af. Ze vragen zich trouwens ook af wat de reden is dat ze uitgestorven zijn. Sommigen menen dat dat komt door ecologische factoren (zoals het opwarmen van de planeet na de laatste ijstijd), anderen dat het vooral te wijten is aan de komst van menselijke jagers ...

Bibliografie

Werken in het Nederlands

Jung, C.G., *Dromen*, vert. P. de Vries-Ek, Rotterdam, Lemniscaat, 1990.

Cavalli-Sforza, L. en G., *Wie zijn wij?*, vert. E. Maris, Amsterdam, Contact, 1994.

Flannery, T. (red.), *Op zoek naar Australië*, vert. A. Bais, Amsterdam, Atlas, 2000.

Werken in het Engels

White, J.P., *A Prehistory of Australia*, Sydney, Academic Press, 1982.

Wilson, E.O., *Sociobiology: the New Synthesis*, Cambridge, Belknap Harvard, 1975.

Bowler, J.M., Thorne, A.G., *Human Remain from Lake Mungo, Discovery and Excavation of Lake Mungo III*, in: Kirsch, R.L., Thorne, A.G. (red.), *The Origin of the Australians*, Canberra, Australian Institute of Aboriginal Studies, 1976.

Flannery, T., *The Future Eaters, An Ecological History of the Australasian Lands and People,* Sydney, Reed Books Australia, 1994.

Human Rights and Equal Opportunity Commission, *Bringing Them Home: The Report of the National Inquiry into the Separation of Aboriginal and Torres Strait Islander Children from their Families*, Sydney, Sterling Press for HREOC, 1997.

Stanner, W.E.H., *White Man Go No Dreaming*, Canberra, Australian National University Press, 1979.

Enkele websites

www.aiatsis.gov.au (Australian Institute for Aboriginal and Torres Strait Islander Studies)

www.amonline.net.au (Australian Museum)

www.hreoc.gov.au (Human Rights and Equal Opportunity Commission)

www.environment.nsw.gov.au/nationalparks/ (NSW National Parks and Wildlife Service. Informatie over Aboriginals, biodiversiteit enzovoort.)

Een film

Rabbit Proof Fence van P. Noyce, naar de roman van Doris Pilkington Garimara, Sydney, Rumbalara Films, 2002.

Noten

1 Naam gegeven aan het continent dat in het Pleistoceen Zuid-oost-Azië en de Indonesische archipel omvatte (zie kaart Sahoel en Soenda, p. [sref3]). In die tijd was het zeeniveau 150 meter lager dan nu. Het continent was gescheiden van een andere grote landmassa, Sahoel, door de Straat Sahoel.

2 De uitbarsting van de Toba, een vulkaan op Sumatra, tussen 77.000 en 71.000 v.Chr., zou 800 km^3 as hebben verplaatst en bijna het uitsterven van de homo sapiens hebben veroorzaakt, door van de totale bevolking, geschat op 100.000 personen, maximaal 10.000 te laten overleven.

3 Naam gegeven aan het continent dat in het Pleistoceen Australië, Nieuw-Guinea en Tasmanië omvatte.

4 Natuurlijke haven van wat tegenwoordig de stad Sydney is.

5 Premier van Australië.

6 'Lemon tree' (citroenboom), een song van de groep Fools Garden.

7 Internationaal consultancybedrijf, dat de boekhouding van de maatschappij Enron moest controleren. Deze grote Texaanse firma had behalve zijn activiteiten op het gebied van aardgas, een courtagesysteem opgezet waardoor hij elektriciteit kon kopen en verkopen. Deze speculatieve operaties hebben enorme verliezen veroorzaakt, die weliswaar werden gemaskeerd als winst, maar uiteindelijk op faillissement uitliepen. Dat sleepte Arthur Andersen mee, die niet voor malversatie en manipulatie van rekeningen werd veroordeeld, maar voor vernietiging van documenten.

8 Waarschijnlijk Indonesië.

9 Eiland van de Solomoneilanden, ten noorden van het eiland Vanikoro, waar de Astrolabe en de Boussole zonken, beide schepen van de expeditie van Jean-François Galaup, graaf van La Pérouse.

10 Kleine baai ten noorden van de grote Botany Bay, ten zuiden van Sydney.

11 Stam die vroeger bij de Yarrabaai woonde en behoorde tot de Dharug-taalgroep (Eora). Werd gedecimeerd door de pokken in het jaar dat volgde op de komst van het eerste schip met Engelse kolonisten, dat in 1788 afmeerde in Botany Bay.

12 Louis Aragon was tijdens de oorlog gevlucht naar de Drôme en verbleef daar een groot deel ervan. Hij deed er met Elsa Triolet verzetswerk.

13 Stam van de Dharawal-taalgroep, afkomstig uit de streek van Bong Bong, ten noorden van wat tegenwoordig de stad Moss Vale is, op 120 kilometer ten zuidwesten van Sydney.

14 De expeditie van Galaup de la Pérouse vond in 1785 plaats in opdracht van de koning van Frankrijk en was bedoeld om naar sporen van de Engelsman James Cook te zoeken. Joseph Hugues de Boisseau de la Martinière, arts en botanicus, voer mee op de Astrolabe. Met De la Pérouse ontsnapte hij op de Samoa-eilanden aan de dood, werkte vervolgens in 1788 in Australië, in Botany Bay, voordat hij verdween met de expeditie naar de Solomoneilanden. Tijdens de hele reis had De la Martinière zijn dagboeken en verzamelingen naar Frankrijk gezonden. Sommige van zijn nog ongepubliceerde brieven worden bewaard in de bibliotheek van het Nationaal Historisch Museum te Parijs.

15 Tegenwoordig Mauritius.

16 Stam die woonde op de plek van het huidige Sydney en omgeving.

17 Dorp, vervolgens buitenwijk in het westen van Sydney.

18 Aanvankelijk was het een werpstok, maar het groeide uit tot een dodelijk wapen. De vorm kan variëren, maar hij meet gemiddeld een halve tot één meter.

19 Provençaals gebak op basis van olijfolie, bruine suiker en oranjebloesemwater. Behoorde tot de zeven Provençaalse desserts met Kerstmis.

20 Sinds de negentiende eeuw nam de Australische regering en-

kele Aboriginals op in een speciale eenheid van de politie. Deze werd ingezet tegen de rebellen, maar ook bij de ontvoering van kinderen.

21 Celvrij DNA: deel van het genetisch erfgoed, niet binnen de cel beschermd, dus gemakkelijker te vergroten.

22 Human Rights and Equal Opportunity Commission, *Bringing Them Home*, zie de Bibliografie op p. 277.

23 R. van Krieken, 'The "stolen generations" and cultural genocides', in *Childhood* 6 (3), augustus 1999.

24 J.W. Bleakley, *The Aborigines of Australia: their History, their Habits, their Assimilation*, Brisbane, Jacaranda Press, 1961.

25 Dr. Cecil Cook, geciteerd door Hollinsworth, D., *Race and racism in Australia*, Katoomba, Social Sciences Press, 1998.

26 P. Hasluck, *Native Welfare in Australia: Speeches and Addresses*, Perth, Paterson Brokenshaw, 1953.

27 P. Hasluck, *Commonwealth Parliamentary Debates*, Canberra, National Archives of Australia, oktober 1955.

28 P. Hasluck, *Policy of Assimilation*, Canberra, National Archives of Australia, NTAC 1956/137.

29 S. de Vroom, *Sydney Morning Herald Letters*, 27 mei 1998.

30 G. Whitlam, *It's Time For Leadership*, rede voor de socialistische partij van Australië, Sydney, Blacktown Civic Centre, 13 november 1972.

31 A.E. Woodward, *Woodward Report, Second Report of the Aboriginal Land Commission*, Northern Territory, 8 februari 1973.

32 G.H. Brundtland, voor de VN-commissie voor Milieu en Ontwikkeling, *Our common future* (rapport-Brundtland).

33 Premier Keating tijdens een toespraak in Redfern Park, bij de opening van het Australische Internationale Jaar van de Autochtone Wereldbevolking, Sydney 1993.

34 The Council for Aboriginal Reconciliation, Commonwealth Government, Canberra, 1992.

Christine Adamo bij De Geus

Requiem voor een vis

De vangst van een prehistorische vis voor de oostkust van Afrika in 1938 zorgt voor heftige strijd in kringen van wetenschappers en avonturiers. De vis – een coelacant – wordt dan ook beschouwd als de ontbrekende schakel tussen het leven in de oceanen en de eerste levende wezens op het land. Zestig jaar later krijgt de jonge Marie Faver de wetenschappelijke nalatenschap van haar tot dan toe onbekende vader in bezit. Marie moet het werk van haar vader, die zijn hele leven aan de coelacant heeft gewijd, voor publicatie gereedmaken. Maar er is ook iemand die dit probeert te verhinderen en het geweld niet schuwt.